SABER PENSAR

Rosa Argentina Rivas Lacayo

Saber pensar

Dinámica mental y calidad de vida
El Método Silva para un Nuevo Siglo

URANO

Argentina - Chile - Colombia - España
Estados Unidos - México - Uruguay - Venezuela

Aribau, 142, pral. – 08036 Barcelona
www.edicionesurano.com
www.mundourano.com

ISBN: 978-84-7953-670-1
Depósito legal: NA. 1.432– 2008

Ilustraciones: Synapsis de México, S.A. de C.V.
Impreso por Gráficas Monte Alban. S.A. de C.V.
Fracc. Agro Industrial La Cruz El Marqués, Querétaro México

Impreso en México - *Printed in Mexico*

Índice

CAPÍTULO 6

CAPÍTULO 7

CAPÍTULO 8

CAPÍTULO 9

Dedicatoria

«Te ha dado vida el que te ha instruido».

PROVERBIO ÁRABE

Con cariño y reconocimiento a quienes han sido maestros y compañeros en el camino de búsqueda y descubrimiento.

A José Silva, quien con su extraordinaria visión, me enseñó a valorar qué gran tesoro es una mente que sabe.

A Juan Silva, quien con su ejemplo y apoyo, me ayudó a comprender que la sabiduría no viene tanto del conocimiento como del corazón.

A los instructores del Método Silva, y en especial a mis colegas de México, Centro América y Panamá. Hemos andado «harto» camino, tenerlos de compañeros de viaje me ha hecho más corta y fascinante la ruta.

A todos los alumnos «graduados», con quienes he tenido el privilegio de compartir la metodología, por su motivación y afecto, por todo lo que de ustedes he aprendido y por ayudarme a ver con mayor claridad que en el trabajar y el servir, sigue estando la mejor manera de pasarse la vida.

A ti, amable lector, por compartir la búsqueda y por tu confianza.

A ti, mi Dios, quien con tu presencia en mi corazón y el don de la mente, me has hecho amar cada vez más la vida.

Para Rosita:

Gracias por ayudar a "Control Mental Silva" y a la humanidad. Que todo siga siendo para ti y los tuyos "Mejor, Mejor y Mejor".

Hermanos en la ayuda a la humanidad —

José Silva

9/31/97

REFLEXIONES

Evaluación personal
del Fundador de

EL METODO SILVA DE CONTROL MENTAL

Para Rosa y Alf:
Gracias por ser parte de "Control Mental";
palabras escritas o habladas no
pueden expresar lo que tu y Alf
merecen, el premio viene de
lo mas alto como tu lo sabes. Que
todo siga siendo para tu entender y
todos los tiempos son mis deseos
"Mejor, Mejor y Mejor" y asi sera.
Sirviendo a la humanidad
José Silva
6-8-86

Agradecimientos

«El que no recuerda el bien que ha recibido
tiene el corazón viejo».

PROVERBIO CHINO

Era la primera vez, una nueva experiencia para mí. Ahí, en primera fila, atenta y amorosa estaba mi madre, alrededor, amigos entrañables. Cuánta gratitud guarda mi corazón para ellos, escuchando a una novata de 22 años de edad que les proponía algo tan novedoso y atrevido. Desde ése, mi primer curso impartido del Método Silva, han transcurrido 36 años.

¡Llegar!, tener el privilegio de escribir este libro, ¿qué significa en realidad?, creo que, tan sólo, la necesidad de reconocer el camino recorrido y las muchas personas en ese camino, algunas que lo facilitaron y llenaron de afecto y estímulos, otras que lo hicieron sinuoso y me obligaron a redoblar esfuerzos.

Para llegar, como para volver a empezar todas las veces que ha sido necesario, me he sostenido en mi fe, en la práctica de lo que enseño y en el apoyo de tantas personas que hicieron posible lo que aparentaba ser una curiosidad intelectual de mi parte, se convirtiera en un camino y vocación de vida.

Escribo lo que más me gusta en un libro, la expresión de mi gratitud. Son tantos a los que desearía nombrar, tantos los que de una forma u otra me han construido. Pero hoy deseo reconocer, de manera especial, a los que han hecho posible mi «llegar» a este libro.

Gracias a Paloma González Cepeda, correctora de Ediciones Urano, quien con tanto acierto ha pulido el manuscrito. A Larisa Curiel, mi amable editora, gracias por su apoyo y confianza. A la Hna. Lilia Alcira Vacca, provincial de la Congregación de Hermanas Dominicas de la Presentación en México, gracias por el cariño con que transcribieron muchas de mis conferencias del curso de Dinámica Mental.

Al Padre Dr. Rafael Checa O.C.D. mi eterna gratitud por su incondicional apoyo en los momentos menos fáciles que nuestra Institución ha transitado en México. Su sola guía, amistad y ejemplo, acrecienta siempre mi fe en el Buen Dios.

Gracias a tantos amigos y compañeros que generosamente me abrieron las puertas de sus países, invitándome a compartir el curso en las áreas que estaban a su cargo: José Moubayed, en Buenos Aires; Alberto Díaz, en Río de Janeiro; Gabriela Donoso (Q.E.P.D.), en Chile; Clara Cadena, en Colombia; Dragan Vujovic, en Praga y Belgrado; Eva Starkova, en Slovakia; Andrzei Wojeikiewicz en Polonia; Naomi Curtin, Carolyn Deal y Ardean Calloway en Estados Unidos; Moshe y Tania Libermann, en Israel; John y Jane Newman, en Inglaterra; Manuel Luján Antón, en España; Maria Sorel, en Alemania; Panagis Metaxatos y Marianna Metaxatou, en Grecia; y de manera muy especial a Gabor, Katy y Lazlo Domjan en Hungría, quienes han sabido conservar el «corazón joven».

Agradezco a quienes fueron mis compañeros colaboradores: Laura Pinto, Federico Villegas y Omar Mustafá por su apoyo y valiosas aportaciones a los programas de capacitación de instructores en todo el mundo. A Nieves Acebedo Toro por su contribución al desarrollo de nuestra institución en México.

Mi gratitud para Ángela Rodríguez, instructora de Panamá durante tantos años y para la inolvidable Cecilia Novoa (Q.E.P.D.), instructora de El Salvador. Los años compartidos tienen recuerdos de inapreciable valor para mi alma.

A todas las personas que en el área bajo mi cargo, así como en tantos otros países, me han dado la oportunidad de compartir con ellos la metodología, gracias por su afecto y por todo lo que de ustedes he aprendido.

A todo el personal de la Asociación Latinoamericana de Desarrollo Humano y en especial al administrador Sr. Esteban Ramírez por su incondicional apoyo para este proyecto.

Mi «agradecida gratitud» para los amigos especialistas que con tanta generosidad aportaron información o revisaron algunas partes del manuscrito: Lic. Emma Villalobos, Foníatra; Dra. Sara Ena Ochoa, especialista en Nutrición; Dr. Alberto Labra, especialista investigador de la Clínica de Sueños de la Universidad Nacional Autónoma de México; Dr. Jaime Romano Micha, neurólogo, quien ha sido investigador científico de la Universidad de California en Los Ángeles y actualmente Director del Centro Neuropsicopedagógico de México.

Por su amistad comprometida y entusiasmo, agradezco a la Mtra. Norma Ledesma Ruiz de la Universidad Nacional Autónoma de México y a la Lic. Elisa Reina de Prieto, su revisión del manuscrito, la que ha constituido una valiosa aportación.

A mi entrañable amigo Lic. Juan Okie, una vez más mi cariño y agradecimiento por el extraordinario trabajo en los dibujos y gráficas que acompañan este libro y, sobre todo, por su incondicional afecto.

Gracias al Dr. Arturo Heman Contreras, Presidente del Instituto

Mexicano de Psicoterapia Cognitiva Conductual, quien tan amablemente ha escrito el prólogo de este libro.

Mi eterna gratitud para la Dra. Aretoula Fullam, el Dr. Gérard Guasch y el padre Dr. Camilo Maccise O.C.D. por su valiosa aportación a través de cada uno de los apéndices que tan generosamente escribieron para este libro.

Agradezco de manera especial a mi asistenta María Eugenia Díaz Aguirre, por su dedicación, sus valiosas observaciones y su gran paciencia durante tantas semanas pasadas frente al ordenador.

Cuando inicié mi labor como instructora las propuestas parecían más mágicas que científicas, hoy, que me complace tanto poder compartir en este libro parte de la gran cantidad de investigación que respalda nuestro trabajo, quiero reiterar que nunca dejaré de agradecer, de manera muy especial, a todas aquellas personas que confiaron en mí cuando no tenía a la mano toda esta información y también a aquellas que tanto me cuestionaron y me impulsaron a la búsqueda por ampliar mis conocimientos y profundizar en los grandes aciertos de la metodología.

De manera especial mi reconocimiento y gratitud a Juan Silva (Q.E.P.D.), quien siempre me respaldó e impulsó, y a quien el mundo le debe la expansión y crecimiento del Método en tantos países.

A quien después de haber perdido a mi padre se convirtió en guía y asesor, y con toda generosidad me abrió las puertas de los países centroamericanos, aconsejándome con cariño y sabiduría, Ing. Manuel Ignacio Lacayo Terán.

A mi madre, mi primera «alumna graduada», la gratitud de todo mi ser por su entusiasmo, su siempre presente participación y su incondicional amor, que desde el cielo me sigue acompañando.

A ti Dios, Padre bueno, gracias por el don de la mente y sobre todo por tu amor, que nos ha creado libres para emprender la aventura de descubrir nuestra propia humanidad.

Prólogo

Al cabo de muchos años de práctica profesional y docencia universitaria en el campo de la psicología, la psicoterapia y disciplinas concomitantes a la relación de ayuda, hemos podido apreciar y, por supuesto, confirmar plenamente la relación directa que existe entre nuestra actividad mental, nuestros procesos mentales y la calidad de vida de una persona. En la actualidad ya no existe duda que la calidad de nuestros pensamientos es determinante para la calidad de nuestra vida cotidiana.

Hay muchos libros que hablan sobre *cómo* mejorar y beneficiar su calidad de vida, todos ellos desde diferentes perspectivas científicas, religiosas, psicológicas, sociales, espirituales, etcétera. También podemos encontrar libros con títulos muy sugestivos que llaman la atención, pero resulta que en los primeros capítulos aquel interés que depositamos en su título, ahora en su contenido se va reduciendo, y la motivación de seguir leyendo disminuye considerablemente.

No obstante, *Saber Pensar* continúa siendo un desafío para los seres humanos, y un tema de interés general permanente, ya que nuestra mente-pensamiento, es un instrumento que debemos aprender a manejar conscientemente y, para que sea efectivo, es necesario saber *cómo* y *por qué* funciona.

¿Se ha preguntado alguna vez por qué algunas personas parecen conseguirlo todo sin esfuerzo aparente?, y sin embargo, otros llevan una vida de constantes dificultades sin lograr superar el más mínimo escollo. Permítame decirle que muy probablemente los primeros suelen tener la capacidad natural o aprendida de conectarse con su mente y con su pensamiento, y a través de él utilizan todos los recursos para enfrentar y solucionar sus problemas de modo creativo. Los segundos, por consiguiente, no saben cómo utilizar sus propios recursos naturales —aunque los tengan— y con frecuencia ni siquiera saben qué piensan.

Actualmente sabemos que los primeros, además de tener la capacidad de pensar en forma correcta, también han hecho una disciplina ejercitada de cada uno de los métodos, estrategias y procedimientos para estimular su capacidad mental, y los repiten por medio de ejercicios que les han permitido enriquecer su proceso mental, mientras que los segundos sólo se han quedado contemplando cómo pasa el tiempo y la vida.

Saber Pensar es el libro esperado que explica de forma comprensible un proceso tan complejo como es el pensamiento y cómo aprender a usarlo inteligentemente. El planteamiento de este texto se sustenta en la premisa del aprendizaje cognitivo y de las disciplinas afines a este proceso, que constituyen actividades básicas enfocadas a brindar ayuda y orientación a otras personas para que éstas, a su vez, puedan participar de aspectos comunes como la utilización de sus propios recursos psicológicos en su quehacer cotidiano.

Un aspecto importante en este libro es que centra su atención en todos aquellos factores que son vitales para *Saber Pensar*, y al mismo tiempo, reconoce la influencia de los factores ambientales, psicológicos, sociales y culturales que influyen en el proceso para poder desarrollar esta habilidad partiendo del hecho de que la capacidad cognitiva, dentro del proceso de autosuperación, debe conducirse sistemáticamente desde lo más simple a lo más complejo.

Yo era uno de los cientos o miles de incrédulos de los que se habla en el libro, pues dudaba de la efectividad y credibilidad que se le daba a la Dinámica Mental, hasta que fui invitado a tomar el curso, y se me demostró, por propia experiencia, y enfrentado a mi infinita ignorancia sobre el tema, la efectividad del Método, y sin lugar a dudas, los beneficios de su aprendizaje. Por supuesto, mi actitud ante el mismo cambió. Ahora cada día estoy *mejor, mejor y mejor.*

Usted está a punto de empezar a leer no sólo una descripción de un enfoque innovador y con fundamento de evidencia empírica, sino también la presentación de un programa de intervención que tiene un potencial impresionante para ser aplicado en diferentes contextos.

El libro proporciona un enfoque útil para entender cómo se pueden desarrollar nuestras funciones cerebrales y mentales y, por lo tanto, un patrón de pensamiento adaptativo y funcional. Nos habla de los factores que intervienen para bloquear o facilitar el proceso y aporta soluciones efectivas para los problemas. *Saber Pensar* llena un vacío en los ejemplares actualmente disponibles de autosuperación y autoayuda.

El lector, al terminar cada capítulo, estará *mejor, mejor y mejor* recorriendo los distintos pasos que lo llevarán a manejar su pensamiento, tal como lo hice yo en el curso; de ahí podrá cambiar muchos de los conceptos tradicionales que tiene sobre el cerebro y la mente, así como su disponibilidad y motivación a seguir avanzando y practicando el método propuesto de Dinámica Mental.

El primer capítulo nos lleva a un pequeño recorrido histórico que va desde los inicios de la gestación del Control Mental, específicamente del Método Silva, hasta lo que ahora es bien conocido como Dinámica Mental.

El segundo capítulo lo lleva de la mano a entender la importancia del manejo de la energía, que lo puede llevar al eutrés o a un distrés del sistema, esto es, saber administrar la economía de su sistema energético a través de sus pensamientos.

El tercer capítulo nos permite conocer la relación existente entre el pensamiento y nuestros problemas, tensiones, preocupaciones, emociones, así como nuestras imágenes y nuestros sueños, y nuestro bienestar y malestar cotidiano.

El cuarto capítulo titulado *Aprendizaje genial* nos permite conocer las características y la maravillosa función de nuestro cerebro; también nos aporta información científica que nos despeja las falsas creencias que se tienen sobre este órgano. Nos muestra lo que debemos *saber* y qué tenemos que *hacer* para estimular nuestros procesos cerebrales y qué procedimientos hay que aplicar para estimular e incrementar nuestra capacidad para recordar datos.

El quinto capítulo nos describe con claridad los pasos a seguir para poder llegar a obtener lo que deseamos. Nos plantea cómo traducir nuestros problemas en proyectos para poder motivarnos a enfrentarlos y resolverlos. La técnica del *Espejo de la mente*, en donde el *«poder de la intención»* es un fundamento básico que sólo el hombre puede ejercer, nos enseña cómo descubrirla y usarla. Incluso, así como yo me pregunté, igualmente usted lo hará ¿y si todo esto funciona? Le sugiero que aprenda, que use y practique las técnicas, ¡inténtelo y dése la oportunidad!

Los siguientes capítulos nos explican la importancia que tiene la *imaginación* en nuestra vida diaria. Nos hablan de los factores que estimulan y enriquecen la creatividad, motivan nuestra mente ecológica, nos llevan a focalizar nuestros procesos mentales para enfrentar y resolver problemas, nos describen la importancia del uso y manejo de la visualización, y todo relacionado con nuestro mayor tesoro en la vida, que es la salud.

Por estas circunstancias y características es de incalculable valor poder contar con un libro-guía inteligente y con experiencia a nuestro lado, que ofrece una orientación detallada, práctica y acertada sobre el procedimiento a seguir para ayudarnos a *Saber Pensar.*

A pesar de que el libro está dirigido principalmente a cualquier persona que desea saber cómo superarse genuinamente, es también cierto que los profesionales de la salud que lo lean, y los terapeutas experimentados, encontrarán muchos planteamientos inteligentes e intervenciones terapéuticas ingeniosas que ayudarán a un aprendizaje significativo.

Durante todo el libro se acentúa trabajar el potencial que toda persona posee para proteger su autoestima. El contenido es bastante amplio e incluye tanto las características de un funcionamiento saludable, así como lo que puede ser disfuncional en la salud mental.

Cada página transmite una actitud de entendimiento, compasión y respeto, características del *Saber Pensar* con éxito. Durante la lectura del libro el lector tendrá la sensación de estar hablando en persona con la autora. El estilo de presentación varía para acoplarse al tema y el material se presenta en capítulos pequeños para facilitar su comprensión.

Cada autor proyecta en su libro mucho de su proceso interno. Este libro no es la excepción, ya que nos permite identificar en la autora:

- Su crecimiento como instructora de *Dinámica Mental*
- Su preparación y profesionalismo en el desarrollo, continuidad y enriquecimiento del proceso cognitivo
- Su capacidad de integrar un amplio horizonte de conocimientos
- Su continua búsqueda de sustento empírico y científico para la metodología
- Su vocación de servicio
- Su integridad y coherencia como ser humano

La doctora Rivas Lacayo es una guía con estas características, y lo muestra en este libro usando un lenguaje claro, sin vocabulario especial y agradablemente informal.

Aunque no se menciona con precisión, sé que esta obra es el fruto de muchos años de trabajo frente a grupos de capacitación y entrenamiento en *Dinámica Mental Método Silva*, en donde ha enseñado a estudiantes, profesionistas, médicos, psiquiatras, terapeutas y público en general, con una diversidad de antecedentes escolares y sofisticación clínica.

En el estado actual de esta temática y del arte del desarrollo humano, nadie puede escribir un libro en el que cada declaración que se hace obtenga la aprobación universal de los expertos, pero la doctora Rivas Lacayo ha tenido el éxito de darnos suficiente fundamento científico con el cual se asegura la aprobación de la mayoría.

Este nuevo aporte contribuye a enriquecer el conocimiento sobre las aplicaciones de la *Dinámica Mental*, será una excelente guía para quienes han escogido las diversas formas de relación de ayuda en su vida particular, así como en su práctica profesional humanística.

Por todo lo anterior, usted lector, estará de acuerdo conmigo en que después de haber leído este libro, no podrá estar más que «mejor, mejor y mejor».

Hombres que buscáis en el exterior cómo Saber Pensar sin saber que en vosotros, en vuestro interior está la forma de Saber Hacerlo.

DR. ARTURO HEMAN

Doctor en psicología por la Universidad Nacional Autónoma de México. Fundador y presidente del Instituto Mexicano de Psicoterapia Cognitiva Conductual, miembro fundador de la Sociedad Mexicana de Terapeutas Cognitivos Conductuales de la Asociación Mexicana de Medicina Conductual y miembro de la Asociación Internacional de Psicoterapia Cognitiva. Representante en México de la Asociación Psicológica Iberoamericana de Clínica y Salud de la Federación Latinoamericana de Psicoterapia y del Consejo Mundial de Psicoterapeutas. Asimismo socio fundador de la Asociación Mexicana de Terapia Cognitiva Conductual y de la Sociedad Mexicana de Medicina Conductual.

Introducción

«Detrás de todo seguramente hay una idea tan simple,
tan hermosa, tan apremiante que cuando –en una
década, en un siglo, o en un milenio–
la comprendamos, nos diremos unos a otros, ¿cómo
podría haber sido de otra manera? ¿Cómo pudimos ser
tan ciegos por tanto tiempo?»

JOHN ARCHIBALD WHEELER

Todos hemos enfrentado situaciones que en su momento creímos eran imposibles de resolver. Conforme pasa el tiempo y adquirimos nuevas habilidades, descubrimos nuevas alternativas y desarrollamos nuevos talentos, logramos comprender que aquello que parecía insoluble es ahora un reto superado, una meta alcanzada. Con la perspectiva del tiempo nos parece increíble que en el momento no hayamos podido ver lo que ahora resulta evidente y sencillo. En cuántas ocasiones nos hemos reclamado ¿cómo no me di cuenta antes?, y en cuántas otras nos hemos afirmado, ¡era tan obvio lo que tenía que hacerse!

¿Qué necesitamos para darnos cuenta a tiempo y evitar tantos sinsabores y dolor por no habernos percatado de una idea o no haber descubierto nuestro talento? SABER PENSAR.

La capacidad autorreflexiva nos distingue de todos los demás seres vivos, y por poseerla, siempre hemos asumido que SABER PENSAR es una habilidad que por naturaleza ejercemos. Sin embargo, con tan sólo ver cómo están las cosas en el mundo, tenemos una clara evidencia de que aunque pensamos, SABER hacerlo, con mayúsculas, no es algo en lo que la mayoría hayamos destacado; parece que hemos olvidado, como decía Pascal, que nuestro trabajo y dignidad es pensar, y nuestro deber, hacerlo correctamente.

Pero, ¿cómo utilizar nuestro pensamiento y desplegar nuestra capacidad de hacerlo inteligentemente?

Si este libro ha llegado a tus manos en tiempos de confusión y cuestionamiento que te hacen sentir atrapado en un problema, dudoso en cuanto a tus decisiones o impotente ante alguna circunstancia, este es el mejor momento para descubrir tus talentos y potencial. Por otra parte, si por ahora caminas con paso firme y seguro de ti mismo, este es el mejor momento para reflexionar sobre muchas de tus capacidades que aún puedes descubrir y que te ayudarán a mejorar tu calidad de vida.

Hoy nos parece común y cotidiano pensar que nuestra mente tiene un enorme potencial y que ella es el medio por excelencia para ayudarnos a resolver problemas. Pero lo que hoy resulta habitual, en algún otro momento se consideró extravagante o francamente absurdo.

La historia del progreso está hecha por personas que se atrevieron a proponer ideas nuevas, que sólo con el tiempo fueron consideradas por los demás como evidentes.

En la actualidad abundan todo tipo de cursos de autoayuda, algunos seriamente fundamentados y otros «sacados de la manga»; algunos impartidos por personas con una sólida capacitación y otros por oportunistas irresponsables que buscan un camino fácil para hacerse de recursos.

Pocas metodologías han comprobado ser, con la prueba del tiempo, acertadas en su propuesta y efectivas en sus resultados, siendo su aprendizaje accesible a todos.

Una de las cosas que siempre me admiró de José Silva fue la extraordinaria sencillez con que logró crear un método efectivo, que en sus entretelas guarda una sabiduría profunda. Sus propuestas iniciales fueron vistas con desconfianza. Después de todo, afirmar que en nuestro propio interior están las capacidades que nos hacen posible transformar nuestra vida y ser mejores, otorga al individuo una libertad que resulta amenazante para muchos otros, que gustan de mantener el control sobre los demás.

El tiempo y la investigación científica han comprobado día con día que lo que ayer fueron hipótesis, hoy son resultados evidentes. No debemos extrañarnos, el progreso del conocimiento ha surgido siempre de la audacia de la imaginación y el compromiso por servir, y ése fue siempre el ideal de José.

José Silva nació en la ciudad de Laredo, Texas, el 11 de agosto de 1914; su padre era mexicano. Desde muy pequeño, al quedar huérfano, tuvo que trabajar para ayudar a su madre y a sus hermanos. Estudió electrónica por correspondencia, al llegar la Segunda Guerra Mundial y estando en el ejército se dedicó a dar servicio a todo tipo de equipo, entre el cual estaban los aparatos de electroencefalografía del departamento médico (aparatos que registran las frecuencias eléctricas del cerebro). Llamó su atención la relación que había entre las diferentes frecuencias y el potencial eléctrico que cada una de ellas producía, siendo la onda Alfa la que se observaba con mayor potencial.

A su regreso a la vida civil, y después de haber registrado varias patentes a su nombre por su trabajo en electrónica, estudió de forma autodidacta psicología y realizó una serie de investigaciones en el área de aprendizaje para los niños. Al darse cuenta del potencial que había por descubrir tan sólo en el área de la educación, empezó sus observaciones con adultos.

Después de casi 22 años de trabajo, habiendo reunido un conjunto de técnicas que había comprobado como efectivas, impartió su primer curso al público en la Universidad de Texas, en la ciudad de Amarillo en 1966. Los excelentes resultados que se alcanzaron hicieron posible el crecimiento de la metodología en Estados Unidos, y posteriormente, a partir de 1968, gracias a su hermano Juan Silva, en el resto del mundo, siendo México el primer país en impartirla. José Silva recibió un doctorado Honoris Causa otorgado por la Fundación Sangreal y fue reconocido por su investigación por *The Mind Science Foundation* en San Antonio, Texas, cuando fungía como Director el doctor Wilfrid Hahn.

El Método Silva fue pionero al incursionar en el tema de la superación personal. Cuando participé en él por primera vez, y por mera curiosidad, sus propuestas parecían fantásticas y cuando personalmente me capacité con José como instructora de la metodología en 1971, los conceptos que le escuché eran de verdad revolucionarios. Sin embargo, más sorprendente ha sido confirmar a lo largo de estos 36 años cuan acertado estaba en sus apreciaciones y propuestas.

Allá y entonces, José ya hablaba de la importancia del manejo del estrés; de la eliminación de problemas tensionales como el insomnio y las jaquecas a través de la relajación; del control consciente de los sueños; de técnicas de aprendizaje que aceleraban nuestra memoria y concentración; de la relevancia del hemisferio derecho; de los procesos de incubación para la toma de decisiones; de los conceptos de programación en nuestro cerebro y la proyección de nuestras metas; de nuestra capacidad para voluntariamente modificar el umbral del dolor físico; de la reprogramación y modificación de nuestros hábitos; de la importancia de educar a la imaginación y el desarrollo de la creatividad y la intuición; del uso de la visualización para lograr nuestros objetivos y de manera muy importante de su aplicación para nuestra salud. Temas que se extendieron al público mucho tiempo después.

No fue sino hasta 1975 que los doctores Linus Pauling, Jonas Salk y Alvin Toffler fundan el Instituto Hans Selye para la investigación del estrés y la relajación en el Canadá. En el año 1985 en la Universidad de Stanford, Stephen Laberge publica sus estudios sobre la conciencia de los sueños. Es hasta 1969, tres años después del Método Silva, que Paul Dennison se convierte en el promotor de la Quinesiología Educativa utilizando también la información del doctor Georgi Lozanov, creador de la Sugestopedia en 1966 y del concepto de aprendizaje acelerado para la enseñanza de idiomas, conocido como superaprendizaje. La Programación NeuroLingüística (PNL) de Richard Bandler y John Grinder aparece hasta la segunda mitad de la década de los 70´s, junto con diversas técnicas de aprendizaje acelerado que enfatizan la importancia de la relajación en ese proceso.

En 1981 el doctor Roger Sperry obtiene el Premio Nobel de Medicina por su investigación sobre la especialización de los hemisferios cerebrales y la relevancia del hemisferio derecho. Es hasta 1985 cuando el psiquiatra Jonathan Winson publica su investigación sobre los procesos de incubación en el cerebro. La década de los 80´s se convierte en la década de difusión sobre la importancia de visualizar para la programación de metas y es también la época en que florecen las clínicas especializadas en el tratamiento del dolor, en las que se enseña a los pacientes técnicas de relajación y desvío de atención.

En los años 90, la «década del cerebro» en la investigación, empiezan a incluirse en cursos de administración de empresas, temas de capacitación en el desarrollo creativo y en la intuición. En esa misma época universidades de gran prestigio ofrecen cursos de espiritualidad en las facultades de medicina, en los cuales se resalta el uso de las imágenes para nuestra salud.

José Silva fue un verdadero pionero en lo que hoy resulta información cotidiana y un auténtico visionario por crear una metodología cuyo propósito es desarrollar nuestras capacidades mentales e incrementar nuestro potencial, lo que la ciencia estima es el futuro de nuestra evolución.

El trabajo de José se abrevó de la investigación de muchos y del conocimiento y sabiduría de todos los tiempos, pero su gran aportación y por la que merece un amplio reconocimiento fue crear, con una técnica de relajación propia, una conjugación extraordinaria de técnicas por vez primera asequibles al gran público.

No hace más de un año, al impartir una conferencia de introducción al curso, una persona me preguntó «¿no estará el Método Silva ya obsoleto?», le respondí invitándole a valorarlo por sí misma. Al finalizar el curso dos semanas después, fui yo quien le hizo la misma pregunta. Su respuesta fue: «¿Puede estar obsoleto el que una persona aprenda a relajarse y eliminar sus problemas tensionales? ¿Estará obsoleto el que una persona descubra su potencial, incremente su memoria, logre sus metas, desarrolle su creatividad y pueda llegar hasta recobrar la salud que tenía perdida?»

El Método Silva no sólo continúa siendo actual, sino que es el curso líder de superación personal que en México, Centro América y Panamá, área bajo mi dirección, divulga información de vanguardia y utiliza la más avanzada tecnología de punta para la presentación de su material. Ha demostrado su efectividad a través de los resultados que las personas obtienen. La razón no es mágica pues la premisa básica es el cambio de actitud, que aleja a la persona de los estados de ansiedad, y dándole un mayor sentido de control interno le permite desplegar sus capacidades de una forma más asertiva y eficiente en la solución de sus problemas, como lo comprobó la doctora Pilar Usanos Tamayo en un sólido estudio e investigación del método en la Universidad Complutense de Madrid.[1]

La Psicología Cognitiva y su experiencia clínica nos ayudan a comprender la razón por la cual José Silva llamó al método en sus orígenes **Control Mental** que significa mantenernos conscientes y vigilantes de nuestro pensamiento (estricto significado de la palabra *control* en nuestro idioma)[2]. Quien conscientemente sabe manejar sus procesos cognitivos (pensamiento, percepción, memoria e imaginación) puede transformar su conducta externa y con ello sus resultados.

Al pasar los años y por la confusión que el término *control* creaba en muchas personas, decidimos, en el área a mi cargo, modificar el nombre a **Dinámica Mental**, dando un nuevo significado a estas palabras, las cuales explicaremos más adelante.

Nuestra metodología se imparte en más de 120 países y ha sido traducida a más de 30 idiomas. Sin embargo nuestra institución no es multinacional ya que cada país o área establece sus propios lineamientos, adapta la metodología de acuerdo a las necesidades y cultura de su entorno, pero siempre respetando las técnicas en su formato original.

Después de una larga vida procurando «servir a la humanidad», como fue su lema personal, José Silva falleció el 7 de febrero de 1999, a los 84 años de edad. Tres meses de insuficiencia renal le llevaron al Mercy Hospital de la ciudad de Laredo, su lugar de nacimiento, y donde padeció, después de dos días de hospitalización, un paro cardiaco.

Le doy gracias a Dios por el privilegio de haberlo conocido y por haber andado con él buena parte de su camino. Le agradezco la visión que compartió y el tiempo prolongado, a veces acalorado, de pláticas y discusiones.

En este libro comparto contigo, amable lector, algunas de las técnicas del curso de Dinámica Mental Método Silva, creadas por José Silva; algunos ejercicios de reflexión, fruto de mis conferencias, así como el conocimiento y experiencia personal con los cuales explico y sustento mi presentación del curso. Al escribirlo rindo homenaje a un hombre sencillo que estoy segura la historia sabrá apreciar por su valiosa aportación. Espero que todos aquellos, incluyendo autores reconocidos, intelectuales, científicos y capacitadores de desarrollo humano que se han abrevado de su método, tengan la humildad y gratitud para reconocerlo.

El Método Silva es, ante todo, un método educativo, respetuoso de todas las creencias, cuyo primordial propósito es la educación subjetiva de nuestras facultades y sentidos internos. Hablar de educación es hablar de «preparar la inteligencia y el carácter»,[3] para descubrir en la persona toda la riqueza interior, y los dones y talentos que están ahí para mejorar su vida.

La educación de nuestra subjetividad, indispensable para nuestra inteligencia emocional, no es un ensimismamiento egoísta sino dirigir nuestro rumbo fuera del exilio de nuestra superficialidad, que nos ha enajenado y constreñido a una realidad limitada y estrecha. Orientarnos al encuentro de nosotros mismos, entrar en nuestro propio espacio para avanzar hacia el autoconocimiento y desde ahí abrirnos a relaciones significativas y sanas con los demás y con el mundo.

Una idea tan sencilla como «conócete a ti mismo» nos resulta cada vez más ajena. Pero es dentro de nosotros mismos donde se encuentran las respuestas que tantas veces buscamos desesperadamente en el exterior.

El camino de la superación y el desarrollo humano hemos de andarlo con determinación y recordando las palabras del gran teólogo húngaro, Ladislao Boros:

«Si nos contentamos con lo alcanzado, entonces dejamos de ser tal como Dios nos ha creado, hombres abiertos a un perfeccionamiento infinito».

1

¿Qué es Dinámica Mental?

«El único y verdadero viaje de descubrimiento no consiste en buscar nuevos paisajes, sino en tener nuevos ojos».

ANÓNIMO

Desde hace más de 30 años me he permitido afirmar que en este mundo sólo hay dos clases de personas, las que se preocupan y las que se ocupan. Las primeras consideran que una crisis es catástrofe y las segundas reconocen en la adversidad la oportunidad. Los que se preocupan, ante los problemas, se sienten impotentes, y los que se ocupan, ante los retos, desafían a su potencial.

Nuestra capacidad para resolver problemas y mejorar nuestra calidad de vida es mucho más grande de lo que solemos pensar. La mente humana continúa siendo el gran enigma, para muchos la gran desconocida, ya que no se le pueden practicar disecciones ni ubicar en un sitio específico. Sin embargo todos reconocemos que ella es nuestro gran recurso, el gran don que Dios mismo nos ha dado para superar nuestros retos y utilizar nuestra inteligencia. Descubrir nuestra mente es descubrir lo que nos mueve, desconocerla es lo que nos genera muchos de nuestros problemas o nos paraliza en tantas ocasiones.

¿Qué significa Dinámica Mental? Lo dinámico es aquello que produce movimiento y que se aplica a la persona que tiende a hacer o emprender cosas. En cuanto a la mente, la podríamos definir como el conjunto de facultades que hacen del ser humano un ser pensante. Desarrollar nuestra Dinámica Mental significa tener la capacidad de ejercer un pensamiento que emprende y alcanza sus objetivos.

Los seres humanos hemos logrado sobrevivir, entre otras cosas, gracias a nuestra capacidad de adaptación. Únicamente cuando generamos «movimiento», podemos generar cambio y sólo el cambio permite adaptarnos. Dinámica Mental favorece esta capacidad manteniéndonos activos en la búsqueda de nuevas alternativas y soluciones.

Para desarrollar nuestra Dinámica Mental, es decir, un pensamiento emprendedor, una forma de pensar que nos genere acción para resolver problemas y mejorar nuestra calidad de vida, necesitamos aprender a controlar la mente.

¿Qué quiere decir *control*? y ¿por qué lo necesitamos? En la introducción vimos que de acuerdo a nuestro propio idioma, la palabra *control* se refiere a ser conscientes y vigilantes, razón por la cual debe desaparecer la idea de que *control* signifique reprimir, componer o manipular, controlar nuestra mente es saber dirigir y manejar nuestros pensamientos convirtiéndolos en un proceso dinámico que nos lleve a lograr eficacia en todas las tareas que emprendemos. Sin *control* nuestro pensamiento puede convertirse en nuestro peor enemigo, alterando nuestras respuestas emocionales y en ocasiones desquiciando nuestra conducta.

Por ello es indispensable la autodisciplina, un término-concepto que suele no gustarnos, especialmente en una sociedad donde parece que la mayoría de nuestras acciones tienen como finalidad la búsqueda del placer por el placer mismo, perdiendo la perspectiva de que nuestras más genuinas satisfacciones son siempre el resultado del esfuerzo.

Dinámica Mental es el conjunto de técnicas del Método Silva que, con autodisciplina, nos da el control adecuado para convertir a nuestro pensamiento en el gran promotor de la más importante de nuestras empresas, nuestra propia vida. El control de nuestra mente nos hace posible manejar el estrés utilizando la relajación no sólo con ese fin, sino también con un propósito creativo para la solución efectiva de problemas.

A partir del manejo del estrés, la metodología nos brinda herramientas para que en un estado de reposo podamos discernir mejor, motivarnos en dirección a nuestras metas y mejorar nuestra calidad de vida a través del desarrollo de nuestras facultades mentales, incrementando el potencial interno y el de nuestra inteligencia; afirmar que podemos alcanzar estos logros, por medio de la práctica, podría parecer muy pretencioso; sin embargo, existen estudios con estricto control y plenamente validados en instituciones académicas que lo han demostrado.[4] Aunque ciertamente el conocido IQ (cociente intelectual) no deba considerarse como medición determinante para nuestras capacidades, lo que sí resulta relevante es demostrar que puede incrementarse en la población adulta. Esto nos obliga a recordar que nunca es tarde para seguir aprendiendo, poder cambiar, alcanzar nuestras metas y mejorar nuestra calidad de vida.

¿Son el cerebro y la mente/conciencia lo mismo? La respuesta a esta pregunta representa una de las polémicas científicas que parece estar siempre presente. Sin embargo, las últimas décadas del siglo XX fueron inclinando la balanza cada vez más a una respuesta que parece afirmar que cerebro y mente/conciencia no son lo mismo.

Sir John Eccles, Premio Nobel de Medicina, afirmaba: «No debemos pretender que la conciencia no es misterio», y el gran físico David Bohm, de forma más atrevida decía: «No es el cerebro el que crea la conciencia sino la conciencia lo que crea al cerebro, la materia y a todo aquello que nos gusta llamar realidad».

Independientemente de la visión que cada uno de nosotros tenga respecto a esta polémica es indudable que nuestra mente-pensamiento tiene la autonomía para modificar el funcionamiento de nuestro cerebro, como se puede constatar por medio de lo que se conoce como mapeo cerebral y la más reciente investigación de las neurociencias, la neuroplasticidad que es la habilidad del cerebro para reorganizarse a sí mismo formando nuevas conexiones neuronales, a través de la actividad mental y de la conducta.

A pesar de que a la mente no la podamos ubicar, y la mayor parte de los neurocientíficos de vanguardia no afirmen más que la conciencia sea un simple subproducto de las funciones cerebrales, conocer nuestro cerebro es importante para comprender el porqué las técnicas del Método son efectivas.

Entre las muchas funciones que el cerebro realiza, una de las más conocidas e investigadas, es su producción de frecuencias de tipo eléctrico que se pueden medir a través del electroencefalógrafo, el cual nos da como resultado lo que todos conocemos como un electroencefalograma, o sea un registro de la función cerebral.

Las frecuencias cerebrales fueron descubiertas en la década de los 20's, en el siglo pasado, por un psiquiatra alemán llamado Hans Berger, considerado como el padre de la electroencefalografía.

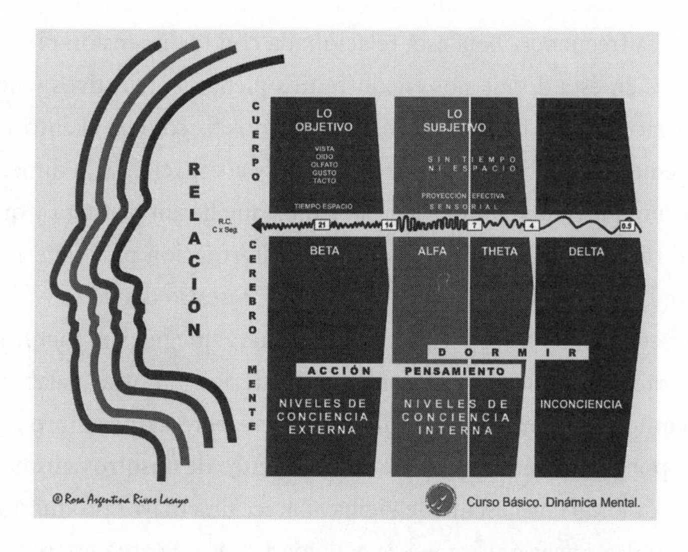

La frecuencia más lenta que el cerebro produce es aquella que oscila de 0 a 4 ciclos por segundo y ha recibido el nombre de onda Delta; la frecuencia que oscila entre 4 y 8 ciclos por segundo es conocida como onda Theta. Una frecuencia que oscila entre 8 y 12 ciclos es la conocida como onda Alfa, llamada también Onda de Reposo, la cual ofrece un gran y especial potencial para los seres humanos. La frecuencia de 13 ciclos en adelante recibe el nombre de onda Beta, y en la más reciente investigación, a las frecuencias superiores a los 35 ciclos se les denomina ondas Gamma, las cuales no son fáciles de medir con precisión.

La frecuencia Beta de nuestro cerebro es la que predomina cuando estamos despiertos y activos. Su promedio nos revela el grado de ansiedad que podemos tener. Aquellas que oscilan por encima de los 21 ciclos denotan una ansiedad considerable en el individuo.

¿Qué relación existe entre las frecuencias del cerebro, la actividad del cuerpo y los niveles de la mente?

La frecuencia Beta está relacionada con la dimensión objetiva, es en ésta donde nos encontramos plenamente activos y nos relacionamos a través de nuestros sentidos físicos con el entorno que nos rodea, limitados por el tiempo y el espacio. En la dimensión objetiva percibimos los estímulos que llegan de fuera y que habrán de constituir nuestra base de información para determinar lo que está ocurriendo. A lo largo de nuestro día de actividad la frecuencia Beta será la dominante y hará que nuestra mente se mantenga en un nivel de conciencia exterior. En otras palabras, estamos conscientes de lo que pasa fuera pero casi siempre con un pobre contacto con lo que ocurre dentro de nosotros mismos.

Cuando en el estado de vigilia aparece una mayor producción de ondas Alfa, significa que la actividad, más que objetiva, se torna subjetiva, haciendo uso de los sentidos internos, no limitados por el tiempo y el espacio, como la memoria, la imaginación, la visualización, la intuición y la creatividad. La onda Alfa se relaciona con un proceso de conciencia interna que, aun despiertos, nos pone en contacto con nuestra interioridad. Este nivel está relacionado a la relajación, a la meditación y a la oración silenciosa.

Durante mucho tiempo se consideró que la producción de ondas Alfa implicaba un estado de «no pensar». Sin embargo hoy sabemos que a pesar de que ésta tiende a desaparecer al deslizarnos al sueño o al estar por completo alertas y despiertos, existe una región entre estos dos extremos que involucra un estado de alerta en donde la actividad de Alfa se relaciona a la actividad cognitiva, pensante.[5] Esto fue lo que José Silva llamó ***atención interna***. La más reciente investigación comprueba que su propuesta y afirmación eran totalmente correctas.

Lo objetivo es todo lo que puedo ver, oír, oler, gustar, tocar, medir y pesar. Para que puedas seguir con la lectura de este libro requieres de la vista y requieres también de estar en el aquí y el ahora. Lo subjetivo se refiere más a la valoración que hago desde mi percepción interna.

Con tu memoria puedes revivir el recuerdo de algo que leíste anteriormente y con tu imaginación puedes anticipar el sentimiento de expectativa por algo que vendrá. Es nuestra subjetividad la que hace posible que sin estar aquí y ahora podamos evocar emociones de sucesos pasados y anticipar sentimientos por sucesos futuros.

¿En cuántas ocasiones te has sorprendido a ti mismo sintiendo tristeza por estar rememorando algo del pasado, y en cuántas ocasiones te has sentido motivado o entusiasmado por algo que aún no ocurre pero que con la imaginación te ha creado expectativa? Lo importante de todo esto es darnos cuenta que a través de nuestra subjetividad generamos cambios físicos en nuestro cuerpo y que por ello el control que tengamos de la onda Alfa y de nuestra mente, es indispensable para nuestra propia salud física y mental.

La producción de ondas Theta en los adultos está más asociada con los niveles del dormir. Sin embargo, al igual que con la onda Alfa, ésta se relaciona con aspectos subjetivos, con niveles muy profundos de relajación y cuando es evocada consciente y controladamente nos brinda la posibilidad de manejar efectos fisiológicos en el cuerpo, como el dolor. En las clínicas médicas para el control del dolor la relajación constituye una técnica de primer orden, así como el desvío de la atención. Su propósito es capacitar al paciente para que tenga acceso a estos niveles de conciencia interna y pueda manejar de manera más eficiente su problema.

La producción de ondas Delta no está relacionada a ningún tipo de actividad con el entorno, aparece en los niveles más profundos del dormir que se relacionan con la inconsciencia y en el que habitualmente no háy actividad de sueños. Aunque se ha llegado a observar una producción de este tipo de frecuencias en algunos individuos estando despiertos y sin padecer ningún trastorno neurológico, no hay suficientes datos que concluyan una relación con algún tipo de actividad consciente y específica. El nivel Delta es de suma importancia en el dormir y en los efectos que produce favoreciendo el descanso biológico.

Si comprendemos un poco mejor la relación entre las frecuencias del cerebro, el tipo de actividad que desempeñamos y los niveles de conciencia de la mente, comprenderemos mejor los enormes beneficios que el Método Silva puede aportarnos.

La metodología nos da herramientas para manejar nuestra subjetividad a partir de la práctica de la relajación, la cual está relacionada con la producción de las ondas Alfa. En la medida en que nuestro nivel de ansiedad aumenta habrá cada vez una menor cantidad de ondas de reposo, por lo que aprender a manejar nuestro nivel subjetivo no es un lujo sino una necesidad para la vida que hoy llevamos. Este nivel, donde accedemos a una mayor conciencia interior, nos permite mejorar el exterior, ya que la calidad de nuestras relaciones con el entorno siempre dependerá de la calidad de nuestra interioridad, de lo que pasa dentro de nosotros mismos.

En el curso de Dinámica Mental se tienen propósitos generales muy claros que se concretan en la práctica a través de las técnicas que cada uno de ellos conlleva, propósitos de una gran importancia para nuestra calidad de vida.

- Conservar, fortalecer o mejorar nuestra salud.
- Potenciar nuestro aprendizaje.

- Alcanzar nuestras metas.
- Desarrollar nuestra intuición y creatividad para resolver problemas.
- Autoconocernos y descubrir una forma efectiva de servirnos y servir mejor.

CONSERVAR, FORTALECER O MEJORAR NUESTRA SALUD

«La naturaleza es una gran armonía en la que sólo existe un progresivo desarrollo orgánico, y la enfermedad se produce cuando se destruye esta armonía en el cuerpo».

PARACELSO

En la actualidad resulta innegable que el estrés se ha convertido en algo potencialmente dañino para nuestra salud. Aprender a manejarlo es indispensable para nuestra calidad de vida y la única forma natural de hacerlo es a través de la relajación.

El estrés es un mecanismo de supervivencia, gracias al cual hemos logrado subsistir a través de los siglos, previniéndonos de lo que puede ser dañino, alertándonos para la acción e impulsándonos para adaptarnos. ¿Por qué entonces se ha convertido en tan gran enemigo?

Hasta mediados del siglo pasado la necesidad de adaptarnos a los cambios no era tan frecuente. Las abuelas estaban familiarizadas con la tiendita de la esquina, en la cual sus propias madres habían realizado siempre sus compras; su amistad con el tendero era prácticamente familiar, la forma de hacer las cosas era casi siempre la misma. Para los abuelos lo aprendido en la universidad era suficiente para desempeñarse en el trabajo durante casi toda una vida con procedimientos que casi nunca cambiaban.

Ante los escasos medios de comunicación los problemas ajenos a la familia o al entorno más cercano llegaban a ser conocidos casi al mismo tiempo de haber sido resueltos.

Por otra parte la movilidad era muy relativa: se nacía, vivía y moría en el mismo lugar, y en algunas ocasiones en la misma casa. Los días eran parecidos unos a otros. Los problemas del hogar se quedaban en el hogar y los del trabajo en el trabajo. Sin televisión las familias acostumbraban a conversar durante la cena y ventilaban las inquietudes que tenían, ayudándose así a procesarlas mejor.

Hoy, en las grandes ciudades, llegar al trabajo desde la casa constituye una odisea y cuando aún no has terminado de llegar suena el teléfono para informarte de algún problema en la escuela con alguno de tus hijos o de cualquier otro incidente relacionado a tu vida personal. Por la noche, el trabajo que no fue terminado, debe ser concluido en casa, y por si fuera poco en menos de 30 minutos, a través de un noticiero, nos podemos enterar de los problemas que han ocurrido y están ocurriendo en ese mismo instante alrededor del mundo. En consecuencia la familia ha dejado de tener un espacio sano de desahogo y su comunicación se ha empobrecido. Parece ya no haber tiempo para darle a cada cosa su tiempo.

La tiendita de la esquina desapareció hace más de 20 años y desde entonces tanto su giro como su dueño han cambiado por lo menos doce veces. La tecnología avanza a una velocidad que sentimos no podremos alcanzarla. Lo que estudiamos en la universidad nunca es suficiente y los programas de trabajo cambian justo cuando ya habíamos aprendido el anterior.

Esta excesiva demanda de cambio que hoy vivimos es lo que ha convertido al estrés en un enemigo potencial. Sin embargo hablar de eliminarlo es absurdo ya que responde al mecanismo de supervivencia que realmente es. Por ello resulta necesario saber manejarlo y para lograrlo, de forma natural, es indispensable saber relajarnos, puesto que la relajación produce los efectos fisiológicos que contrarrestan los de la respuesta del estrés. Estos cambios los explicaremos con mayor detenimiento en el capítulo dos.

De nuestro estrés crónico se derivan problemas tensionales típicos como son el insomnio y las jaquecas, razón por la que es necesario aprender a utilizar la relajación para eliminarlos de manera específica a través de técnicas como son el «control para dormir®» y el «control para el dolor de cabeza®».

Aprender a tener control voluntario sobre procesos como despertar sin un reloj, o mantenernos despiertos sin estimulantes, nos dará una mayor seguridad y sensación de control interno, lo cual «le proporciona a la persona una mayor confianza en sí mismo y un mejoramiento de su personalidad».[6]

Es probable que muchas personas, inclusive tú mismo, sientas que regulas este tipo de procesos desde siempre y en forma natural, lo que en todo caso resulta ser lo normal. No obstante ha sido nuestra falta de autodisciplina y la dependencia cada vez mayor en lo externo a nosotros mismos lo que nos ha ido llevando a perder el manejo de estos procesos. «Control para despertar y mantenernos despiertos®» son importantes, no sólo porque nos dan un mayor control sino porque generan una mayor confianza en nuestros propios recursos, lo que favorece nuestra capacidad de manejar situaciones mucho más significativas.

También es importante para nuestra salud reconocer que los sueños constituyen una realidad para nuestro cuerpo. Todos hemos tenido la experiencia de despertar agitados, llorando, riendo o a punto de gritar. Para nuestro cerebro las imágenes de los sueños son una realidad a la que se debe responder movilizando todas las respuestas fisiológicas que el cuerpo requiera para hacerlo.

La técnica de control de sueños nos ayudará a comprender el porqué despertamos de mal humor o padecemos una tristeza cuyo origen desconocemos, o nos mostramos ansiosos aun reconociendo que no hay motivos para ello. Ignorar lo que soñamos es no ser conscientes de muchos de los eventos que, aunque «soñados», están repercutiendo en nuestra calidad de vida y salud.

POTENCIAR NUESTRO APRENDIZAJE Y ALCANZAR NUESTRAS METAS

«La educación tiene que ver con enseñar a la gente a pensar con calidad».

J. SEARLE

En la actualidad disponemos de una gran cantidad de teorías y recursos para el aprendizaje acelerado. Independientemente del nombre que reciban, todas expresan la importancia que la relajación tiene en estos procesos, así como la relevancia de un acertado uso de la imaginación y visualización.

Las técnicas del Método nos dan una mayor capacidad de concentración y habilidad para enfocar nuestra atención, lo cual es imprescindible para un aprendizaje efectivo así como para el desarrollo de una mayor retentiva.

A través de ejercicios para agilizar nuestra memoria, utilizaremos una técnica que nos facilite recordar lo que leemos y lo que escuchamos, así como una respuesta más eficiente ante situaciones de examen. Aun para aquellos de nosotros que no estamos más dentro de la escolaridad formal, la vida siempre nos exige dar respuestas que dependen de SABER manejar nuestra información. De nuestra genial capacidad para aprender es de lo que trataremos en el capítulo cuatro.

Para alcanzar nuestras metas la capacidad de programación es indispensable. ¿Qué es programar? Tan simple como dar información al cerebro, algo que de manera constante hacemos, consciente o inconscientemente. Cada una de las cosas que nos decimos a nosotros mismos así como cada una de las «películas» que proyectamos en nuestra mente son información que el cerebro procesará casi de manera literal.

Entonces habría que preguntarnos ¿qué clase de información le damos al cerebro? Si se trata de alcanzar nuestros objetivos hemos de ser conscientes del tipo de mensajes que nos reiteramos y el cómo algunos de ellos sabotean nuestros propios esfuerzos. Aún más importante es reconocer que la programación interna, la que realizamos a nivel subjetivo, es la que mayor impacto tendrá en nuestros resultados.

El Método nos ofrece técnicas de programación de metas y objetivos que nos ayudan a utilizar el potencial de nuestra subjetividad, desarrollando así nuestra capacidad de visualización e imaginación, lo que resulta indispensable para que nuestras acciones favorezcan eficazmente nuestros resultados.

Cada uno de nosotros utilizará estas herramientas de manera diferente, puesto que nuestros objetivos siempre serán distintos. Habrá quien las use para mejorar sus ventas, otros su autoestima, otros su rendimiento profesional, su salud, sus relaciones interpersonales o para conseguir hablar en público más fluidamente.

Por otra parte Dinámica Mental nos ofrece una técnica que nos facilitará la toma de decisiones, lo cual no sólo nos ayudará a discernir la mejor opción ante una disyuntiva, sino que también nos permitirá utilizar las habilidades del hemisferio derecho, como la intuición, para llegar a la solución correcta cuando sentimos que no hay alternativas.

La metodología nos proporciona también, por medio de la relajación y el enfoque de nuestra atención, una técnica que nos brinda la capacidad de controlar el dolor físico que puede producirse cuando padecemos algún trastorno de salud o un accidente, como lo explicaremos ampliamente en el capítulo cinco.

Dentro del tema «programación de metas» abordaremos también la técnica de «control de hábitos®», comprendiendo cómo es que los adquirimos y de qué manera podemos cambiarlos.

A pesar de que algunas personas puedan sentirse como esclavos de sus hábitos, éstos siempre dependerán de nuestra propia voluntad. La técnica que se presenta en el curso, aunque enfocada de manera especial a los hábitos de fumar y comer, puede ser utilizada para erradicar o modificar cualquier hábito que la persona desee, incluyendo los mentales como son la impuntualidad o el desorden.

Todo hábito no es más que la respuesta automatizada a un comportamiento que hemos repetido muchas veces y por tanto que nosotros mismos hemos creado. Puesto que tú mismo creas tus hábitos, tú mismo los puedes cambiar.

DESARROLLAR NUESTRA INTUICIÓN Y CREATIVIDAD PARA RESOLVER PROBLEMAS

«El hombre se ha de reinventar cada día».

JEAN PAUL SARTRE

Las fases del curso dedicadas al desarrollo de la intuición y de la creatividad marcan algo único y exclusivo de nuestra metodología. Forman parte de la aventura de autoconocernos y de descubrir habilidades que no creíamos tener.

Durante el curso se realizan una serie de ejercicios que nos ayudan a desarrollar el control de la imaginación, con lo cual podemos convertir a nuestro más grande distractor en el mejor aliado para que, guiada por nuestra voluntad, nos brinde alternativas creativas en la solución de nuestros problemas. La imaginación es la facultad de la cual depende tanto la intuición como la creatividad.

Solemos pensar que la intuición es una facultad extra o una simple curiosidad en algunas personas. De igual forma asociamos a la creatividad con los personajes históricos o de actualidad dedicados a la ciencia, el arte o la inventiva.

En realidad sin la intuición los seres humanos no podríamos evolucionar, ya que todo progreso se debe en sus inicios a una «hipótesis», o sea, a una conjetura intuitiva. Tanto el científico como el ama de casa requieren de la intuición para determinar por dónde debe atenderse una situación cuando aún no hay datos «duros» que lo indiquen.

Tristemente muchos de nosotros no hemos aprendido a reconocer el lenguaje de nuestra intuición y por ello la comprobación de sus aciertos. Hacía el final del curso, a través de ejercicios prácticos, adquirimos la confianza para seguirla explorando y utilizarla en nuestra vida diaria.

Por otra parte en cualquier tipo de trabajo u oficio en que nos desempeñemos, la creatividad es y será la capacidad que nos permita dar nuevas soluciones a problemas añejos y descubrir las necesarias para los retos nuevos.

El Principito decía que: «Debemos florecer donde hemos sido plantados». Es por ello que nuestra creatividad siempre habrá de expresarse de manera diferente de acuerdo a las necesidades que cada uno de nosotros tiene. Así como para un artista su creatividad se muestra en una nueva obra, para el que maneja un taxi en la ciudad de México su creatividad se mostrará al ser capaz de optar por diferentes rutas que lo salven a él y a sus pasajeros de los embotellamientos y manifestaciones que paralizan la actividad de tantos durante una buena parte del día.

En palabras sencillas la creatividad es lo que nos permite resolver problemas en la situación en que nos encontramos, de acuerdo a lo que hacemos y a lo que anhelamos alcanzar.

AUTOCONOCERNOS Y DESCUBRIR UNA FORMA EFECTIVA DE SERVIRNOS Y SERVIR MEJOR

«Todos confunden los límites de su propia visión con los límites del mundo».

ARTHUR SCHOPENHAUER

Con mucha frecuencia creemos que el mundo y sus posibilidades están restringidos por nuestros propios límites. «Si yo no puedo, seguro el otro tampoco». La única manera de ampliar ese horizonte es cerrar los ojos y mirar hacia dentro, donde podremos descubrir el extraordinario potencial que en realidad poseemos y que está más allá de las limitaciones que nos hemos autoimpuesto.

La práctica de interiorización que el método nos ofrece nos lleva a explorar el camino del autoconocimiento, ampliando así nuestra conciencia, desarrollando una autodisciplina eficaz y promoviendo una auténtica motivación que nos impulse a ser siempre mejores.

La maravillosa experiencia de autodescubrimiento expande nuestras posibilidades y despierta en nosotros la vocación de servicio que todos compartimos. El área de la salud se convierte en una primera experiencia que nos motiva a la alegría de la solidaridad.

Hacer uso de nuestras capacidades internas para mejorar nuestra salud y en muchos casos revertir un diagnóstico fatalista, o para acompañar y ayudar a otra persona a sanar, fue en su momento una idea que aparentaba ser únicamente fantasía. El tiempo y la investigación médica[7] han comprobado no sólo la efectividad en resultados, sino la importancia que tiene para todos capacitarnos en tales habilidades.

Dinámica Mental Método Silva nos brinda, a través del manejo creativo de nuestra imaginación, la capacidad de poder ayudarnos a nosotros mismos y a todo aquel que necesite de nuestro apoyo, mejorando así la calidad de vida para todos.

La psicología de la segunda mitad del siglo XX ha apuntado que la gran preocupación de su quehacer es el vacío existencial, que se debe a una falta de conciencia de los valores que ayudan a sostener la vida y a una terrible carencia de motivación personal, pero nadie puede «movernos» más que nosotros mismos, impulsados desde nuestra interioridad.

Despertar a ti mismo y descubrir el papel que tu mundo interior desempeña en tu motivación, así como en la empatía en tu trato con los demás, abre un caudal de habilidades personales que no sospechábamos tener, reconociendo que nuestros mejores recursos, antes de llegar a la razón, surgen de la riqueza de nuestra subjetividad.

Nuestro pensamiento es el gran modulador de nuestras emociones y depende por entero de nosotros mismos. ¿Por qué entonces te descubres a ti mismo tantas veces pensando en lo que no quieres pensar? El control de tu mente no es un concepto o aprendizaje «de moda» es en realidad una necesidad permanente para convertirte en el verdadero arquitecto de tu propio destino.

Todos pensamos, pero lo importante es SABER PENSAR con calidad, ya que de ello depende la calidad de nuestra vida. Por esto la educación subjetiva, de la cual nuestro Método es pionero, es probablemente la más importante de todas las formas de educación.

No es posible en tan sólo un poco más de 400 páginas exponer todas y cada una de las partes de nuestro curso, tanto a nivel de la información como de las técnicas, pero en cada uno de los siguientes capítulos encontrarás recursos que te permitirán iniciar la práctica y obtener resultados y, sobre todo, cuentas con el ejercicio básico de relajación que se incluye en el disco compacto, el cual constituye el cimiento más importante para edificar nuestra Dinámica Mental.

Independientemente de la razón que cada uno de nosotros tenga para desear superarse, todos anhelamos ser felices, lo importante es recordar, como afirmaba el poeta Paul Claudel que:

«La felicidad no es el fin, sino el medio de la vida».

Siempre postergamos la felicidad sin darnos cuenta de lo que en realidad es, una manera de ver el mundo y de vernos a nosotros mismos, que independientemente de las circunstancias, nosotros podemos manejar desde nuestra interioridad.

Con la lectura de este libro inicias un camino que habrá de vislumbrarte el verdadero potencial que posees, dándote cuenta de que Dios ha puesto en ti todo lo que necesitas para resolver tus problemas, pasando de la preocupación a la ocupación, de la reacción a la pro-actividad, brindándote a ti mismo la oportunidad de autodescubrirte y de aprender a ser y estar siempre «mejor, mejor y mejor».

2

Estrés y relajación

¿QUÉ ES EL SER HUMANO?

«Lo que hay detrás de nosotros y lo que hay frente a nosotros es de poca importancia comparado con lo que hay dentro de nosotros».

RALPH WALDO EMERSON

Desde la escuela aprendimos cosas que nos mostraban que un ser humano es mucho más de lo que percibimos a simple vista, sin embargo, con frecuencia, parece que olvidamos esa realidad y dejamos de valorarnos en nuestra justa dimensión.

Desde un punto de vista biológico somos el resultado de un largo proceso de evolución. No podemos negar esto cuando sabemos que compartimos más del 90% del ácido desoxiribonucleótido (ADN), con un chimpancé.[8] El eje de esta historia es precisamente la evolución del sistema nervioso que fue haciéndose cada vez más complejo hasta alcanzar su extraordinario entramado de interconexiones y posibilidades en nosotros.

Independientemente de nuestras creencias no podemos negar esta larga historia. Creer que somos más que un cuerpo biológico y que Dios nos ha dado la vida creándonos a su imagen y semejanza, no se contrapone al desarrollo evolutivo, puesto que nuestra espiritualidad está más allá de la biología. Por otra parte, y con un poco de sentido del humor, basta vernos en el espejo por la mañana para darnos cuenta del parecido con nuestros parientes biológicos.

Vemos al ser humano desde su dimensión exterior, representada por Leonardo DaVinci en proporciones perfectas en su famoso dibujo «El hombre de Vitrubio» y lo que debemos recordar es que somos mucho más de lo que se ve a simple vista. Sin embargo, valoramos generalmente a la persona, como a las cosas, desde fuera, pero somos mucho más de lo que se puede ver, medir, tocar, pesar y oler.

Si recordamos lo que aprendimos en la escuela, sabemos que en un nivel más profundo nuestro cuerpo es el resultado de trillones de células que requieren de un microscopio para poder ser vistas. La célula es la unidad básica de la vida pero no la unidad básica de la materia.

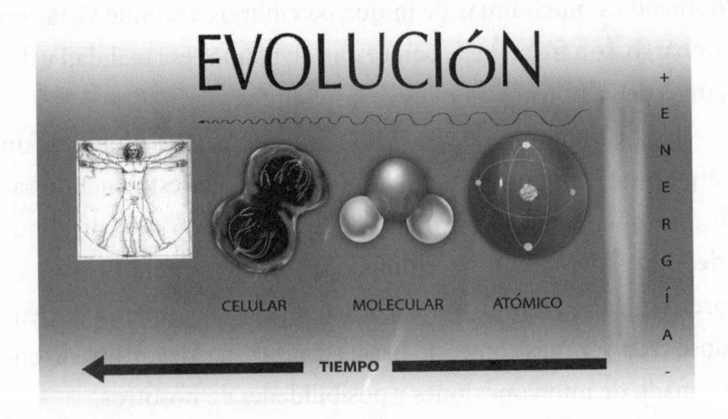

Cada una de nuestras células se puede subdividir en partes mucho más pequeñas, o sea en moléculas, las cuales requieren de un microscopio más potente para que podamos verlas. A pesar de que no son visibles para nuestros ojos, baste recordar que nuestro cuerpo está constituido en un alto porcentaje por moléculas de agua, sin las cuales no habría vida. De un correcto funcionamiento molecular depende la vida de nuestras células.

Como hoy sabemos, a una escala mucho más pequeña, encontramos el átomo. Ya Demócrito, filósofo pre-socrático, afirmaba que el átomo era la unidad básica de la materia. Buena intuición tenía el filósofo, aunque, como la ciencia moderna nos demuestra, el átomo es en realidad el resultado de la interacción de partículas mucho más pequeñas y totalmente invisibles a nuestros ojos, las partículas subatómicas. Muchos científicos construyeron sobre su funcionamiento teorías respecto a nuestra realidad física, sin embargo es en la segunda mitad del siglo XX, que aparece un esquema aún más radical: la Física Cuántica, que nos habla del quántum o unidad básica de la energía, reconociéndola como el principio real de todas las reacciones que se manifiestan en el mundo exterior.

De este mundo invisible conocemos algunas de sus reacciones y su extraordinario poder. Como ya se mencionó, es probable que todo esto lo hayamos estudiado en la escuela, pero con tristeza pareciera que hemos optado por no recordar que la mayor parte de lo que llamamos realidad es invisible a nuestros ojos. La pregunta es ¿por qué confiamos tanto en la vista, cuando en realidad es tan limitada?

Somos como el vigía en el puente del Titanic que piensa que ha logrado esquivar el gran témpano de hielo, ya que sobre la cubierta no hay en realidad mayores daños, pero no fue lo que exteriormente se veía lo que hundió al gran trasatlántico, sino lo que por debajo de la superficie del agua rasgó el casco del barco. No ser conscientes de esta realidad nos ha llevado a cometer muchos errores y a pretender valorar la vida misma por su apariencia exterior.

Para comprender y hacer un mejor uso de nuestros recursos mentales tenemos que reconocer cuán limitada es nuestra percepción de los sentidos físicos, lo que no significa perder perspectiva de cómo la dimensión exterior conforma también parte de la unidad que somos.

Si dañamos la dimensión exterior, como cuando somos golpeados o ingerimos una sustancia tóxica, esto afectará no sólo a los órganos y tejidos sino también a las células, moléculas y átomos, repercutiendo en nuestro nivel de energía que se verá afectado.

Cuando tú o yo nos sentimos físicamente mal, esto afecta nuestro estado de ánimo y nos hace sentir una baja de energía que parece limitarnos en nuestra motivación por participar aun en aquellas actividades que casi siempre nos entusiasman. Todos hemos pasado por la experiencia de ver afectada nuestra «gana» de hacer algo por algún malestar en el cuerpo.

Lo que debemos recordar es que la unidad que somos se puede ver afectada desde ambos sentidos, así como al dañar lo exterior se repercute en todos los niveles, cuando el desequilibrio viene desde lo interior, se afectará también toda la unidad.

Si provocamos un desequilibrio en nuestro nivel de energía esta acción afectará los niveles atómicos, moleculares y celulares hasta producir sus efectos en el cuerpo.

Cuando pasamos por una situación que altera nuestro estado de ánimo, el desequilibrio que provocamos puede llegar a causarnos una enfermedad, así como una actitud positiva puede ayudarnos a recuperar la salud. Esto es lo que la medicina ha estudiado y comprobado como el efecto psicosomático, la mente afectando al cuerpo para bien o para mal.

La razón por la cual, y de acuerdo a la Organización Mundial de la Salud (OMS), la depresión y la ansiedad se encuentran entre las diez primeras causas de muerte en el mundo, es porque estos trastornos del estado de ánimo afectan directamente la salud física del individuo hasta poder provocar la muerte.

La salud de nuestro cuerpo requiere de actividad, movimiento y trabajo intelectual. Si afectamos nuestro nivel de energía podemos causar un terrible desequilibrio en la unidad y por eso debemos ser conscientes de que al alterar la parte exterior se altera la parte interior, por lo tanto, nuestra interioridad puede traer graves consecuencias para su contraparte.

Recordemos el caso de la prima Cholita (casi siempre hay una en todas las familias) que terminó su relación de noviazgo y que al sentirse tan triste fue reduciendo su actividad social y laboral hasta quedar atrapada en su aislamiento y eventualmente tener que ser atendida por el médico por su terrible colitis o sus ataques de asma. Todos sabemos que más allá del tratamiento médico, la causa que debe ser tratada es su estado de ánimo.

Casi todos nosotros hemos sido educados desde pequeños para manejar la parte exterior de la unidad que somos. Todos sabemos que la alimentación, el ejercicio, el descanso y la higiene son importantes y nos ayudan a conservar el equilibrio de la salud cuidándola desde «afuera», pero probablemente no fuimos educados para mantener el equilibrio desde «adentro», desde lo que moviliza nuestra energía y puede causar efectos devastadores.

¿Qué es lo que en realidad moviliza nuestros más poderosos recursos? No son los eventos o circunstancias externas, sino lo que sucede dentro de nosotros. ¿Cómo reaccionamos frente a lo que nos ocurre? Sabiamente el filósofo Epicteto afirmaba:

«No son los eventos los que nos afectan, sino la actitud que nosotros asumimos frente a los eventos».

Pero así como la energía es origen de la actividad subatómica, atómica, molecular y celular, nuestro cuerpo y sus funciones son también generadores de energía que producen un campo que nos envuelve y es el resultado de algunas de esas mismas funciones.

Ese campo de energía está conformado por el calor que genera nuestro cuerpo y que podemos constatar con tan sólo tocar el asiento de la silla en que hemos permanecido sentados. Para que ese asiento esté caliente es porque nuestro cuerpo ha irradiado calor. Esta energía se puede ver a través de la fotografía infrarroja que ya se utiliza como herramienta de diagnóstico.

También poseemos una luminosidad a nuestro alrededor generada por la emisión de una pequeña pero constante corriente

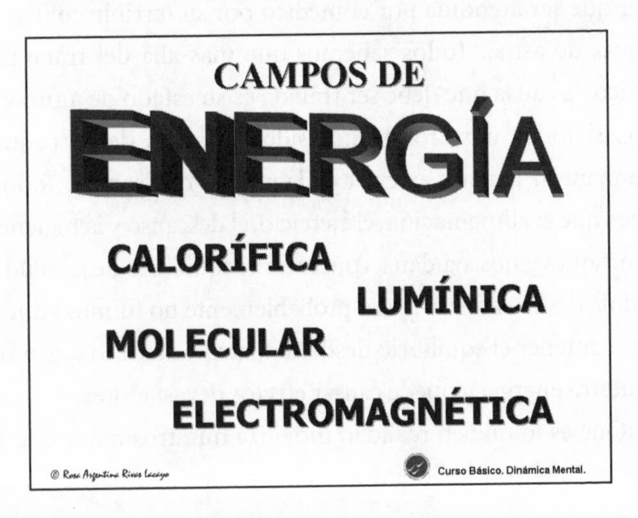

de fotones (pequeñas partículas de luz). Estas emisiones fueron descubiertas a mediados de la década de los 70's por el físico alemán Fritz Albert Popp y llamadas por él «emisiones de biofotones». Durante sus años de experimentación Popp, fundador del Instituto Internacional de Biofísica en Europa, demostró que estas pequeñas frecuencias emitidas por los biofotones estaban fundamentalmente almacenadas y eran emitidas desde el ADN de las células. Las implicaciones de esta investigación nos refieren a la capacidad de comunicación que tienen las células entre sí. Por un medio, como son los fotones, que poseen la capacidad de trasmitir una gran cantidad de información, estas emisiones pueden determinar las reacciones químicas que deben producirse en el interior de una célula.[9]

Una vez más constatamos cuán limitados son nuestros ojos, inclusive para percibir una realidad física de nuestro cuerpo.

Por otra parte cada uno de nosotros tiene su propio olor. Nuestro cuerpo no sólo respira con los pulmones sino también a través de la piel. La piel es un vehículo por medio del cual se «inhalan y exhalan» moléculas, lo cual produce un «aroma distinto» en cada uno de nosotros y que se percibe más fuertemente cuando existen problemas de salud. Por lo tanto resulta evidente que este «campo molecular» cambie con facilidad en relación a los procesos de nuestro cuerpo.

También poseemos un campo electromagnético que nos rodea, producto del funcionamiento electroquímico de nuestro cuerpo. Recordemos que es a través de impulsos eléctricos e intercambio químico que el sistema nervioso moviliza a todo nuestro organismo.

Los primeros en investigar las implicaciones de esta energía y lograr fotografiarla en la década de 1940, fueron los investigadores rusos Semyon y Valentina Kirlian, quienes inventaron un sistema para realizar fotografías de alta frecuencia. La fotografía Kirlian nos da imágenes electrónicas realizadas por «emisión fría de electrones»[10] y se dice que permite registrar no sólo los estados biológicos sino también los cambios psíquicos de las personas.

En la década de 1970 la doctora Thelma Moss en la Universidad de California en Los Ángeles, y en el *Center for Health Sciences* de la misma ciudad, fue quien investigó hasta su muerte en 1997, este proceso, y concluyó, como lo afirma en su obra, *Las Probabilidades de lo imposible,* que el patrón luminoso alrededor de los humanos refleja, similarmente con los cambios biológicos, cambios en el estado emocional.

Actualmente a este tipo de fotografía se le conoce con el nombre de electrografía o biofotografía, la cual, a pesar de seguir siendo controversial, empieza a investigarse como posible herramienta de diagnóstico.[11]

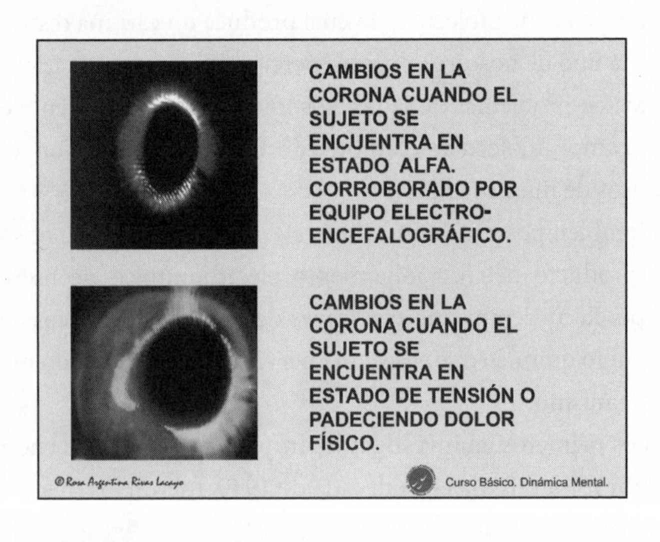

CAMBIOS EN LA CORONA CUANDO EL SUJETO SE ENCUENTRA EN ESTADO ALFA. CORROBORADO POR EQUIPO ELECTRO-ENCEFALOGRÁFICO.
CAMBIOS EN LA CORONA CUANDO EL SUJETO SE ENCUENTRA EN ESTADO DE TENSIÓN O PADECIENDO DOLOR FÍSICO.
© Rosa Argentina Rivas Lacayo
Curso Básico. Dinámica Mental.

Las electrografías[12] nos muestran la relación que hay entre nuestro estado anímico y este aspecto de la energía que nuestro cuerpo produce, así como el efecto que nuestro pensamiento puede tener sobre este mismo campo. El efecto que se observa alrededor de nuestros dedos ha sido llamado «corona».

En la electrografía anterior podemos observar la diferencia radical en la calidad de la luz y la forma de la corona que se da por un estado de relajación o un estado tensional.

Ahora veamos el efecto que nuestro pensamiento puede llegar a tener sobre nuestro cuerpo, y por lo tanto, sobre la energía que él mismo produce.

Pensar en algo «delgado» y sentir imaginariamente «lo delgado y frágil», está representado en la imagen izquierda. Pensar en algo «grueso» y sentir imaginariamente «lo grueso y lo pesado», está representado en la imagen derecha.

Cuando se visualiza e imagina sentir lo delgado y delicado en comparación con lo grueso y lo pesado, un cambio en los patro-

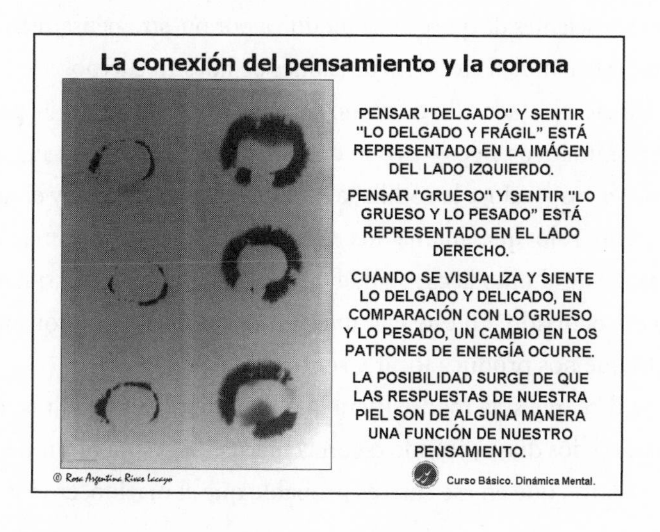
La conexión del pensamiento y la corona
PENSAR "DELGADO" Y SENTIR "LO DELGADO Y FRÁGIL" ESTÁ REPRESENTADO EN LA IMÁGEN DEL LADO IZQUIERDO.
PENSAR "GRUESO" Y SENTIR "LO GRUESO Y LO PESADO" ESTÁ REPRESENTADO EN EL LADO DERECHO.
CUANDO SE VISUALIZA Y SIENTE LO DELGADO Y DELICADO, EN COMPARACIÓN CON LO GRUESO Y LO PESADO, UN CAMBIO EN LOS PATRONES DE ENERGÍA OCURRE.
LA POSIBILIDAD SURGE DE QUE LAS RESPUESTAS DE NUESTRA PIEL SON DE ALGUNA MANERA UNA FUNCIÓN DE NUESTRO PENSAMIENTO.
Curso Básico. Dinámica Mental.

nes de energía ocurre. La posibilidad surge de que las respuestas de nuestra piel son de alguna manera una consecuencia de nuestro pensamiento. Tal vez por ello muchos problemas de la piel son considerados por los alergólogos de origen psicosomático.

¿Qué implicaciones tiene para nosotros esta investigación? Este campo de energía no es tan limitado como quisiéramos suponer, puede alcanzar hasta siete metros y medio de radio, lo que implica que a catorce metros de distancia nos estamos «tocando» unos a otros.[13]

Esto podría explicarnos el porqué hay personas que sin ser conocidas y siendo vistas a distancia parece que «nos caen mal» y porqué hay personas que nos resultan, en esas mismas circunstancias, inexplicablemente atractivas. A todos no ha sucedido esto, nos sentimos atraídos o repelidos por ciertas personas aun sin conocerlas.

Sabemos que nuestro campo de energía se modifica por los procesos del cuerpo. Si comemos un kilo de barbacoa en la fiesta de los compadres, esto traerá consecuencias para nuestra digestión y por lo tanto, para este sutil campo energético, pero lo más importante, es ser conscientes de que éste se modifica por nuestro pensamiento, ya que éste también afecta las funciones de nuestro cuerpo.

Un ejemplo sencillo de cómo nuestra emotividad puede producir dramáticos efectos nos lo dan los niños, que al estar jugando y caer raspándose la rodilla, a pesar del susto, el golpe y el raspón, con sólo que mamá los contenga hace que ese mágico abrazo le dé al niño la capacidad de seguir jugando como si nada hubiera ocurrido. En este ejemplo vemos también el importante efecto que nos produce tocar y ser tocados.

Se dice que si la madre fuera la que hubiera tenido el raspón se pasaría dos días cojeando o con la pierna levantada por todo lo alto. ¡Claro!, que en ese caso es probable que el marido, en vez de abrazarla, afirme que está fastidiado de tanto achaque. Somos afortunados los que por cultura abrazamos diariamente no sólo a familiares, sino también a los amigos y compañeros de trabajo.

Al darnos cuenta que somos mucho más de lo que vemos a simple vista nos debemos preguntar ¿de qué manera contribuyo al equilibrio de mi ser, desde mi nivel interior? Después de todo, lo que ocurre dentro de nosotros mismos es lo que puede determinar nuestro balance y aunque no podemos controlar la actitud o la conducta de otras personas, sí podemos manejar las nuestras. Nunca podremos tener control de las reacciones que otras personas tengan ante un evento, pero sí podemos controlar nuestra propia actitud ante los eventos y ante las reacciones de otros, puesto que eso depende enteramente de nosotros mismos y el cómo lo hagamos afectará nuestro cuerpo.

El más claro ejemplo de cómo afectamos a nuestra salud por el tipo de manejo que hagamos de nuestra dimensión interior, es el fenómeno del estrés que parece haberse convertido en el más grande depredador de nuestra salud.

¿QUÉ ES EL ESTRÉS?

«El hombre moderno tendrá que aprender a manejar el estrés o estará condenado al fracaso, la enfermedad y la muerte prematura».

HANS SELYE

En la actualidad todos estamos familiarizados con la palabra estrés como un sinónimo de tensión, falta de control emocional y como una de las grandes causas de enfermedad. No podemos negar que gran parte de los problemas de salud que nos aquejan son consecuencia del desequilibrio fisiológico que una falta de manejo del estrés puede traernos.

La palabra estrés se empezó a utilizar en el idioma inglés, STRESS, a partir de la revolución industrial para referirse al desgaste que las piezas de una máquina sufren por el uso y la fricción. En las primeras décadas del siglo XX el gran fisiólogo, doctor Walter B. Cannon, usó la palabra STRESS para referirse al desgaste en el cuerpo humano.

Años después el doctor Hans Selye se dedicó a la investigación sobre los mecanismos y efectos del estrés en nuestra vida. Él descubrió que independientemente de la causa de muerte en las personas, ya fuera por un infarto repentino al corazón, por una prolongada deficiencia renal, por una complicación diabética, o por cualquier otro motivo, todas aquéllas a quienes se les practicaba la autopsia en el hospital, presentaban tres signos en común:

1. Agrandamiento de las glándulas suprarrenales.
2. Empequeñecimiento de la glándula timo.
3. Ulceraciones en las paredes del estómago.

Después de muchos años de dedicarse a investigar el porqué de este fenómeno, descubrió que en todos los seres humanos existía un mecanismo interno de respuesta ante los cambios, y por lo tanto, ante las situaciones de tensión. El estrés no es nuestro enemigo ya que representa una respuesta de supervivencia en todos los seres vivos, al que Hans Selye llamó Síndrome General de Adaptación (SGA).

El SGA se refiere a una respuesta fisiológica de nuestro organismo que consiste en el disparo de un conjunto de síntomas que afectan en forma general al cuerpo y que se presentan cuando existe la necesidad de adaptarse a un cambio. Con ello se logra restablecer el equilibrio en nuestros procesos internos.

Los seres humanos hemos tenido esta respuesta desde que aparecimos como forma de vida en este planeta, sin embargo, la demanda de cambio por parte de nuestro entorno nunca había sido tan abrumadora como en la época que nos ha tocado vivir.

Ejemplos de esta saturación de demandas adaptativas abundan:

- No terminamos de realizar un compromiso financiero, cuando las condiciones financieras internacionales o nacionales cambian.
- No hemos terminado de aprender un sistema de cómputo, cuando ya es reemplazado por uno nuevo.
- No acabamos de asimilar una situación inesperada, cuando a la vez, y por los medios de comunicación, nos enteramos de todos los conflictos y tragedias en el mundo.

Nuestro ritmo de vida, que exige una excesiva y constante adaptación, es lo que más influye para que el estrés, un mecanismo natural de supervivencia, se haya convertido en la mayor amenaza para nuestra salud.

LA FISIOLOGÍA DEL ESTRÉS

Para comprender cómo funciona este proceso en nuestro cuerpo y el porqué puede llegar a causarnos tanto daño, si no sabemos manejarlo, me gustaría que imaginaras ser el protagonista de la historieta que voy a contarte.

Una persona sale al balcón de su departamento en un sexto piso del edificio para admirar el paisaje que desde allí puede contemplar en un día luminoso y despejado, libre de toda contaminación. Al inhalar con profundidad, disfrutando de esa bella escena, percibe un olor a humo y al dirigir su mirada hacia los pisos más bajos, se percata de que parece haber un ***incendio*** *en el segundo nivel, desde donde se proyecta ya una columna de humo. Al salir de su propio departamento para tomar el elevador se da cuenta que éste ya está detenido y que el cubo de las escaleras se ha llenado de humo.*

Inmediatamente el personaje de nuestra historia, de nuevo en el interior de su departamento, utiliza el ***teléfono*** *para llamar a una* ***operadora central*** *para que envíe la ayuda necesaria para controlar el siniestro.*

La operadora efectivamente enviará tanto a ***ambulancias*** *como a* ***bomberos,*** *que antes de llegar tendrán que asegurarse los* ***abastos*** *necesarios. Para las ambulancias el más importante es el* ***oxígeno*** *y para los bomberos el* ***agua****.*

Supongamos que en nuestra historia, después de 35 ó 40 minutos de trabajo por parte de los servicios de emergencia, el incendio se ha sofocado y las personas intoxicadas por humo han logrado recobrar su aliento sin que el siniestro haya causado mayores daños.

Sin embargo, el personaje del departamento del sexto piso se siente aún muy inquieto y decide, desde su balcón, solicitar a gritos, tanto a paramédicos como a bomberos, que continúen aplicando oxígeno a las personas afectadas y descargando agua sobre el edificio.

En una situación normal el personal que atiende la emergencia consideraría que nuestro personaje ha perdido un poco el control y habría que tranquilizarle.

Pero si nuestro personaje resultara ser el rey, o el primer ministro, o el presidente de la nación y ordenara que se siguieran sus indicaciones, lo más probable es que el personal de emergencia continuara con su labor aunque ésta ya no fuera necesaria.

Al cabo de seis horas, o tres días, o cinco semanas, o cuatro meses de continuar aplicando oxígeno a todo lo que dan los tanques, y de arrojar agua sin parar, lo que tendríamos sería una catástrofe de grandes proporciones. Las estructuras del edificio ya se hubieran debilitado y posiblemente colapsado, así como algunas de las personas que tenían una leve intoxicación de humo, podrían haber sufrido un severo y hasta fatal problema pulmonar.

Podríamos pensar que, sin importar la categoría de nuestro personaje, nadie obedecería una orden tan absurda, pero en tu propio cuerpo tú eres el rey, primer ministro y presidente, y a tus aparatos y sistemas no les quedaría otra alternativa más que obedecer ciegamente tus órdenes.

Para comprender la analogía de esta historieta con los mecanismos fisiológicos del estrés, traduzcamos a términos médicos los elementos importantes de nuestra historia.

El **incendio es el estímulo**, que puede ser físico o mental. Es muy importante recordar que ni siquiera es necesario ver ni oler un incendio, basta con que pensemos que está ocurriendo para que nuestro mecanismo de supervivencia se dispare.

El **teléfono son nuestros sentidos físicos o mentales**, a través de los cuales llevamos la información a la **operadora central**

que es el cerebro y en particular a la glándula del hipotálamo que maneja nuestras funciones de supervivencia.

El hipotálamo activará al servicio de **ambulancias que representa nuestro sistema nervioso autónomo**, el cual estimulará a todos nuestros órganos para que aceleren su trabajo. De igual forma alertará a la **glándula hipófisis o pituitaria que es el jefe de los bomberos** y que controla al **sistema endocrino hormonal** para que active a todas nuestras glándulas frente a la emergencia.

La gran **central de abastos son las glándulas suprarrenales**, desde donde se proveerán el **oxígeno o sea la adrenalina** para activar, y el **agua o sea el cortisol** para aplacar. Esto nos explica el porqué las glándulas suprarrenales se hipertrofian por el exceso de demanda de adaptación, como descubrió el doctor Hans Selye.

Este mecanismo que nos ayuda a salvaguardar la vida puede llegar a destruirla, cuando no sabemos manejarlo.

LAS FASES DEL ESTRÉS

Nuestra respuesta de adaptación pasa por tres fases diferentes:

La primera de ellas es conocida como la fase de **alarma**. Cuando enfrentamos repentinamente un estímulo nuevo que nos exige adaptarnos, esta primera fase dispara la respuesta adrenérgica de nuestro organismo, acelerando nuestras funciones para poder responder.

Al utilizar la adrenalina de la que disponemos en esta primera fase pasamos a la segunda, conocida como la fase de **resistencia**. En esta segunda etapa, el cuerpo, al haber utilizado los recursos que el estrés le ha provisto, regresa de nuevo al equilibrio.

Si prolongamos la duración del estímulo se pasará a la tercera etapa, conocida como fase de **agotamiento**. En esta fase puede ser que disminuya la producción de adrenalina, pero ciertamente se intensificará la producción de cortisol. En esta tercera etapa, como su nombre lo dice, podemos llegar al agotamiento causando una demanda de esfuerzo a nuestro cuerpo que éste, tal vez, no sea capaz de resistir.

Un ejemplo que nos ilustra estas tres fases del estrés es la práctica del ejercicio físico, como puede ser para muchas personas correr por las mañanas. Si alguien no tiene costumbre ni condición física adecuada, el primer día en el que intente correr y al cabo de escasos 50 ó 100 metros corridos, sentirá dificultad para respirar y aceleramiento del corazón, que le indicarán que está en la fase de alarma.

Un buen entrenador le dirá a la persona que siga corriendo un tanto más. Llegará el momento, 100 ó 200 metros más adelante en el que la persona se sienta, recobrado su aliento, con gran energía y capacidad para poder correr aún mucho más. Sin embargo, el entrenador le pedirá que se detenga. La persona se encuentra en la fase de resistencia. Si el individuo hiciera caso omiso de lo que el entrenador le indica y continuara corriendo, al cabo de cierto tiempo entraría en la fase de agotamiento, con todos los riesgos que esto podría conllevar, incluyendo un severo problema cardiaco.

Como vemos, nuestro cuerpo nos provee de los elementos necesarios para responder ante los cambios, esfuerzos o emergencias, pero también nos pide la prudencia necesaria para no abusar de este mecanismo.

ESTRÉS AGUDO Y ESTRÉS CRÓNICO

Por otra parte tenemos que distinguir que hay dos maneras en que nuestra respuesta de estrés puede manifestarse en nuestro cuerpo, a través del estrés agudo el cual es intenso, pero corto en el tiempo, y del estrés crónico, moderado, pero prolongado en el tiempo.

El estrés agudo es el que más se asocia con los problemas cardiacos, ya que en él predominan las descargas de adrenalina, que es un poderoso estimulante para el sistema cardiovascular.

En el estrés crónico se ha descubierto que podemos llegar a padecer problemas en donde nuestro sistema de inmunidad no es capaz de responder adecuadamente. Esto explica el porqué se involuciona la glándula timo, que juega un papel importante en nuestras defensas inmunitarias.

Un ejemplo de estrés agudo podría representarse por medio de la persona que al cruzar una calle se da cuenta repentinamente que a pocos metros de distancia se aproxima un automóvil. Casi de manera inmediata sentiría el cambio en su pulso cardiaco y el aumento de temperatura en su cara, lo que significaría la manifestación de la descarga adrenérgica que la prepara para una mayor fuerza física y una toma de decisiones rápidas.

Esto le permitirá poder llegar, de un solo brinco, hasta la banqueta o acera para salvar la vida. Una vez habiendo realizado el esfuerzo, la adrenalina habrá sido utilizada y el cuerpo regresará al equilibrio.

No obstante que en el estrés agudo se utilizan de una manera rápida las hormonas que nuestro cuerpo produce por el SGA, la repetición frecuente de esta respuesta nos llevará eventualmente a problemas de salud y al desequilibrio de los jugos gástricos, por lo cual pueden aparecer ulceraciones en el estómago.

¿Qué pasaría si una vez cruzada la calle la persona se percatara de que el automóvil se enfila tras de él o ella y comienza a perseguirlo? Entonces ya no bastaría únicamente la fuerza, sino mucha más energía para poder correr, correr y correr. ¿Cuántos de nosotros vivimos como si tuviéramos un auto constantemente persiguiéndonos? Este es el caso del estrés crónico.

Ante tanta demanda de energía nuestro hígado libera el glucógeno que ha almacenado, o sea aquello en que se han convertido los azúcares naturales que consumimos a través de los alimentos y que por supuesto no se refieren al azúcar refinado, el cual no tiene ningún contenido nutricional. El glucógeno liberado por el hígado es la glucosa que circula en nuestra sangre y que nos da la energía que requerimos.

Después de un periodo largo de constante demanda, el hígado terminará por comunicarle a nuestro cerebro que se le han acabado sus reservas. De inmediato el cerebro, como todo gobernante, elevará los impuestos y enviará a su recaudador, el cortisol, a órganos y sistemas para recolectar una mayor cantidad de proteínas, a las cuales se les puede considerar como los «recursos económicos» del cuerpo. Eventualmente esto provocará una desproteinización que puede causar el derrumbe de esos mismos órganos y sistemas.

Las consecuencias de nuestra incapacidad para manejar la respuesta del estrés pueden ser muy graves: severos problemas de salud física o de salud emocional.

Tristemente la mayoría de las personas hablan de eliminar el estrés, cosa que resultará siempre en un esfuerzo vano, ya que como hemos explicado, el estrés es un mecanismo de adaptación indispensable para la supervivencia. Ante esta realidad muchas personas han optado por vivir a base de tranquilizantes que nunca serán lo más indicado para la salud general de nuestro cuerpo y mucho menos para el mantenimiento saludable de nuestro cerebro.

Por otra parte tenemos que reconocer que ya no estamos en la capacidad de cambiar el ritmo de vida de la era moderna o de aislarnos de la cantidad de estímulos a los que una vida normal nos somete. Es por ello que la única alternativa natural y saludable que tenemos es aprender a relajarnos, y digo «aprender» ya que, así como la respuesta del estrés es automática, la respuesta de relajación debe ser aprendida para poder ser evocada. De igual forma debemos considerar que nuestro manejo del estrés depende, en gran parte, de nuestra actitud mental frente a los estímulos.

EUTRÉS Y DISTRÉS

Más allá de que el estrés puede ser agudo o crónico, también podemos hablar sobre otros dos tipos de estrés, dependiendo de si nuestra adaptación es adecuada (eutrés) o inadecuada (distrés).

Generamos eutrés, una buena adaptación, cuando hacemos o pensamos algo con agrado que nos resulta placentero o motivador. Nuestro cerebro no distingue entre lo real o lo imaginado, por ello basta que proyectemos en nuestra mente la imagen de algo agradable para que nuestro cuerpo sienta los efectos.

Ir de vacaciones nos exige una serie de cambios y también de esfuerzos. Nuestros horarios se modifican, generalmente comemos más de la cuenta, practicamos algún deporte o bailamos hasta altas horas de la madrugada. Sin embargo, al ser un periodo que disfrutamos, pareciera ser que las vacaciones nos generan un gran bienestar. Por supuesto que si prolongáramos el periodo vacacional de manera excesiva podríamos terminar con un agotamiento físico que desequilibraría nuestra salud causándonos un gran daño.

Generamos distrés, una inadecuada adaptación, cuando hacemos o pensamos algo que nos provoca disgusto y que nos puede causar enojo o ansiedad. De igual forma nuestro cerebro no distinguirá entre lo real o lo imaginado.

El tener que permanecer realizando una tarea que nos desagrada, trabajando horas extra, va subiendo el volumen de nuestra tensión hasta producirnos una explosión emocional o bien un desgaste que va minando nuestra salud.

Siendo el estrés un mecanismo natural de adaptación podríamos pensar que se definirá como eutrés o distrés, dependiendo del estímulo o del evento que estamos enfrentando. Pero la realidad no es esa; una buena o mala adaptación no depende de lo que nos sucede sino de cómo reaccionamos ante lo que nos sucede.

**«Nada fuera de tu mente puede perturbarte.
La conmoción proviene de la opinión que tu mente
tiene de lo que está fuera de ella».**

MARCO AURELIO

Habrá personas para quienes las vacaciones resulten fastidiosas y se conviertan en un distrés, al menos que puedan convertir a su habitación de hotel en una sucursal de su oficina. Para ellos un esfuerzo de trabajo resulta altamente estimulante ya que disfrutan mucho de su actividad laboral.

Habrá personas para quienes las vacaciones sean el momento más esperado del año, y su trabajo o cualquier esfuerzo adicional en el área laboral, signifique una experiencia distresante.

Podemos decir que los estímulos siempre serán neutros y que será nuestra reacción ante ellos lo que determine si se convierten en algo eutresante o distresante.

Nuestras maneras de reaccionar pueden convertir a un vaso de agua en un océano tormentoso o bien a una situación problemática en una oportunidad de aprendizaje y crecimiento.

Nuestras reacciones son tan importantes que llegan a ser más significativas que nuestras formas de ser. ¿En cuántas ocasiones has decidido alejarte de una relación, no por lo que la persona es, sino por la manera en que reacciona, la cual resulta inadecuada y a la larga insoportable? Podemos valorar y apreciar las cualidades de la gente, lo que son, pero a la vez reconocer que sus reacciones se vuelven intolerables para que nosotros podamos convivir con ellas.

Pero ¿de dónde surgen o por qué tenemos las reacciones que tenemos? Toda reacción que nosotros manifestamos es el resultado de nuestras actitudes. Y, ¿qué es una actitud?

La actitud es una predisposición interna que determina nuestra conducta.

Si queremos modificar nuestras reacciones tendremos que modificar las actitudes que las generan. ¿De dónde vienen nuestras actitudes? Muchas las hemos aprendido de nuestros padres y maestros. Habrá quien vio el ejemplo de papá y mamá como personas que disfrutaban de sus ocupaciones y creaban en sus hijos la expectativa positiva de estudiar para lograr un buen y satisfactorio trabajo en el futuro. Y habrá quien siempre escuchó decir que el trabajo «es la maldición de la humanidad», algo tan horrible que hasta te pagan por hacerlo. De igual forma el ejemplo de la conducta de quien nos rodea nos proyecta actitudes que llegamos a adoptar.

Pero independientemente de lo que recibimos como influencias, nuestra verdadera libertad radica en que siempre podemos elegir y cambiar nuestras propias actitudes. Para hacerlo, debemos ser conscientes de que las mismas se conforman y sostienen por nuestros pensamientos.

Dime cómo piensas y te diré cómo vives.

Es nuestro pensamiento el que determina nuestras actitudes y reacciones. Bien dice el antiguo y sabio proverbio:

«Más se atormentan los seres humanos con la idea que se hacen de los problemas que con los problemas mismos».

La clave de nuestra Dinámica Mental, como hemos explicado en el capítulo anterior, significa generar un pensamiento emprendedor que produzca acción y resultados, esa es precisamente la capacidad de saber guiar y conducir nuestra forma de pensar.

Como la misma investigación clínica de la Psicología Cognitiva ha comprobado, es nuestra capacidad de controlar nuestro pensamiento lo que nos da un manejo adecuado de nuestras emociones y de nuestra conducta.

Pero, ¿cómo modificar nuestro pensamiento cuando sentimos que nuestra forma de pensar ha sido siempre la misma? Tendremos que darnos cuenta sobre qué se construye nuestro pensamiento. Uno de los ejes sobre el cual se sostiene son las palabras, es decir nuestra forma de expresarnos.

Dime cómo hablas y te diré cómo piensas.

Nuestra forma de expresarnos es un fiel reflejo de nuestra forma de pensar. No existe una persona positiva que hable negativamente, así como no existe una persona negativa que hable positivamente.

Cada vez que dices: «yo no puedo»; «eso es imposible»; «nunca lo voy a lograr», estás expresando lo que piensas respecto a ti mismo y a tus circunstancias. Es por ello que nuestras palabras tienen una gran importancia en el manejo de nuestro estrés.

Las palabras estructuran nuestro pensamiento y por lo tanto influyen en la actividad de nuestro cerebro, el cual tiene asignado un significativo espacio para la capacidad de hablar.

Sin darnos cuenta, lo que decimos va construyendo nuestro esquema de pensamiento y, por lo tanto, nuestras actitudes y nuestra manera de reaccionar en la vida.

Adicionalmente nuestras palabras constituyen decretos que nuestro cerebro se encargará de convertir en realidad. Es por ello que tienen un gran poder sobre nosotros y pueden afectar nuestra vida para bien o para mal.

W. Von Humboldt, lingüista y político alemán, apuntó en el siglo XIX: «El lenguaje ya no es el reflejo de las estructuras sociales, culturales o psíquicas, sino más bien la causa de ellas: el lenguaje ya no designa una realidad preexistente, más bien es el lenguaje el que organiza para nosotros el mundo circundante».

John B. Watson, fundador de las teorías de la escuela conductista, afirmaba: «Lo que la Psicología llama pensamiento, no es otra cosa que un hablarse a sí mismo». Aprendemos las palabras asociándolas con los objetos que ellas designan, al repetirlas, llegará el momento en que reaccionemos con la sola palabra, sin requerir la presencia del objeto, lo cual nos da la capacidad de pensarlas. La sola palabra reemplaza el efecto que la realidad de las cosas puede tener sobre nuestro organismo. Por ejemplo, cuando hemos tenido una desafortunada experiencia, con sólo recontarla, evocamos todas las sensaciones que tuvimos durante la experiencia misma.

Ludwig Wittgenstein, filósofo y lógico británico, subrayaba la importancia del lenguaje como estructurante primordial del pensamiento humano; aprendemos acerca de nuestra mente aprendiendo el lenguaje, es por ello que éste conforma nuestras percepciones de la realidad.

Las formas en que construimos nuestras experiencias conscientes están indudablemente influenciadas por nuestras palabras, por ello nuestra memoria no recuerda eventos sino a partir de los cuatro o cinco años de edad, cuando ya tenemos el lenguaje desarrollado. Nuestras palabras, sin lugar a dudas, representan a nuestro pensamiento.

La razón por la cual nuestras palabras son tan importantes para saber guiar nuestro pensamiento y manejar nuestro estrés se debe a su estructura profunda, el que son símbolos, que por asociación provocan en nosotros una respuesta. Nuestro lenguaje no es un simple medio de comunicación, sino que expresa cómo concebimos el mundo. Al hablar, proyectamos la imagen que interiormente tenemos de nosotros mismos y de nuestro entorno.

José Silva fue un verdadero pionero y visionario al proponer la «limpieza mental del vocabulario» como algo fundamental para nuestro SABER PENSAR, décadas antes de que apareciera la Programación Neuro Lingüística o los libros de Louise Hay, así como la abundante literatura de autoayuda que resalta la importancia de los llamados «decretos», o «autoafirmaciones», frases que utilizamos para aseverar propósitos.

Si deseamos manejar el estrés debemos vigilar nuestras formas de expresión. Cada una de las cosas que nos decimos a nosotros mismos provocará una reacción interna que afectará a nuestro cuerpo.

Iván Pávlov, ganador del Premio Nobel de Medicina en 1904, realizó una extensa y documentada investigación sobre los efectos fisiológicos que las palabras provocan,[14] demostrando cómo éstas pueden modificar el pulso cardiaco, el ritmo respiratorio, la presión arterial e incluso la química sanguínea.

¿Qué tan conscientes somos de las palabras que utilizamos y cómo éstas pueden constituir un foco tensional para nuestra vida? Los seres humanos verbalizamos constantemente. Aun cuando estamos solos y en silencio nuestros pensamientos constituyen un diálogo interno de palabras.

Nuestro cerebro es literal, todo lo que nos decimos él lo convierte en una orden para nuestro cuerpo y es por ello que si queremos manejar nuestro estrés necesitamos empezar por transformar nuestra forma de hablar. ¿Cómo se da esta conexión?

Toda palabra es un símbolo que representa un objeto, un concepto o una idea, y que por la gran capacidad asociativa que nuestro cerebro tiene va a generar una cadena de pensamientos, que a la vez provocará un efecto sobre el sistema nervioso y el cuerpo. Pero así como las palabras nos pueden provocar estados de ánimo desagradables, limitaciones o hasta enfermarnos, de igual forma pueden convertirse en promotoras de salud y de un ser y hacer más positivos.

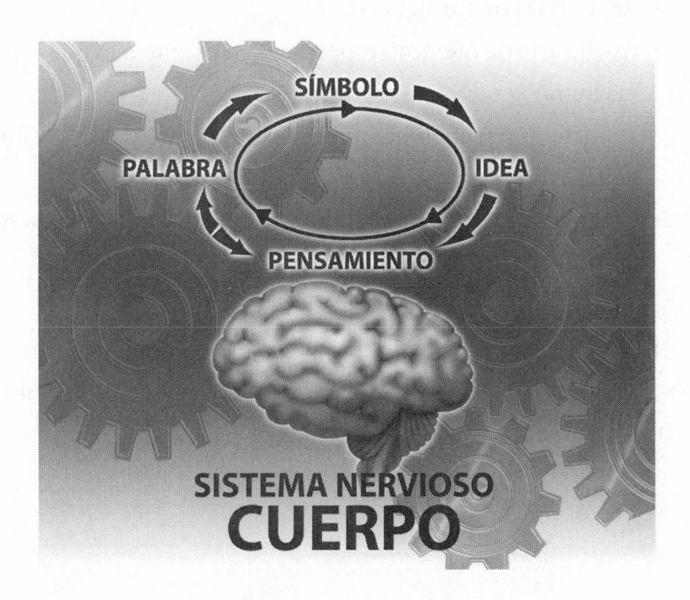

Algunos afirmarán que primero pensamos y luego hablamos, la realidad es que el lenguaje es indispensable para estructurar nuestros pensamientos y muchos lingüistas aseguran que generalmente hablamos antes de pensar (con seguridad muchos ya hemos vivido las consecuencias de esta realidad) o en todo caso las dos cosas se retroalimentan de manera simultánea. Lo que es importante tomar en cuenta es que este círculo vicioso es más fácil de romper en la palabra, ya que nos escuchamos a nosotros mismos hablar y siempre elegimos qué y cómo decirlo.

Cambiar algunas de las palabras que utilizamos no significa negar la realidad, pero sí decirnos las cosas de una manera que nos brinde alternativas para poder mejorarla.

En cuanto a las afirmaciones positivas y saludables que tú elabores, para que sean efectivas deberás de:

- Repetirlas con frecuencia.
- Asegurarte de que sean específicas en cuanto a lo que esperas lograr.
- Sentirte que te involucran emocionalmente y por lo tanto te motivan.
- Crear una imagen mental que reafirme lo que la frase representa para ti y tus objetivos.

La idea es muy simple pero efectiva. Si deseas manejar tu estrés y mejorar la calidad de tu vida, empieza por transformar tu forma de hablar.

EJERCICIO:
Limpieza mental del vocabulario

Escribe una lista de las palabras negativas que usas con frecuencia.

____

____

____

Piensa qué otras palabras podrías utilizar para expresar lo que sientes sin causarte daño. En la lámina siguiente te damos algunos ejemplos de este cambio.

____

____

____

Limpieza Mental del Vocabulario
- Difícil
- Nervioso
- Se me olvidó
- No puedo
- Imposible
+ Menos fácil
+ Tenso
+ No recuerdo
+ Lo intentaré
+ Improbable
Cancelado, cancelado.
Mejor, Mejor y Mejor.
© Rosa Argentina Rivas Lacayo
Curso Básico. Dinámica Mental.

Escribe una lista de frases que acostumbras utilizar y que pueden generar estrés y causar daño a tu salud. En la lámina siguiente compartimos algunos ejemplos.

____

____

____

Escribe una lista de frases, afirmaciones positivas, que te ayuden a construir una forma de pensar más positiva y efectiva para lograr tus objetivos.

____

____

____

Limpieza Mental del Vocabulario

- Fulano... me cae mal.
- ...Es que me pone los nervios de punta.
- Así soy... genio y figura hasta la sepultura.
- Nací para maceta, del corredor no voy a pasar.
- Sólo de verla... me da dolor de cabeza.

+ Fulano... me podría caer mejor.
+ ...Me pongo tenso.
+ Yo siempre puedo elegir cambiar.
+ Tendré que hacer un mayor esfuerzo.
+ Yo puedo cambiar mi actitud y poner límites.

Curso Básico. Dinámica Mental.

Decir que algo es difícil nos predispone a dejar de intentar las cosas en cuanto se presentan obstáculos. Enfrentar una tarea como algo menos fácil, no significa que dejamos de reconocer la realidad, pero sí nos ayuda a ser más perseverantes aun ante los contratiempos.

Como un ejemplo podemos tomar la palabra «nervioso». Gracias al sistema nervioso nos movemos, hablamos, estamos vivos... Sin embargo, sobreestimular a los nervios, lo que hacemos cada vez que decimos «estoy nervioso», los afectará. Nunca podrás «quitarte los nervios», pero la tensión, sí.

Otro ejemplo es la frase «se me olvidó». Cada vez que la dices tu cerebro dejará de hacer el esfuerzo por traer a tu memoria el dato que deseas, sin embargo, cuando en realidad quieres o necesitas recordar no dices que se te olvidó, casi siempre afirmas «ahora no me acuerdo, pero me voy a acordar». El resultado de esto es que al poco tiempo o al cabo de unas horas, aunque hayas cambiado de tema o de grupo, el recuerdo se hará presente.

Decir «no puedo» es un verdadero absurdo. En la Grecia antigua había un hombre llamado Demóstenes, quien deseaba ser un gran orador, pero era tartamudo. Cualquiera le podría haber afirmado un «no se puede». Sin embargo el deseo por alcanzar su meta era tan grande que empezó a practicar hablando en voz alta mientras tenía pequeños guijarros debajo de la lengua. Esto lo obligó a enunciar detenidamente para no tragarse ninguna de las piedrecillas. Demóstenes, a pesar de sus limitaciones, se propuso intentar lograr su meta y se convirtió en el mejor orador de Grecia, y es reconocido hasta el día de hoy como el padre de la oratoria.

La mayor parte de las cosas que los seres humanos hemos considerado como imposibles se llegan a realizar con el tiempo.

La realidad es que lo que decimos que es imposible, es tan sólo improbable de acuerdo a lo que hoy sabemos. Las personas que «sabiamente» dicen que algo es imposible y se han limitado a lo que les parecía posible, son quienes nunca han dado un paso significativo para el progreso.

Podrá parecernos casi infantil pensar que por el cambio en nuestro vocabulario podamos cambiar mucho de lo que nos sucede y como nos sentimos, sin embargo la conexión entre palabra, pensamiento, emoción y cuerpo es innegable. El gran filósofo Séneca afirmaba sabiamente:

«Son las palabras el semblante del alma; por ellas se ve si el juicio es entero o quebrado».

La experiencia nos ha mostrado que quien no transforma su vocabulario hacia lo positivo no logrará cambiar su pensamiento de manera efectiva. Recuerda que el cerebro no tiene sentido del humor y ejecuta literalmente todo lo que se le ordena. Una experiencia de esto es como nuestro cuerpo responde al diálogo interno que realizamos, generándonos excitación o a veces paralizándonos.

La estructura del lenguaje es tan importante que mientras no se tenga alguna forma de lenguaje, la capacidad intelectual del individuo se ve terriblemente limitada.

Puede ser que algunas de las palabras que te dices respecto a ti mismo sean palabras que alguien más te dijo, pero esa era la apreciación del otro que pudo haber estado enojado en ese momento y no supo expresarse de otra manera. Tú siempre decides qué palabras usar y qué creer de lo que otros expresan.

En el Método Silva te recomendamos que en esta tarea de observación que tendrás que hacer de tu propio vocabulario, cada vez que digas una palabra negativa, mentalmente digas a continuación: **cancelado, cancelado.** Esto hará que se establezca una asociación hasta que llegue el momento en que con sólo empezar a decir la palabra no deseada, el **cancelado cancelado**, surja en tu mente, lo cual te ayudará a ir eliminando las palabras negativas.

Por otra parte una manera de ayudarte a ti mismo en este proceso es el de repetirte frases positivas, como las que aparecen en el disco compacto que se incluye, y que también te dan ideas que te pueden ayudar a crear las tuyas propias de acuerdo a tus necesidades y a aquello que deseas cambiar.

En especial, recomendamos el uso de una frase formulada originalmente por el doctor Emile Coué, terapeuta francés, que ha comprobado ser muy efectiva en crearnos una motivación cada vez más positiva, que nos ayude a ser mejores y a hacer mejor todo lo que hacemos.

«Cada día que pasa y en toda forma me siento mejor, mejor y mejor».

El que cada vez que alguien te pregunte ¿cómo estás? tú respondas «mejor y mejor», te ayudará a manejar tus estados de ánimo e irá creando en ti una actitud mucho más positiva y sana.

No faltará quien diga que esto puede resultar ingenuo, sin embargo como el propio doctor Coué logró comprobar, sus pacientes mejoraban de manera significativa al incorporar esta frase cotidianamente en sus vidas.[15] Por otra parte, la fonología nos ha demostrado, que la letra **M** produce una vibración en el cerebro que resulta ser la más favorable.[16]

También habrá quien piense que decir que estamos «mejor y mejor» puede resultar ser una cierta evasión de la realidad, pero la verdad es que a la inmensa mayoría de las personas con quienes te encuentras de manera casual ni les interesa tu problema ni te lo van a resolver. Ir por la vida quejándote de tus circunstancias no sólo no te ayudará a salir adelante sino que al pasar de boca en boca parecerá empeorarlas. Adicionalmente, ¿quién quiere encontrarse y conversar con el tío Agripino Tragedias?

Todos necesitamos desahogarnos y poder expresar como nos sentimos, sobre todo cuando la tristeza, el enojo o la preocupación se hacen tan presentes. Para ello debemos buscar a la persona de confianza que sabrá escucharnos, y esas personas no son la gran mayoría con quienes tratamos cotidianamente.

Algunos vivimos en ambientes tan desprovistos de actitudes positivas que tampoco faltará quien, cuando tú respondas que estás «mejor y mejor», abra los ojos como platos y diga: «Cuánto lo siento, no sabía que usted había estado enfermo». Efectivamente habrá quien no conciba el poder estar mejor si no se ha estado mucho peor.

Acostumbrarnos a responder «mejor y mejor» será también una manera de ayudar a otros dándoles un mejor ánimo. En todo el mundo se necesitan personas con esa capacidad porque a todos nos agrada conversar con Esperanza Buendía.

RELAJACIÓN

«Todos soñamos con la vacación perfecta en el campo, en las montañas o en el mar. Que tontería esperar tanto, cuando en cualquier momento podemos tomar esa vacación dentro de nosotros mismos. En ningún

otro lugar existe un sitio tan idílico como en tu propia mente. Toma esa vacación tan frecuentemente como puedas y de esa manera recarga tu espíritu para regresar a tu trabajo libre de ansiedad y lleno de vigor y buen ánimo».

MARCO AURELIO

Así como nuestro vocabulario nos ayudará a transformar nuestro pensamiento, actitudes y reacciones ante los estímulos, lo más importante para nuestro manejo del estrés es saber relajarnos.

¿Qué efectos nos proporciona la práctica de la relajación que se hayan comprobado médica y científicamente?[17]

Los beneficios de la relajación para nuestra salud son:

1. Producción de ondas de reposo en nuestro cerebro, las cuales también se conocen con el nombre de frecuencias Alfa. Producir este tipo de frecuencias le proporciona a nuestro organismo un estado de equilibrio y bienestar que permite la liberación de las tensiones musculares e impide los efectos destructivos del estrés crónico. De igual forma, poder llevar a nuestro cerebro a este nivel de reposo nos permite reaccionar ante los estímulos de una manera más tranquila, contrarrestando así los exabruptos del estrés agudo.
2. Favorece la oxigenación celular. Cuando una persona se relaja el ritmo respiratorio tiende a hacerse más lento y la inhalación es más profunda. Con esto logramos una mejor ventilación pulmonar y por lo tanto una mejor oxigenación. Una buena oxigenación para nuestras células es el

cimiento de una buena salud, y de manera muy especial para las células de nuestro sistema nervioso, conocidas como neuronas.

3. Promueve una mejor circulación sanguínea a través de la vasodilatación. Esto significa que nuestros vasos sanguíneos se expanden y permiten una mayor afluencia circulatoria. Es por ello que la relajación siempre será recomendada cuando alguna persona padezca problemas como la hipertensión.
4. Equilibra los índices de colesterol. Como se ha podido constatar en investigaciones médicas un profundo estado de relajación tiende a elevar el colesterol de alta densidad (colesterol HDL), el cual ayuda a eliminar el colesterol de baja densidad que se acumula en nuestras arterias (colesterol LDL), obteniendo como resultado una disminución de grasas en nuestro sistema circulatorio. Es bien conocido por todos el cuidado que debemos tener para evitar la elevación de grasas en nuestro torrente sanguíneo, las cuales están consideradas como una de las principales causas en el desarrollo de problemas cardiovasculares.
5. Reduce la ansiedad. Uno de los extraordinarios efectos de la relajación es que reduce, en toda persona que la practica diariamente, los niveles de ansiedad. Esto se debe a que al relajarnos nuestro cuerpo reduce los índices de ácido láctico, el cual está directamente relacionado con los síntomas de angustia.
6. Favorece al sistema inmunológico. La relajación practicada cotidianamente tiene un efecto en nuestro cuerpo que favorece la producción y la buena condición de nuestras células blancas que conforman el gran ejército de este sis-

tema. Esto redunda en una capacidad inmunitaria de nuestro cuerpo que puede combatir más fácil y de manera más efectiva a muchas enfermedades.

7. Produce endorfinas. Un profundo estado de relajación genera la producción de endorfinas en nuestro cuerpo. Éstas son neuropéptidos (químicos que utiliza el sistema nervioso para modular su actividad), y que ayudan a eliminar el dolor físico. Es por ello que en las grandes clínicas médicas, para el manejo del dolor, el aprendizaje de la relajación es una técnica indispensable.

Es muy importante resaltar que para que todos estos efectos fisiológicos de relajación se produzcan, nuestro ejercicio de relajamiento debe tener una duración mínima de 15 minutos, sólo después de ese periodo aparecerán los efectos que hemos mencionado.

Nuestra recomendación es que toda persona, y en especial ante el ritmo de vida que llevamos, practique la relajación diariamente con una duración mínima de 15 minutos.

Si tienes algún problema de salud, debes consultar a tu médico y practicar el relajamiento tres veces al día. Esto favorecerá tu equilibrio interno. La relajación no te cura la enfermedad, pero sí estimula la respuesta de tu cuerpo ante la misma.

También recordemos la importancia que tiene el que un estado de relajación profunda facilite en nosotros una mejor concentración y una mayor capacidad de discernimiento. Por ello te invitamos a que aproveches ese estado de serenidad para programar tus metas y objetivos, así como para darte tiempo de descanso y profunda reflexión.

Para manejar nuestro estrés es indispensable que realicemos una constante tarea de limpieza mental del vocabulario y que practiquemos nuestro ejercicio de relajación por lo menos una vez al día, lo cual nos ayudará a liberarnos de tensiones aminorando el desgaste y evitando el estrés crónico.

Estas dos herramientas hacen posible un control más efectivo del pensamiento que, como también ha comprobado la investigación de la Psicología Cognitiva, es la clave para el manejo de nuestra emotividad.

Donde está tu pensamiento, allí está tu experiencia; el hombre es lo que piensa.

ANÓNIMO

EJERCICIO:
Ejercicio de relajación

El ejercicio de relajación que se incluye en el disco compacto con este libro es una adaptación del ejercicio básico del Método Silva que con la práctica te ayudará a lograr una adecuada capacitación en el aprendizaje del proceso.

En este ejercicio iniciamos la práctica en una posición cómoda, lo cual favorece la liberación de tensiones en los músculos. Se te pide que cierres los ojos, ya que con esto eliminas un alto porcentaje de distracciones. También que respires profundamente tomando conciencia de cómo entra y sale el aire en tu cuerpo.

Todos hemos vivido la experiencia de suspirar después de haber terminado un trabajo o de haber finalizado una actividad que generaba algún tipo de tensión. Suspiramos cuando salimos de una junta con el jefe, cuando se va la suegra de casa después de la comida, o cuando concluimos un trabajo que ha demandado mucha de nuestra atención. El suspiro es una manera de llevar a nuestra respiración y a nuestro cuerpo a un estado de mayor tranquilidad.

Todas las técnicas de relajamiento de tipo médico o inductivas a un estado de meditación nos piden fijar la atención en nuestro ritmo respiratorio, llevándolo a un nivel más sereno y profundo, lo cual facilita el relajamiento.

Posteriormente se te pedirá que respirando de manera profunda, al exhalar, repitas mentalmente y visualices el número 3 tres veces para después ir relajando todo tu cuerpo desde la cabeza hasta los pies. De este modo y conforme practiques el ejercicio se irá estableciendo una asociación entre el número 3 y un estado de relajación física. El propósito es que con la práctica llegue el momento en que con sólo cerrar tus ojos, respirar profundo, visualizar y repetir mentalmente el número 3 tres veces, tu cuerpo se relaje por completo. Conforme se te pide que dirijas tu atención a diferentes partes de tu cuerpo, se menciona que puedes sentir una ligera vibración o una sensación de calor por el cambio que se produce en la circulación a través de la dilatación de los vasos sanguíneos, lo que favorece la circulación periférica.

La razón por la cual la relajación va de la cabeza a los pies es porque con ello se estará relajando el sistema nervioso motor, que va de la cabeza a todas las partes del cuerpo, y que es completamente voluntario. Por estar sometido a tu voluntad, relajar este sistema hará más fácil y más rápido el proceso de relajamiento.

Se te pedirá de nuevo que respires de manera profunda, y al exhalar repitas mentalmente y visualices el número 2 tres veces, el cual asociaremos con un estado de relajación mental pidiéndote que proyectes en tu mente la imagen de un lugar ideal de descanso, cualquier escena que para ti represente paz y belleza. El silencio que durará tan sólo un minuto representará el equivalente de una hora de esparcimiento. De igual forma la asociación entre el número 2 y la relajación mental hará que con la práctica logres un nivel de serenidad cada vez de forma más rápida.

De nuevo se te pedirá que respires de manera profunda y que al exhalar repitas mentalmente y visualices el número 1 tres veces, llegando a un nivel, resultado de la relajación física y mental, al que llamaremos el nivel básico.

Habiendo relajado tu cuerpo y tu mente haremos una cuenta descendente del 10 al 1 que te ayudará a fijar tu atención y mejorar tu concentración.

Alcanzar un nivel **más profundo** significa acceder a un nivel más amplio de concentración mental y el que éste sea un nivel **más saludable** se refiere a un estado de mayor y más sano equilibrio entre nuestro cuerpo y nuestra mente.

Posteriormente escucharás una serie de afirmaciones positivas que nos ayudan a establecer patrones de vocabulario más positivos y nos dan una idea para construir nuestras propias frases de acuerdo a las necesidades que cada uno de nosotros tengamos.

Se te dará un espacio de silencio para que tú hagas alguna programación mental personal o apliques alguna de las técnicas que forman parte del Método Silva y que más adelante expondremos.

Para concluir escucharás una serie de frases que nos recuerdan el propósito constructivo y positivo que el ejercicio tiene. Finalmente se te dirá que al contar del uno al cinco abrirás tus ojos, y bien despierto, muy a gusto, te sentirás mucho mejor que antes.

La relajación del Método Silva ha comprobado su efectividad a través de diversas investigaciones, que incluso en estudios comparativos con otros tipos de relajamiento han confirmado la efectividad de la técnica y lo fácil y accesible de su aprendizaje.[18]

Puesto que la relajación provoca cambios fisiológicos, que ya hemos explicado, presentamos a continuación algunas de las sensaciones que puedes llegar a sentir al relajarte profundamente.

1. Sensación de pesadez o ligereza en el cuerpo.
2. Sensación de que las extremidades se han quedado «dormidas».
3. Sensación de frío o calor.

Las primeras dos se deben al bajo tono muscular que provoca el relajamiento, con tan sólo un leve movimiento harás que la sensación desaparezca. La tercera se debe a los cambios de temperatura corporal que la relajación provoca por la dilatación de los vasos sanguíneos.

Por otra parte, si tienes la costumbre de practicar algún tipo de meditación, yoga u oración profunda, es probable que no sientas nada diferente a lo habitual, ya que tu cuerpo se ha adaptado a los cambios que la relajación produce.

Aunque practicar la relajación estando recostados puede hacernos sentir más cómodos, en ocasiones resulta no ser una posición conveniente puesto que con facilidad nos podemos quedar dormidos.

Se recomienda que practiques el ejercicio sentado cómodamente con los dos pies en el suelo y tus manos descansando sobre tus piernas. Esto hará que puedas relajarte más fácilmente en cualquier lugar.

También te recomendamos que con la práctica dejes de usar la grabación, ya que una vez aprendido el proceso debes ser capaz de realizarlo en cualquier momento y lugar, sin requerir de un apoyo exterior.

Método del 3 al 1

Cuando hayas escuchado y practicado el ejercicio por lo menos 10 veces, estarás preparado para usar el método del 3 al 1, sin requerir de la grabación y de una forma más rápida.

En una posición cómoda, cierras tus ojos, tomas una respiración profunda y al exhalar mentalmente repites y visualizas el número 3 tres veces, trayendo a tu cuerpo la sensación de relajación física. Tomas otra respiración profunda y al exhalar mentalmente repites y visualizas el número 2 tres veces, trayendo a tu mente la sensación de descanso mental. De nuevo tomas otra respiración profunda y al exhalar, mentalmente repites y visualizas el número 1 tres veces, y estarás en tu nivel básico.

A partir de ese nivel de relajamiento podrás aplicar las técnicas o hacer cualquier programación que desees. Por la noche el ejercicio de relajación puede convertirse en una manera natural de conciliar el sueño.

Algunas recomendaciones

Nuestro manejo del estrés puede significar la diferencia entre la salud y la enfermedad. Retomando algunas de las recomendaciones que Hans Selye, después de décadas de investigación médica y científica, afirmaba eran necesarias para nuestra calidad de vida, debemos considerar lo siguiente:

- Vigilar nuestra alimentación y hacer ejercicio diariamente.
- Relajarnos cotidianamente.
- Fortalecernos a través de nuestros valores.
- Hacer lo que hacemos apasionadamente.
- Ganarnos el amor del prójimo.

Hoy como nunca abunda la información respecto al impacto que nuestra alimentación tiene en nuestra salud. La comida chatarra demuestra ser, cada vez más, causa de una inmensa cantidad de problemas que pueden llegar a matarnos.

Para nutrirnos convenientemente, lo que más necesitamos es el sentido común, ya que nuestro cuerpo nos avisa cuando lo que hemos ingerido o su cantidad no son adecuados. Demos prioridad a frutas y verduras, asegurándonos de incluir una buena cantidad de fibra (cereales integrales) y manteniendo el consumo necesario de proteínas, grasas y un mínimo de dos litros de agua diario.[19] Una sana y balanceada alimentación le evitará a nuestro cuerpo el estrés que puede generarse por una demanda excesiva de digestión y metabolización de los alimentos, dándole a la vez las vitaminas y minerales que requerimos.

Hacer ejercicio diario no requiere de una condición atlética, ni de equipo sofisticado de gimnasio para poder realizarlo, lo que sí se necesita es caminar de 20 a 30 minutos a buen paso, todos los días. Evitar una vida sedentaria, a través del ejercicio, le permitirá a nuestro cuerpo canalizar adecuadamente las hormonas que nos genera el estrés.

Tienes, a través de este libro, la oportunidad de practicar un ejercicio de relajación sencillo, comprobado como efectivo, e indispensable para todos en el mundo que hoy vivimos. La relajación diaria evitará que el estrés-distrés se acumule hasta causarnos daño, ayudándonos a evitar problemas, tanto físicos como emocionales, que pueden deteriorar severamente nuestra calidad de vida.

Redescubre y vigoriza tus valores, ya que ellos te proporcionan un eje de fortaleza interior que te dará resiliencia ante las adversidades que todos confrontamos, haciendo posible crecer y ser mejores a pesar de los problemas.

Aprende a disfrutar y «fluir» con lo que haces, comprende que tu quehacer tiene un sentido. Apasiónate con tu trabajo y descubre, por sencillo que éste sea, la invaluable aportación que significa para tu sociedad, como lo diría Hans Selye: «Hagas lo que hagas, hazlo apasionadamente». Involúcrate con la vida y la maravillosa vocación de servir, que todos compartimos. Sin esperar nada a cambio, obtendrás lo que más nos da seguridad y apoyo, el afecto de nuestros congéneres.

Nada mejor para lograr todo esto que vivir con actitudes positivas, que surgen del trabajo cotidiano que realizamos desde nuestra interioridad, en el esfuerzo por conocernos mejor a nosotros mismos, ejercitando la capacidad de cerrar los ojos para mirar adentro.

«Todos los problemas de la humanidad proceden de la incapacidad del hombre para permanecer sentado, en silencio, a solas en una habitación».

BLAISE PASCAL

3

Manejo de problemas tensionales

«Todo lo que debemos poseer es cordura y ésta no es una teoría, sino un estado del alma responsable».

D. H. LAWRENCE

Pareciera que ninguna cantidad de tiempo es suficiente para hacer todo lo que deseamos o tenemos que hacer. Vivir se nos va en prisas con un alto y peligroso costo para nuestra calidad de vida.

Por nuestra incapacidad para manejar el estrés, ante la cantidad de estímulos que recibimos, así como por la forma en que hemos permitido que se nos desdibujen nuestros valores, padecemos problemas tensionales que han ido deteriorando nuestros estados de ánimo y nuestra salud. Antes de que se presenten problemas significativos y peligrosos, como las úlceras o los problemas cardiacos, empiezan a aparecer síntomas que nos indican con claridad que el estrés está fuera de nuestro control. Los dos problemas tensionales más comunes son: el insomnio y las jaquecas.

Tristemente pareciera que ya consideramos como normal padecer cierta incapacidad para dormir. Habría que recordar que lo normal es poder dormir de forma natural y que tener que tomar pastillas para lograrlo, a cualquier edad, es lo anormal.

Muchas personas se conforman con el consumo cotidiano de somníferos, recetados en muchas ocasiones por un médico amigo. Con facilidad pierden de vista que el insomnio aparece como síntoma en casi un 80% de los trastornos psicoemocionales, y aunque no se padezca necesariamente este tipo de problemas, el insomnio es ya un síntoma importante de un estado tensional, que puede llegar a causar un daño mayor.

Quitemos de nuestra cabeza la idea de que por haber llegado a cierta edad lo oportuno es tomar medicamento para que nuestro cuerpo realice una función que le es indispensable para la vida. Si padecemos insomnio es porque tenemos tensión, y al menos que exista un problema médico, las pastillas para dormir siempre salen sobrando.

Por otra parte se calcula que de un 75 a un 80% de las jaquecas que padecemos son de origen tensional. Ningún experto tendría que aclararnos esto, bastaría preguntarnos a nosotros mismos ¿en qué momentos me duele la cabeza? Casi siempre la respuesta será: Cuando he llorado, cuando me siento enojado o impotente, cuando he tenido que hacer un prolongado esfuerzo laboral o intelectual y me siento cansado, cuando debo cumplir con un compromiso social pero desearía evitarlo. La jaqueca tensional la podemos identificar fácilmente puesto que se presenta en situaciones como las que hemos mencionado y porque resulta sencillo eliminarla con tan sólo un par de aspirinas.

Se estima que un 15% de las jaquecas que se padecen son de tipo migraña, son muy intensas y pueden causar un sin número de síntomas: náuseas, mareos, vómitos, hipersensibilidad a la luz o al ruido y que generalmente son cíclicas. En la actualidad existen medicamentos que pueden prevenirla o evitar que se recrudezca cuando se administran ante los primeros síntomas, pero una vez que este tipo de jaqueca se ha iniciado, la persona que la padece tendrá que esperar a que el ciclo termine, éste puede durar horas, días o una semana completa. Sólo quien la ha padecido sabe lo que esto significa.

A pesar de que se ha podido establecer una conexión genética en el problema de la migraña, también se reconoce que el estrés-distrés es probablemente su primordial causa o detonador y que, por lo tanto, en su tratamiento la práctica de la relajación resulta indispensable.

Existe un tercer tipo de jaqueca que denominaremos «sintomática», ya que se presenta como síntoma de un mal funcionamiento orgánico o enfermedad física. La hipertensión, la tifoidea, el paludismo, o un problema digestivo u hormonal, son tan sólo algunos ejemplos en donde la jaqueca, por ser un síntoma, ayuda a alcanzar un diagnóstico que le dé al paciente atención oportuna.

Tanto las jaquecas tensionales como las migrañas podemos llegar a erradicarlas a través de la relajación, ya que como hemos mencionado están relacionadas al estrés-distrés.

Si practicas cotidianamente el ejercicio que se incluye en este libro y llevas a tu vida diaria las técnicas de control para dormir y control de jaquecas que se imparten en el curso de Dinámica Mental, podrás eliminar este tipo de problema favoreciendo una vida más libre de tensiones y, por lo tanto, más saludable.

Pero ¿cuáles son los grandes generadores de estrés en nuestra vida? Existen estresores físicos como los cambios bruscos de temperatura, tener que respirar aire contaminado o haber abusado de la comida y la bebida. Todas estas cosas exigirán al cuerpo una demanda de adaptación y, como resultado, provocarán estrés.

De igual forma existen estresores psicoemocionales que son consecuencia de nuestra manera de pensar y sentir respecto a nuestro pasado, a lo que nos está ocurriendo o a lo que especulamos puede llegar a ocurrirnos.

Para muchos de nosotros nuestras emociones son el foco principal de nuestro estrés y, por lo tanto, las principales causantes de nuestros problemas tensionales.

MANEJO INTELIGENTE DE NUESTRAS EMOCIONES

«El sabio de corazón es llamado inteligente».

PROVERBIOS 16:21

Nuestras emociones son mecanismos de supervivencia que nos movilizan para actuar oportunamente. En toda situación las emociones pueden jugar un papel constructivo o destructivo, enriquecernos o perjudicarnos. Nuestras emociones básicas son cinco: el amor, la alegría, el miedo, la ira y la tristeza. Sin embargo, son las últimas tres las que pueden ocasionarnos problemas tensionales.

Las emociones justificadas son las que, como su nombre lo indica, responden a una necesidad de adaptación. El miedo nos ayuda a protegernos, la ira a defender nuestros derechos y la tristeza a darnos tiempo para procesar nuestras pérdidas y retomar el camino.

Las emociones no justificadas son las que aparecen, más que como una respuesta necesaria, como resultado de nuestra percepción distorsionada de las cosas. Una emoción afecta nuestros pensamientos, nuestro cuerpo y la propia voluntad de acción, pero a la vez se «carga» con lo que pensamos y hacemos.

Las emociones justificadas nos impulsan a actuar, las injustificadas, al no tener sobre qué canalizarse, nos paralizan y se estancan.

El miedo es la emoción que identificamos más fácilmente como mecanismo de supervivencia, si lo utilizamos de manera constructiva nos ayuda a proteger la vida y a tener prudencia.

De todas nuestras emociones la ira es la que menos comprendemos en sus efectos constructivos, pero es nuestra capacidad de enojo la que nos permite defendernos y defender a los demás.

William Sloane afirmaba acertadamente que:

«La capacidad de enojarse es importante porque el que no se enoja se acostumbra a tolerar lo intolerable… y

probablemente se convierta en cínico. Si perdemos la capacidad de enojarnos ante la opresión, bajaremos también nuestra capacidad de compasión por los oprimidos».

Por la reflexión a la que nos induce, la tristeza nos permite hacer los ajustes psicológicos y los nuevos planes que nos facilitan hacer cambios constructivos en nuestra vida.

Si todas las emociones son necesarias y sirven a una función tan importante como la supervivencia ¿por qué nos causan tanto problema? La respuesta a esa pregunta está, por una parte, en lo peligroso de los extremos al que las emociones pueden llegar, y por otra, en lo injustificadas que pueden ser.

Para manejar nuestros problemas tensionales, entre ellos el insomnio y las jaquecas, necesitamos ser capaces de canalizar nuestras emociones más acertadamente.

Muchos de nuestros miedos son consecuencia de suposiciones absurdas que pensamos serán calamidades en el futuro. Cuando nos decidimos a confrontar nuestros miedos imaginarios, que son injustificados, los podremos hacer desaparecer, ya que son el resultado de nuestros pensamientos y descontrolada imaginación. Nuestra mente genera «espejismos» y se los cree. Una imaginación educada, el control de nuestra mente y SABER PENSAR, favorecen nuestro dominio emocional.

El miedo, la ira y la tristeza se pueden convertir en un factor de estrés muy peligroso para nuestra calidad de vida. Podemos manejarlas al ser conscientes de que las emociones surgen como una señal de alerta o como resultado de nuestras actitudes y creencias.

Independientemente de que en algún momento nuestra respuesta emocional haya sido justificada ante un evento, con facilidad se puede convertir en injustificada, en la medida en que alimentamos a la emoción, repitiéndonos una y otra vez la historia y evocando como en una película que no deja de repetirse, la experiencia que hemos vivido.

¿Cuántas veces hemos sido testigos de cómo una historia parece crecer y convertirse en algo cada vez más trágico, por la cantidad de veces que una persona la cuenta y recuenta, añadiéndole, como decimos en México, cada vez más «crema a los tacos»?

Para manejar nuestras emociones con inteligencia debemos reconocer el impacto que la dimensión cognitiva, que se refiere a nuestra percepción, memoria, imaginación, pensamientos, actitudes y creencias, puede causar.

Nuestra mente puede ser promotora de los pensamientos constructivos que generan emociones sanas o, por el contrario, de los desagradables que engendran emociones injustificadas.

Una persona atenta y resuelta a que la mente no le genere problemas tensionales detendrá los pensamientos negativos y estimulará aquellos que promuevan emociones y sentimientos sanos. Con ello evitará construirse actitudes, que como hemos definido en el capítulo anterior, constituyen la predisposición interna que determina nuestro comportamiento.

Por otra parte nuestras creencias son de extrema importancia para el manejo de nuestras tensiones, tanto físicas como emocionales. Tenemos creencias sanas que nos ayudan a edificarnos y promueven nuestro mejoramiento personal. De igual forma tenemos las no sanas que nos intoxican con «espejismos» que deterioran nuestra calidad de vida y salud, pero ¿qué son nuestras creencias?

El esquema interno que determina nuestra realidad.

Con esta definición podremos apreciar cuánto de lo que consideramos como realidad no es más que el resultado del esquema interno que nosotros mismos hemos construido. Ya que tanto las actitudes como las creencias dependen de nuestro pensamiento, en nuestro SABER PENSAR está gran parte de la clave para el manejo emocional. Según sea la naturaleza del pensamiento, será también la de los sentimientos.

Así como debemos cambiar algunas actitudes para modificar nuestras reacciones, también debemos modificar algunas de nuestras creencias que distorsionan nuestra realidad. Esto se logra en la medida en que transformamos nuestro pensamiento, editando y renovando las películas que nos proyectamos y las historias que nos contamos. ¿Te puedes imaginar a ti mismo con otro tipo de reacciones?

MANEJO DE LA ANSIEDAD

«Es una necedad arrancarse los cabellos en los momentos de ansiedad, porque la preocupación no puede ser aliviada por la calvicie».

MARCO TULIO CICERÓN

Recordemos que la ansiedad la sentimos como indicio de que hay algo que debemos enfrentar y resolver, pero también por preocupaciones elucubradas en función del temor a situaciones que nuestra imaginación **supone** pueden ocurrir en el futuro.

Para manejar más efectivamente el miedo-ansiedad, te damos algunas recomendaciones:

- Evita postergar, ya que sólo incrementará la tensión. Lo que hay que hacer, hazlo.
- Vigila tu diálogo interno. Las preocupaciones se expresan casi siempre en el «oído» de la mente, es decir, en palabras.
- Relájate diariamente, esto reduce tu ansiedad.
- Se crítico respecto a las **suposiciones** que disparan tu preocupación, éstas pueden ser totalmente irracionales.

MANEJO DE LA IRA

«Violentarse es castigarse a sí mismo por faltas ajenas».

LORD CHESTERFIELD

La ira es para muchas personas la emoción que menos se puede manejar. Esto se debe a que puede ser muy seductora, pues parece proporcionarnos energía. Sin embargo, cuando se expresa, generalmente lo hace de manera inadecuada, lastimando a otros y creándonos peores consecuencias y mayores tensiones a nosotros mismos.

Para un manejo inteligente de la ira toma la firme decisión de negarte a ser esclavo de tus reacciones:

- Pon atención para descubrir lo que dispara tu ira y poder ser consciente de cuándo surge.
- Crea pensamientos que no acrecienten la ola que puede arrastrarte.
- Respira profundo y recuerda que el primer impulso siempre se atenúa al cabo de un tiempo.
- Practica la relajación habitualmente, con lo que evitarás que las tensiones se acumulen y se produzcan «explosiones».

MANEJO DE LA TRISTEZA

«¿Es que estamos tristes por los malestares que nos ocurren o es que nos ocurren esos malestares porque estamos tristes?»

WILLIAM JAMES

La tristeza es una emoción que debemos expresar; llorar es sano, reprimir las lágrimas nos enferma. Para evitar caer en la tristeza crónica que puede inducirnos a un estado depresivo debemos dejar el pasado donde pertenece y confiar más en nuestros recursos internos:

- Promueve actividades que te motiven.
- Valora tus relaciones y agradece lo que sí tienes.
- Comprométete con tu desarrollo personal.
- Fortalece tus valores.

Si aprendemos a modificar nuestra reacción y a no dejarnos llevar por el primer impulso, se irán desactivando las emociones extremas. De esta manera habrá cambios en nuestra conducta.

Como la investigación neurobiológica nos ha ido demostrando, llegamos a ser «adictos» a cierto tipo de emociones.[20] Para eliminar esta adicción, como cualquier otra, es necesario dejar de «consumir» la sustancia que la genera. Esto significa modificar la conducta que dispara la derrama de neuropéptidos relacionados a esa emoción.

Así como los cambios en nuestro pensamiento y en nuestro comportamiento generarán cambios en nuestras respuestas emocionales, la fortaleza de nuestros valores espirituales nos podrá asegurar el más adecuado y sabio manejo de nuestra emotividad.

Cultivemos aquellos sentimientos que prosperan por nuestros valores:

- Generosidad
- Perdón
- Compasión
- Desapego

MADUREZ EMOCIONAL

«La madurez del hombre es haber recobrado la seriedad con que jugamos cuando éramos niños».

FRIEDRICH NIETZSCHE

Todos deseamos alcanzar la madurez emocional y creemos que es cosa de tiempo y edad, afirmar que la experiencia por sí sola nos da sabiduría es un mito, la experiencia nos da sabiduría cuando la utilizamos para crecer desde y en nuestro interior.

Es muy acertado el proverbio que afirma que lo importante:

«No es lo que la experiencia haga con nosotros, sino lo que nosotros seamos capaces de hacer con la experiencia».

Para alcanzar una verdadera madurez tenemos que desarrollarnos en:

- Lo mental. El manejo de nuestro pensamiento, actitudes y creencias.
- Lo ético. Basando nuestras decisiones y conductas sobre los valores que apoyan y edifican la vida, la convivencia y el bienestar de todos.
- Lo espiritual. El cultivo de las virtudes que nos ayudan a encontrar la serenidad en nuestro interior.

Es a través de nuestros pensamientos, nuestros cambios de conducta y nuestros valores que conseguiremos debilitar los grilletes de los sentimientos desagradables y pasiones destructivas, permitiendo que nuestra vida genere afectos sanos que diluyan los problemas tensionales crónicos y que nos ayuden a crecer y ser mejores.

A medida que dejemos de identificarnos con nuestros pensamientos y creencias negativas, dejaremos de generar gran parte de la incertidumbre e insatisfacción que nos causan ansiedad, rabia y depresión.

En una época de emociones desbordadas, como es la que vivimos, resulta indispensable la práctica de todo aquello que nos lleve a un equilibrio psicosomático. Saber respirar, saber relajarnos, SABER PENSAR y saber canalizar nuestro afecto no es un lujo, es una necesidad para nuestra salud y para el mayor bien que significa en nuestra vida la paz interior.

San Agustín decía:

«Lo malo no es que el hombre se pierda por la pasión, sino que pierda la pasión».

Las emociones pueden perturbarnos y destruirnos o bien ennoblecernos y humanizarnos.

EJERCICIO: Manejo emocional

Preguntas que nos ayudan a reconocer pensamientos irracionales que nos afectan emocionalmente, y que favorecen nuestra reflexión.

¿He tenido alguna experiencia que me haya mostrado que este pensamiento que tengo no es totalmente cierto?

Si mi mejor amigo o alguien a quien estimo tuviera este pensamiento, ¿qué le diría?

Si mi mejor amigo o alguien que me quiere supiera que tengo este pensamiento ¿qué me dirían?, ¿qué evidencia podrían darme que me hiciera ver que mis pensamientos no son cien por ciento verdaderos?

¿Cuando mi estado de ánimo es diferente, pienso acerca de las situaciones de otra manera? ¿Cómo?

¿Cuando en el pasado me he sentido emocionalmente alterado, qué pensamientos me ayudaron a sentirme mejor?

____

____

____

¿Existen pequeños detalles que contradigan mis pensamientos y que yo descarto por no considerarlos importantes?

____

____

____

¿Qué actitudes son las que me predisponen al miedo, la ira o la tristeza?

____

____

____

¿Cuáles de mis creencias son las que determinan mi realidad de forma ansiosa, molesta o desesperada?

____

____

____

¿Qué valores me ayudarían a tener un mejor manejo emocional?

Para alcanzar una mayor madurez emocional ¿qué podría trabajar en lo mental, en lo ético y en lo espiritual?

MANEJO INTERNO

«La voluntad es la piedra filosofal buscada por la alquimia».

CONSTANCIO VIGIL

Todos deseamos tener una gran voluntad y hacer posible que nuestra mente despliegue de manera efectiva todo su potencial. Sin embargo, rara vez nos detenemos a reflexionar que para alcanzar tan gran voluntad se requiere ejercer la autodisciplina de manera constante, aunque al inicio sea tan sólo en lo que aparentan ser las pequeñas cosas.

Cuando logramos resultados en lo que parecía pequeño e insignificante vamos adquiriendo una mayor confianza en nosotros mismos, una mayor capacidad de autocontrol y una certeza de que podremos también alcanzar muchos más grandes y significativos logros.

Es por esto que en Dinámica Mental se incluyen técnicas que ayudan a ir venciendo la pereza que nos hace dormir más de la cuenta, asumiendo un mayor control de nuestros procesos internos para poder despertar sin el uso de un reloj (capacidad que nunca deberíamos de haber perdido considerando que el uso del reloj-despertador es una costumbre de menos de cien años) y para poder permanecer despiertos por más tiempo cuando sea necesario.

Por otra parte nuestro manejo interno depende de ser conscientes, lo que significa no sólo darnos cuenta de nuestro aquí y ahora mientras estamos despiertos, sino también darnos cuenta de lo que ocurre mientras estamos dormidos. Los sueños son parte de nuestra vida y adquirir una conciencia de ellos puede ser muy significativo para el manejo de nuestras tensiones.

HIPERSOMNIA

«Llamamos a la disciplina una especie de milagro».

THOMAS CARLYLE

Así como la acumulación de tensiones puede manifestarse a través del insomnio y las jaquecas, para muchas personas el exceso de tensiones genera un ánimo de evasión. ¡Qué mejor que dormir y dormir esperando que al despertar los problemas hayan desaparecido mágicamente!

Aunque la hipersomnia (exceso de dormir) pueda ser un síntoma tensional, o en casos extremos ser un desorden patológico, para muchos de nosotros es únicamente nuestro apego afectivo con la almohada la que nos hace desear prolongar nuestro gusto de permanecer dormidos.

Del 70 al 80% de los adultos requerimos como promedio siete horas y media de dormir, considerándose como normal todo lo que oscile entre seis y nueve horas.

Durante la infancia es normal dormir periodos más largos, que se van acortando desde nuestros primeros meses y años de vida hasta alcanzar el promedio adulto. Sabemos que la abundante cantidad del dormir es importante para nuestro desarrollo y que el que los periodos del soñar sean más extensos en el niño que en el adulto, se debe a la maduración de nuestro sistema nervioso, así como a la necesidad de este proceso para la evolución.[21] Durante la vejez, la edad de la sabiduría, suele acortarse el promedio habitual, sin embargo, debemos tomar buena cuenta que muchas personas mayores al quejarse de su falta de sueño no se detienen a observar

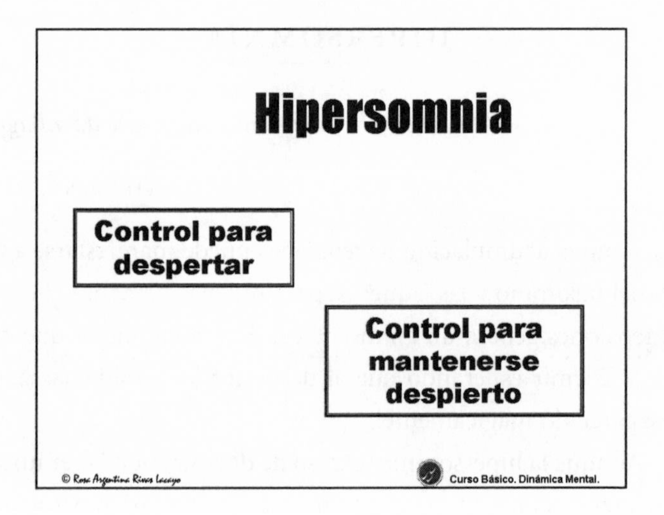
Hipersomnia
Control para despertar
Control para mantenerse despierto
© Rosa Argentina Rivas Lacayo
Curso Básico. Dinámica Mental.

cómo han ido trastocando sus horarios. Muchos de ellos suelen irse a la cama desde horas muy tempranas, y si duermen durante seis horas, lo cual es muy normal, despertarán durante la madrugada quejándose de que ya no duermen. En ellos también existe el hábito de adormilarse durante el día con lo cual el requisito nocturno puede acortarse.

Hasta el siglo XVII los relojes personales eran prácticamente inexistentes, en el siglo XVIII eran objeto de colección para los reyes y aristócratas, en el XIX se convirtieron en un accesorio que distinguía la elegancia y la economía de los caballeros, aun en el XX y hasta la fecha, bien entrado el XXI, un alto porcentaje de la población en el mundo no lo utiliza. Esto nos habla de que lo normal y natural ha sido siempre poder despertar sin la necesidad de un reloj-alarma.

Nuestro cuerpo tiene una serie de ciclos biológicos que se autorregulan.[22] La programación mental nos hace posible manejar algunos de ellos voluntariamente, lograrlo nos da una mayor autoconfianza y nos motiva a explorar las posibilidades de nuestra mente para propósitos mucho más importantes y trascendentes.

Por otra parte, al igual que prolifera el uso de somníferos, crece desorbitadamente el uso de estimulantes para permanecer despiertos. Los adultos consideran que «tiempo es dinero» y para capitalizar su valor lo que menos importa es sacrificar nuestro dormir. Los jóvenes quieren que la fiesta sea inacabable, y en ambos casos encontramos el consumo de diferentes tipos de drogas que harán que la persona permanezca despierta.

Control para permanecer despierto es una técnica que nos ayuda a mantenernos alerta cuando esto sea necesario, sin tener que recurrir a ningún tipo de estimulante y sin ir en contra de la necesidad biológica y psíquica que nuestro cuerpo tiene de dormir.

A continuación damos algunos ejemplos de situaciones en donde la capacidad de autocontrol es necesaria:

- Poder permanecer despierto para estudiar.
- Prepararnos ante un examen.
- Concluir con un trabajo asignado que tiene fecha límite de entrega.
- Conducir un auto y llegar a nuestro destino.

Aunque parezcan insignificantes, este tipo de técnicas nos dan apoyo para reconocer que el control de muchas de nuestras funciones está dentro de nosotros mismos y no fuera, que es desde nuestro interior que podemos manejar nuestras tensiones asumiendo un foco de control interno, lo cual nos dará una seguridad que nos ayuda a transitar por momentos adversos sin perder el control, dándonos fortaleza para prevenirnos de caer en un problema severo.

Tener una mayor confianza en ti mismo mejora tu autoestima y ésta a la vez mejora tu capacidad para tener mayor seguridad en lo que haces y que puedas mejorar tus resultados.

Y LOS SUEÑOS ¿SUEÑOS SON?

«No dormía; vagaba en ese limbo en que cambian de forma los objetos, misteriosos espacios que separan la vigilia del dormir».

GUSTAVO ADOLFO BECQUER

No fue hasta la década de los 50's del siglo XX que la ciencia descubrió que «soñar» es un estado con tantas características propias que no se le puede llamar simplemente «dormir». Así pues podemos decir que los seres humanos estamos en tres estados diferentes cada día: despiertos, dormidos..., soñando.

A este estado, «soñar», se le conoce generalmente como el periodo REM *(Rapid Eye Movement)* o periodo MOR (Movimiento Ocular Rápido). (Anotamos aquí las siglas en inglés ya que son las de uso más extendido, aun en la literatura de nuestro idioma).

Cada noche cuando nos vamos a dormir y finalmente nos desconectamos de la conciencia exterior, transitamos por cinco diferentes ciclos de dormir y soñar. Cada uno de ellos tiene una duración de 90 minutos. En su primera parte aparece la fase del dormir dividida en el dormir ligero, en el que predominan las ondas Theta y el dormir profundo, conocido como sueño lento por la dominancia de las ondas Delta. Después aparece la etapa REM en la que soñamos y que también se conoce con el nombre de sueño paradójico, puesto que las frecuencias de nuestro cerebro oscilan en el rango de frecuencias Beta las cuales están asociadas al estado de vigilia, lo que parecería una contradicción.

Conforme los ciclos del dormir y soñar avanzan el periodo REM se va prolongando y el sueño lento se va reduciendo. Esta es la razón por la cual sentimos como más agradable y placentero el sueño que se acerca a las horas de la mañana. Así como el sueño lento es indispensable para nuestro descanso biológico, el sueño REM está asociado con el descanso mental.

Estos ciclos se alteran y en particular los periodos REM se pueden ver disminuidos por efecto del consumo de medicamentos para dormir, sobre todo por algunos antidepresivos. Esta es la razón por la cual las personas que consumen este tipo de pro-

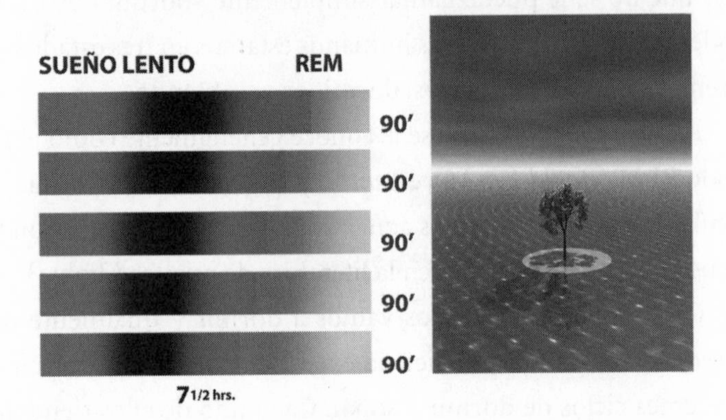

ductos, a pesar de dormir una buena cantidad de horas, parecen no obtener el descanso mental que necesitan. Si alguien toma pastillas para dormir por padecer ansiedad, aunque duerma, a la mañana siguiente, al despertar, se sentirá de nuevo ansiosa.

Durante el periodo REM, en el que soñamos, nuestro cuerpo está casi totalmente paralizado como consecuencia de la hipotonía (bajo tono) muscular, gracias a esto y a que una parte de nuestro sistema reticular activador se desconecta, no actuamos nuestros sueños, evitando los riesgos que eso podría conllevar. En los hombres puede haber erección y en las mujeres flujo vaginal. Nuestro corazón late hasta 120 pulsos o más por minuto. Cualquiera diría que nos encontramos en un estado de plena actividad exterior, y así es, sólo que nuestra actividad es por completo interna.

Todos soñamos y lo hacemos en un promedio de cinco veces por noche, muchos no recordamos y por ello pensamos que no los tenemos. El porqué sí o no recordamos, depende del momento de nuestro despertar, si despertamos al finalizar el periodo REM de seguro podremos recordar lo que hemos soñado, y si lo contamos a dos o tres personas lo podremos recordar durante varios días, hasta que por la repetición lo lleguemos a recordar toda la vida. Si nos despertamos antes de que el periodo REM haya llegado a su término, es probable que recordemos su contenido por un momento, pero que al cabo de un tiempo de estar despiertos, cuando queremos contarlo, el recuerdo parezca haber desaparecido. Si nos hemos despertado al terminar la fase de sueño lento y antes de haberse iniciado un periodo REM no tendremos ningún recuerdo, puesto que estamos despertando desde una fase del dormir en la que normalmente no soñamos.

Nuestros sueños pueden durar desde cinco hasta 45 minutos y lejos de ser tan sólo «sueños» representan para nuestro cerebro una realidad sobre la cual se debe actuar. Es por ello que en oca-

siones nos hemos despertado con el «grito en la boca», o por nuestras lágrimas, o sintiendo que el corazón se nos vuelca, o con una carcajada sonora.

Calderón de la Barca decía que los sueños, sueños son. Sin embargo nuestro cerebro no distingue entre la realidad y la fantasía de los sueños, y asumiéndolos como reales provoca una cadena de reacciones en nuestro cuerpo, como sería necesario provocarla para enfrentar esa situación. Si sueñas que cargas piedras, se acumulará el ácido láctico en tus músculos y despertarás con molestias musculares, igual que si hubieras realizado el esfuerzo físicamente; si sueñas con algo desagradable que provoca miedo, la adrenalina estimulará al corazón hasta despertarte.

Algo que nos puede ayudar a comprender cómo es que todo esto funciona es comparar al cerebro con una gran empresa:

> *Por un instante imagina a tu cerebro como una gran empresa en la cual* ***el dueño*** *toma las decisiones más importantes y determina el rumbo que se debe seguir. También está* ***el director general****, quien recibe toda la información tanto del exterior (estímulos físicos, lo que nos sucede) como del interior (estímulos mentales, lo que pensamos o soñamos que nos sucede) y se encarga de comunicar al dueño, así como a los diferentes departamentos, para que cada uno de ellos, de acuerdo a sus funciones, cumpla con su responsabilidad. Uno de esos departamentos es el de* ***supervisión,*** *que se encargará de manejar la información necesaria para que las diferentes partes estén preparadas ante la situación que se presenta. Otro es* ***el almacén,*** *desde donde se envían los insumos necesarios para que otras áreas puedan llevar a cabo su trabajo, y por supuesto* ***la asistente*** *de la dirección, que estará enviando los oficios con las instrucciones de lo que debe realizarse.*

Cuando soñamos las imágenes son información para nuestro cerebro, sobre la cual se deberá tomar acción. **El dueño, la corteza frontal**, está activa. **El director general, el tálamo,** activará al **departamento de supervisión, el hipotálamo**, que activará a su vez a nuestros mecanismos de supervivencia y que como ya hemos explicado en el capítulo anterior provocará la liberación de adrenalina. **El departamento de almacén, la hipófisis o pituitaria** se encargará de liberar todas las sustancias necesarias para enfrentar la demanda que se presenta, con lo cual se activará el sistema endocrino y se liberarán todo tipo de hormonas al torrente sanguíneo. Afortunadamente, **la asistente de la gerencia, el sistema reticular activador**, está profundamente dormida y no envía los oficios a la fuerza laboral, entre ellos nuestros músculos, razón por la cual no actuamos físicamente nuestros sueños. Sin embargo, cuando las imágenes representan una seria amenaza para la supervivencia, se activará el sistema reticular y nosotros despertaremos ante la necesidad de tomar acción.

Los sueños son parte de la realidad de nuestra vida. Muchas de nuestras tensiones provienen de su contenido; en ocasiones son ellos los que provocan nuestro mal humor o tristeza, aunque nosotros, al no recordarlos, no seamos conscientes de ello. Recordar lo que soñamos es importante, tanto como tener memoria de los pensamientos que disparan nuestras emociones y nos provocan tensión. La sabiduría del Talmud acertadamente apunta:

«Un sueño que no se recuerda es como una carta que no se lee».

Cada escuela de Psicología o Psicoterapia puede tener una idea diferente de lo que son los sueños. Desde las que afirman que son los desechos de la mente, o los traumas reprimidos, o los deseos frustrados, hasta los que afirman que son el acceso a una «supraconciencia». Independientemente de lo que cada uno de nosotros desee creer, lo que sí sabemos desde el punto de vista científico es que los sueños están relacionados a la evolución de nuestro sistema nervioso, que su contenido es significativo para nuestra salud, y que durante el estado del soñar se consolida nuestra memoria y se favorece la síntesis de proteína.

Por otra parte los sueños nos dan información que puede ayudarnos a resolver problemas. La historia está llena de estos eventos. Johann Mendel, padre de la genética, soñó con un campo de tréboles en flor de muchos colores, pero las flores estaban clasificadas en un orden determinado, justamente en el orden exacto que ponía en evidencia las leyes de la herencia. Albert Einstein formuló su teoría de la relatividad después de haber soñado que cabalgaba en el espacio sobre un rayo. La gran obra musical «El Mesías» fue en parte el resultado de los compases soñados por Friedrich Händel, y así podríamos citar un sinnúmero de ejemplos. Lo importante es que tú puedas usar tus sueños para ayudarte a resolver problemas y mejorar tu calidad de vida.

En realidad nadie puede interpretar tus sueños. Aunque existen símbolos y arquetipos que pueden ser universales, Carl Jung afirmaba que nuestra experiencia personal es siempre única. Todo buen terapeuta lo sabe y aun hasta el más tradicional de los psicoanalistas, al relatarle tu sueño y pedirle que te lo interprete, te responderá con preguntas, cuestionándote qué significa para ti cada uno de los símbolos del sueño y qué asociaciones derivas de ellos. No te fíes de aquellos que dicen:

«¿Soñó usted con una culebra? ¡Ah! Esto significa que debe usted tener cuidado porque alguien, subrepticiamente, quiere causarle daño». Después de todo, queridos amigos, lo que represente y con lo que se asocie una culebra puede ser tan diferente como somos entre nosotros mismos.

El curso del Método Silva ha sido pionero en enseñarnos las técnicas que nos ayudan a recordar nuestros sueños y a utilizarlos creativamente para resolver problemas.

Como vemos la primera razón por la cual debemos aprender a recordar lo que soñamos es porque su contenido puede ser fuente de muchas de las tensiones que padecemos. Si, por ejemplo, sueñas constantemente con la infidelidad de tu pareja, aunque no recuerdes el sueño, esto te provocará un estado de tristeza o de ira que no sabrás de dónde viene.

Todos enfrentamos problemas que en ocasiones sentimos no sabemos cómo resolver, no necesitamos ser un gran artista

¿Por qué recordar los sueños?

- **Darnos cuenta de la tensión que pueden estar creando.**
- **Obtener información para resolver problemas.**
- **Tener mayor conciencia de nuestro interior.**

Curso Básico. Dinámica Mental.

o un gran científico para utilizar el caudal de información que los sueños pueden proporcionarnos.

Por último, recordar lo que soñamos significa adquirir conciencia de lo que para nuestro cerebro es una realidad. Si la tercera parte del día la pasamos dormidos, esto significa que cuando cumplamos 60 años habremos pasado 20 dormidos, y no se puede decir como en el tango, que 20 años no es nada. No saber lo que soñamos significa ser inconscientes de una actividad que afecta nuestro diario vivir y, por lo tanto, nuestra calidad de vida.

La Psicología tradicional se ha encargado de hacernos ver cuántos trastornos podemos llegar a padecer. Afortunadamente la nueva Psicología nos ayuda a enfocarnos en todo aquello que en nosotros nos puede fortalecer y conservar sanos a pesar de nuestros pesares. Sin lugar a duda uno de los grandes recursos con los que podemos contar para afianzar nuestras fortalezas es el de ser personas cada vez más conscientes, no sólo de lo que pasa fuera, sino de lo que pasa dentro de nosotros mismos. Nuestros sueños son parte importante de nuestros procesos internos, recordarlos es un considerable trayecto del camino que debemos recorrer para alcanzar el más importante conocimiento, el de nosotros mismos. Friedrich Nietzche afirmaba:

«¡De todo queremos ser responsables!
¡Sólo de nuestros sueños no!
¡Qué miserable debilidad y qué falta de lógica!
¡Nada es más nuestro que nuestros sueños!»

EJERCICIO:
Técnicas de despertar y sueños

Para que vayas ejercitando tu autocontrol, incluimos la técnica de control para despertar así como el primer paso de la técnica de control de sueños.

El requisito esencial para que las técnicas del Método sean efectivas es saber relajarnos. Deberás asegurarte de que has practicado el ejercicio de relajación que se incluye en el disco compacto.

Control para Despertar®

Por la noche, cuando estés listo para dormir, entrarás a tu nivel básico de relajación usando el método del 3 al 1, como lo has practicado. Asegúrate de no estar adormilado, ya que si no permaneces totalmente consciente la programación que haces no será efectiva.

Una vez en tu nivel básico de relajación visualizarás un reloj. Mentalmente moverás las manecillas o dígitos del reloj hasta indicar la hora en que quieras despertar.

Entonces te dirás mentalmente:

«Esta es la hora en que quiero despertar
y esta es la hora en que voy a despertar».

Entonces te duermes a partir de tu nivel de relajación. Despertarás a la hora programada y estarás bien despierto, muy a gusto, bien descansado y en perfecto estado de salud.

Control de Sueños®

Paso 1 para practicar el recordar un sueño

Por la noche, cuando estés listo para dormir, entrarás a tu nivel básico de relajación usando el método del 3 al 1, como lo has practicado. Asegúrate de no estar adormilado, ya que si no permaneces por completo consciente la programación que haces no será efectiva.

Una vez en tu nivel básico de relajación te dirás mentalmente:

«Quiero recordar un sueño y voy a recordar un sueño».

Entonces te duermes a partir de tu nivel de relajación. Despertarás durante la noche o por la mañana con el vivo recuerdo de un sueño. Ten papel y lápiz a la mano listos para anotarlo.

Se te recomienda que en esta técnica, al despertar, en vez de redactar el contenido de tus sueños dibujes los símbolos (objetos o personas) con los que has soñado. No necesitas ser un artista y puedes añadir algunas palabras escritas que te ayuden a identificar el dibujo. Dibujar los símbolos te facilitará la asociación y por lo tanto te será más fácil recordar el sueño completo.

4

Aprendizaje genial

«La diferencia entre un genio y una persona común, es que el genio usa más de su mente y la usa de una manera especial».

JOSÉ SILVA

Nos resulta poco fácil creer que en nosotros mismos está la genialidad. Sin embargo todos hemos tenido momentos de admiración ante algunos de nuestros logros, y aunque en esos instantes exclamamos ¡es que no sé cómo lo hice, no sé cómo se me ocurrió! Lo cierto es que en esos momentos, y casi sin darnos cuenta, hemos utilizado nuestra inteligencia de una forma diferente, de una manera genial.

Toda persona, a cualquier edad, puede aprender y puede hacerlo de una forma más rápida y eficiente de lo que la educación tradicional siempre nos ha enseñado, lo que necesitamos es observar y estudiar cómo es que nuestro cerebro procesa la información.

Todos somos testigos de la enorme cantidad de cambios que se han generado en el mundo, pero tristemente nuestra forma de educar, lejos de aprovechar la capacidad integral que nuestro cerebro tiene, continúa siendo rígida y lineal, más parecida a la escuelita del siglo XIX que a la era de la informática en que vivimos en la actualidad.

Nuestra extraordinaria capacidad de aprender, y la forma en que nuestro cerebro funciona, ha sido estudiada y comprobada por las investigaciones del doctor Georgi Lozanov, del doctor Roger Sperry, Premio Nobel de Medicina, y del doctor Robert Ornstein;[23] investigaciones que han revolucionado las ideas sobre la enseñanza y han corroborado muchas de las hipótesis de José Silva.

Lo que todo proceso de aprendizaje debe considerar e incluir es activar, no sólo el aspecto consciente externo, sino también la conciencia interna y el equilibrio entre el pensamiento lógico-racional del hemisferio cerebral izquierdo y el pensamiento intuitivo-creativo del hemisferio cerebral derecho.

A través de esta integración se incrementa el número y calidad de conexiones estimulando la capacidad asociativa de nuestro cerebro. El resultado no sólo es un mayor y mejor aprendizaje en menos tiempo, sino también un incremento en el potencial cerebral. **Después de todo cuanto más utilizas el cerebro más cerebro tienes para utilizar.** Para lograrlo se requiere:

- Relajación: aprendizaje sin tensión.
- Desarrollo de la agilidad asociativa.
- Visualización, involucrando todos los sentidos.
- Establecimiento de claves asociativas que favorezcan la capacidad de recordar.

UN CEREBRO QUE APRENDE

«El cerebro puede compararse a un telar mágico en el que millones de centellantes lanzaderas entretejen una evanescente estructura, siempre significativa... Es como si la vía láctea emprendiera alguna danza cósmica».

SIR CHARLES SHERRINGTON

Lo que en realidad distingue a nuestro cerebro de todos los demás no es su tamaño, sino la capacidad que tiene de establecer interconexiones. Desde el vientre materno nuestras células cerebrales, las neuronas, empiezan a «entretejer» sus redes, un proceso que nunca termina sino hasta la muerte.

La cantidad de interconexiones dependen fundamentalmente de la cantidad de información y estímulos que le damos a nuestro cerebro. Es probable que muchos de nosotros estemos familiarizados con lo que se llama «estimulación temprana», la cual se puede definir como un conjunto de acciones que potencian al máximo las habilidades físicas, mentales y psicosociales del niño, mediante la repetición y continuidad de estímulos. La carencia de esta estimulación puede ser un detrimento en su desarrollo y capacidad mental.

De igual forma, aunque no conocida por todos, la **estimulación madura**, la que debe motivarse a cualquier edad, y particularmente conforme nos acercamos o hemos llegado a la vejez, desempeña un papel de suma importancia para conservar e incrementar nuestra agilidad mental. Aunque de seguro la plasticidad de nuestro cerebro es más evidente en nuestros primeros años de vida, hoy la ciencia nos demuestra que el potencial siempre está presente y que depende de nuestra determinación por estimularlo.

Casi siempre se había considerado que después de nuestra infancia el cerebro sólo modificaba sus estructuras ante el proceso de deterioro, hacia el final de la vida y que cuando las neuronas dejaban de desarrollarse adecuadamente, o estaban dañadas, o morían, no podían ser reemplazadas. En otras palabras, un cerebro que sufriera algún daño no podría modificar sus estructuras ni encontrar nuevas maneras de funcionar.

La teoría de un cerebro **estático** decretaba que aquella persona que naciera con alguna limitación o daño cerebral estaría limitada de por vida, condenada a vivir en una especie de vacío neurológico y aquellos que se atrevían a pensar que la estimulación o el ejercicio mental podrían ayudarles eran considerados «ilusionistas».

El porqué de estas creencias se debe, como afirma el doctor Norman Doidge, a que los pacientes con daño cerebral rara vez alcanzaban una recuperación completa; nuestra incapacidad de observar la actividad microscópica de un cerebro vivo y la idea, que se remonta al siglo XVIII, de que el cerebro era una máquina.

A partir de la década de los 70's del siglo XX, un grupo de científicos fue mostrando que el cerebro cambiaba su estructura con cada actividad que realizaba,[24] perfeccionando sus circuitos para poder hacer las cosas mejor. Si algunas áreas fallaban, otras asumían el trabajo. A esta capacidad fundamental del cerebro, la nombraron «neuroplasticidad».

A través del esfuerzo y la observación se ha demostrado que nadie tiene que quedarse «atorado» con las habilidades mentales con las que nació, que aun un cerebro dañado puede reorganizarse a sí mismo para que otra de sus partes asuma las funciones que se requieren; que aunque las células cerebrales se dañen, sí puede existir regeneración del tejido cerebral y que el número de interconexiones puede multiplicarse constantemente.

Las razones para las creencias que nos llevaron a pensar tan fatalistamente han desaparecido. Hemos empezado a constatar día con día, cómo a través de estimulación mental y fisioterapia, niños con daño cerebral que en otras épocas habrían sido «descartados» de la vida social y laboral, pueden incorporarse a una vida activa y ser autosuficientes. Aun reconociendo que, cuando el daño es muy severo la recuperación total no es todavía posible, el camino nos muestra que debemos estar abiertos a las posibilidades en el futuro.

Hoy podemos contemplar la actividad de un cerebro vivo a la «lente» de nuestra avanzada tecnología, **viendo** cómo se forman las interconexiones neuronales en nuestro tejido cerebral; hemos reconocido que nuestro cerebro es infinitamente superior a cualquier máquina y que al ser un organismo vivo puede ser por completo mutable.

El que la estructura de nuestro cerebro pueda transformarse a través del pensamiento y la actividad, revoluciona la manera de contemplarnos a nosotros mismos y multiplica exponencialmente nuestra capacidad de aprendizaje. SABER aprender, con mayúsculas, implica no sólo cambios en nuestra conducta, sino también en la estructura y función de nuestro cerebro.

Hemos empezado a descubrir el inconmensurable potencial que poseemos a través de la red de interconexiones, «tejida» por nuestras neuronas y se calcula que tenemos alrededor de cien mil millones de neuronas en nuestro cerebro, tanto como estrellas hay en la Vía Láctea. Siendo nuestras neuronas tan pequeñas, no resulta fácil concebir tal cantidad. Algo que nos podría ayudar, sería imaginar a nuestras neuronas como si fueran del tamaño de un grano de arroz, si fueran de ese tamaño, requeriríamos de 240 camiones de 10 toneladas cada uno para poder transportar nuestro cerebro. Por fortuna éste es portátil y está estupendamente protegido por el cráneo, nuestro hueso «más duro de roer».

Aunque existen diferentes tipos de neuronas, para comprender cómo son, de manera sencilla, hagamos una comparación. Imagina una cometa, barrilete o papalote.

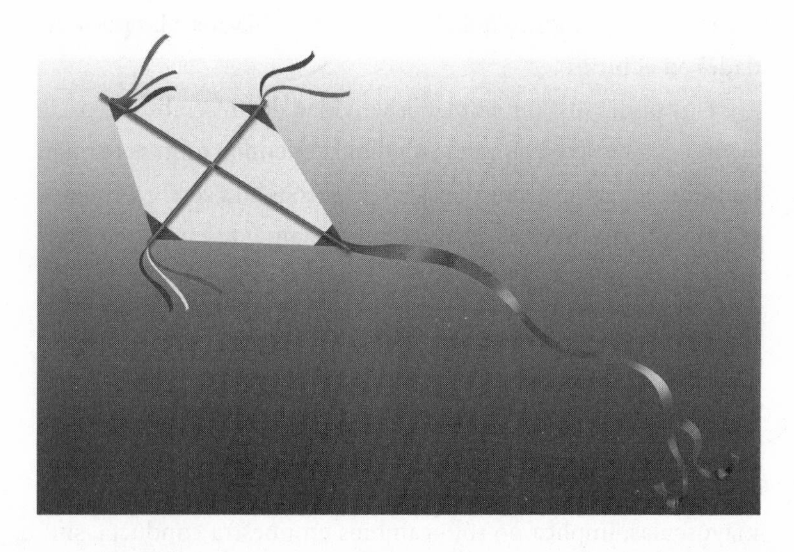

La armazón sería el **CUERPO** de la neurona, las colas serían las **DENDRITAS**, la cuerda larga, con la que lo sostienes, sería el **AXÓN.** Al final de la cuerda, si ésta tuviera algunos nudos, éstos serían los **BOTONES SINÁPTICOS.**

Una neurona recibe mensajes químicos en los receptores que tiene en su cuerpo y dendritas, al recibir estos químicos en su interior, y salir del estado de reposo en el que se encuentra, se generará un impulso eléctrico que viaja a lo largo del axón, provocando que los botones sinápticos se abran y se libere, desde su interior, una enorme cantidad de neurotransmisores (los mensajeros químicos que utiliza el sistema nervioso) que viajarán a través del espacio sináptico (el espacio que separa a una neurona de otras) para llegar hasta los receptores de otras neuronas generando así una reacción en cadena.

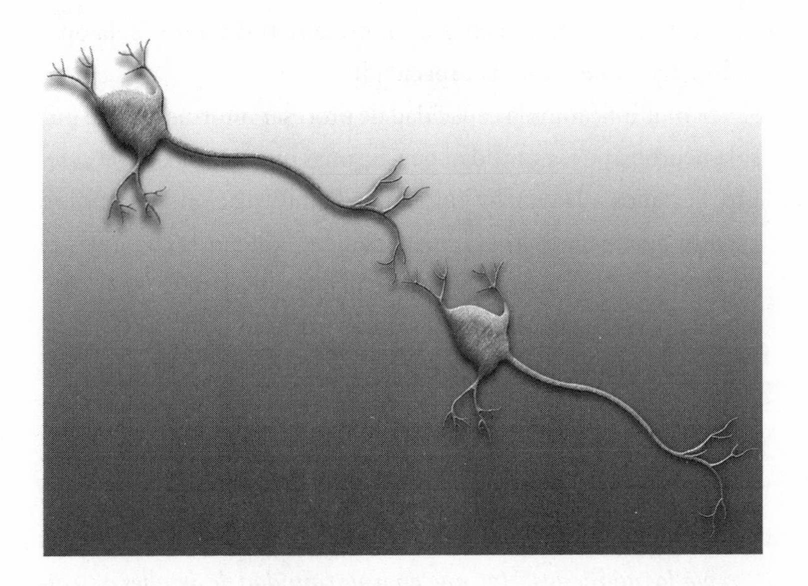

Los neurotransmisores pueden ser excitatorios y sacar a la neurona de su estado de reposo o también pueden ser inhibitorios, evitando el impulso eléctrico, lo cual multiplica y hace más intricada la interacción neuronal. Las neuronas se comunican por la actividad electro-química que producen, y aunque nos parezca que forman una especie de madeja, siempre se mantienen como individuos, «no amarrados» a otros.

Cada una de nuestras neuronas es como un pequeño procesador de información. Se calcula, conservadoramente, que cada una de ellas puede manejar hasta 100.000 datos de manera simultánea. Para entenderlo mejor, es como si una sola operadora telefónica pudiera recibir de 10.000 a 100.000 llamadas al mismo tiempo, y registrar cada una de esas conversaciones, distintas todas entre sí. De igual forma, por las señales que envía, esa misma operadora tendría la capacidad de realizar de 10.000 a 100.000 llamadas a la vez y ser coherente en cada uno de los diferentes mensajes. ¡Imagínate si en una empresa se tuviera una sola operadora telefónica con esa capacidad!

Si multiplicamos la capacidad de procesar información de una sola neurona por la cantidad de neuronas que tenemos en el cerebro, llegamos a la conclusión de que la información que nuestro cerebro puede manejar es inimaginable, razón por la cual nuestra memoria es infinitamente mejor de lo que estimamos.

El doctor Dean Hamer nos da un ejemplo de la cantidad de información que nuestro cerebro puede procesar y registrar:[25]

«*Imagínate que estás viajando en un avión, cómodo en tu asiento. Tienes sobre tu mesita del frente una computadora encendida con la que estás trabajando y vas escuchando música por los audífonos. Hay una enorme cantidad de detalles a tu alrededor, entre ellos los pasajeros cercanos a ti y lo que hacen que pueda llamar tu atención. Por la ventanilla puedes también distinguir las luces de algún poblado distante.*

Transferir esa imagen estática en forma digital ocuparía 100.000 bits de información. Si añadimos la señal audible habría que sumar 250.000 bits más.

Si se hacen diez de estas impresiones por segundo, como lo hace el cerebro, durante 60 minutos que dura el vuelo, se acumularían 10.000.000.000 bits, el equivalente a 10 gigabites.

Si se agregan los pensamientos que cruzan por tu mente durante el vuelo, suponiendo que se requieran el mismo número de bits, tendríamos 20.000.000.000 bits, 20 gigas. Todo esto en una hora.

¡Ahora multiplica esa cantidad por cada hora de tu vida!»

Comparar al cerebro con una computadora, es insultar al cerebro.

NUESTRA PRODIGIOSA MEMORIA

«El cultivo de la memoria es tan necesario como el alimento al cuerpo».

CICERÓN

Todos nos hemos encontrado en una situación como la del amigo en la caricatura. El adjetivo que le demos a las llaves seguramente será distinto, pero nuestra preocupación o enojo muy similar.

Cuando algo así nos sucede, generalmente le atribuimos a nuestra «mala» memoria el problema, y apelamos a una serie de cosas que en realidad constituyen los mitos que nos hemos creado en relación a ella, pero que como todo mito son una falsedad:

- **La memoria depende de la edad.** «Es que a mi edad, ¡qué se puede esperar!, es lógico que ya no encuentre las cosas, que no me acuerde en dónde las dejé, porque con tantos años uno ya no se acuerda».
- **La memoria se pierde.** «Es que últimamente estoy perdiendo la memoria».
- **La memoria debe usarse para las cosas importantes.** «Para qué memorizar pequeñeces, no hay que gastar la memoria en tonterías».
- **La memoria se cansa.** «¡Ay!, ¿para qué me esfuerzo?, se me va a cansar la mente».

Solemos pensar que con la edad se nos deteriora la memoria. A pesar de que con el tiempo se pueden ir perdiendo algunas de nuestras neuronas, hoy sabemos que la edad no es lo determinante para que exista deterioro. Actualmente universidades de gran prestigio, como la de Harvard, aceptan a personas de la tercera edad para hacer la licenciatura que deseen. Hay quienes después de la jubilación deciden estudiar una profesión que en su juventud no tuvieron los medios para realizar. Esta experiencia ha demostrado que una persona de 68 ó 70 años puede tener una memoria igual o a veces mejor que la de un joven de 25. Inclusive, ante el problema del Alzheimer, los especialistas afirman que el ejercicio mental y el esfuerzo que una persona haga por mantener a su memoria activa puede ser un gran preventivo para la enfermedad.[26]

Aunque sabemos que algunas estructuras en nuestro cerebro están relacionadas con el acceso de la información y la memoria de corto plazo, sobre la cual daremos una explicación más adelante, no existe un sitio en donde podamos localizar a la memoria como tal. Si la memoria está codificada en todos los circuitos neuronales,[27] ¿adónde podría perderse?

La memoria, lejos de «gastarse», debe procurar ser utilizada para todo. Si no la ejercitas en las cosas cotidianas, se irá haciendo perezosa para lo importante. Si no sueles hacer el esfuerzo por recordar la lista de lo que debes comprar en el mercado, ¿qué te hace pensar que estás preparado para recordar 500 páginas de un libro de anatomía? Para tener una súper memoria no necesitas obtener un doctorado, pero sí empezar por recordar esa lista de compras y la agenda de tus actividades cotidianas.

Si bien, no sabemos dónde está, sabemos que la memoria depende de procesos del cerebro, y ya que nuestro cerebro es el único órgano que no duele, por no tener células receptoras de dolor como las hay en el resto del cuerpo, no se cansa. Cuando alguno de nosotros expresa que está «mentalmente cansado», se refiere a que, por haber hecho un gran esfuerzo, como tratar de aprenderse un libro de 200 páginas en una cuantas horas, ha provocado un estado de cansancio físico, o bien, por el estrés ha generado ansiedad. Nuestro cuerpo requiere descanso y la mente de periodos de estudio que no sean excesivos en su duración y que por lo tanto tengan intervalos para otro tipo de actividad, aunque ésta sea breve.

Lo que no es un mito, es que la memoria depende del ejercicio que le demos, es como un músculo que se debe ejercitar. La estimulación, a través del aprendizaje que le aportamos, como lo han demostrado las neurociencias, es lo que hace posible su agilidad, multiplicando y fortaleciendo sus interconexiones, y regenerando nuestras neuronas aun en edades avanzadas.[28]

Para comprender más fácilmente cuán importante es el ejercicio que debemos darle a la memoria, usemos una analogía. Imagina por un instante que has dejado de caminar. Aun estando en perfecto estado de salud, un día decidiste sentarte y no volver a ponerte de pie. A los pocos meses los músculos de las piernas estarán atrofiados, necesitarás fisioterapia para volver a caminar. Lo mismo sucede con nuestras facultades mentales. **Lo que no se usa, se atrofia.**

Todos nacemos con un potencial de inteligencia, pero de nosotros depende cultivarla. La investigación demuestra que la for-

ma en que una persona ha dado ejercicio a su inteligencia, antes de sufrir una lesión cerebral, es determinante para su recuperación. Se ha comprobado que el factor inteligencia es más importante que el tamaño o la localización de la lesión.

Nuestra memoria es en verdad prodigiosa. El ejemplo del doctor Dean Hamer, en las páginas anteriores, nos muestra cómo nuestro cerebro siempre registra todo. Cuando te encuentras leyendo un libro, tu cerebro también estará registrando la conversación de las personas a tu alrededor, y aun cuando de manera consciente no puedas posteriormente recordar lo que se dijo, tu cerebro lo tiene registrado y tu memoria podría llegar a ser capaz de recordar la información.

Por otra parte nuestra memoria está íntimamente relacionada con nuestras emociones. Siempre nos resulta fácil recordar todo aquello que se ha registrado con una emoción intensa, nos acordamos de las fantásticas historias del abuelo, de la «regañiza» que nos dieron papá y mamá aquella vez que llegamos demasiado tarde a casa. Sin importar los años que hayan transcurrido, recordaremos con detalle el nacimiento de un hijo.

Esta estrecha relación entre las emociones y la memoria se debe a que el sitio de acceso para la información que registramos es el hipocampo, una estructura de nuestro cerebro que recibe ese nombre por la forma parecida que tiene con un caballito de mar. El hipocampo es parte del sistema límbico, el cual maneja nuestras respuestas emocionales, si esta estructura se destruye perdemos el acceso de información, podremos recordar todo lo anteriormente grabado, pero perderemos la capacidad de recordar todo lo que a partir de ese momento pudiera registrarse.[29]

¿Cómo funciona nuestra memoria? Nuestra memoria como «sistema» tiene tres etapas:

1. **Registro sensorial.** Esto se refiere a la entrada de información que es captada por nuestros sentidos físicos (lo que vemos, oímos, tocamos, etc.) así como por nuestros sentidos subjetivos, (lo que pensamos, imaginamos, interpretamos, etc.).
2. **Memoria a corto plazo.** Se refiere a la memoria que utilizamos para cosas inmediatamente grabadas y es también la memoria de acceso para la de largo plazo.
3. **Memoria a largo plazo.** Es la que nos permite recordar las cosas, a pesar del tiempo que haya transcurrido. Ésta utiliza índices y asociaciones.

Cuando escuchamos un número telefónico se da un registro sensorial. Cuando repetimos el número de inmediato el dato pasa a corto plazo, cuando mantenemos la información por varios minutos, ésta pasará a largo plazo.

Corto plazo

Nuestra memoria de corto plazo nos permite recordar lo inmediato. ¿Cuántos de nosotros hemos deambulado por un estacionamiento por no recordar adónde fue que dejamos el auto hace escasamente 20 minutos?

Largo plazo

Nuestra memoria de largo plazo nos permite recordar a qué periodo histórico de los mayas perteneció la gran pirámide de Chichén-Itzá, una de las siete maravillas del mundo moderno. Muchos de nosotros lo estudiamos en la escuela y pertenece a la memoria de largo plazo puesto que durante todo un año escolar tuvimos que repasar el dato. Esta memoria nos permite recordar cosas que sucedieron hace mucho tiempo, lo que aprendimos mientras estudiábamos una profesión y que ahora nos posibilita ejercerla eficientemente. Es ésta la memoria que nos permite evocar el nombre de una persona cuando nos la volvemos a encontrar.

Para comprender más fácilmente la relación entre la memoria de corto y la de largo plazo y cuán importantes son las dos, usemos la metáfora de una computadora.

El ***registro sensorial*** *se refiere a lo que escribimos en el teclado, los datos que se desean guardar. La* ***memoria de corto plazo*** *es la memoria de acceso que nos permite trabajar con una determinada cantidad de programas, accesibles al mismo tiempo para abrirse en la pantalla, a la que se llama memoria RAM. La* ***memoria de largo plazo*** *se refiere al disco duro de la computadora donde se guardará toda la información de forma permanente, pero que tendrá que haber pasado por la memoria de acceso.*

LOS ENEMIGOS DE LA MEMORIA

- **Falta de interés.**

En cuántas ocasiones: «pasamos de las cosas», «nos vale». Vamos por la vida «de profesión apáticos», o simplemente ni siquiera nos fijamos. Sin embargo, le reclamamos a nuestra memoria el dato de aquello de lo que hemos «pasado». Es obvio que nuestra memoria no recordará lo que en realidad nunca fue registrado en sus archivos.

Nos quejamos de no recordar un tema tratado durante una conferencia pero, ¿realmente nos interesó el tema?

- **Falta de atención.**

Muchos de los problemas por los cuales culpamos a nuestra memoria no son en realidad otra cosa más que falta de atención. Un ejemplo de ello es cuando se nos presenta a varias personas por vez primera. Con frecuencia al dar la mano estamos mirando a la persona que sigue. Esto significa que en el momento que registro un nombre por medio del oído, mi vista registra una cara que no le corresponde a ese nombre.

Nos quejamos de no recordar el nombre de las personas pero, alguien te está diciendo su nombre, y tú ¿estás viendo para otra parte?

- **Falta de concentración.**

La falta de concentración significa, que a pesar de que estemos viendo o escuchando algo, nuestra mente está en otra parte. En ocasiones escuchamos un relato, pero nuestro pensamiento divaga y queda absorto en algo que nada tiene que ver con lo que nuestro interlocutor está diciendo y mucho menos con la situación en la que nos encontramos.

Nos quejamos de no recordar lo que nos han dicho pero, ¿estaba nuestra mente en lo que parecía que escuchábamos?

- **Mala programación.**

No es por mala memoria, sino por distracción, que con frecuencia no recordamos la información. Por nuestra falta de interés, de atención y de concentración, hacemos una mala programación, lo que significa que hemos registrado en nuestro cerebro información confusa, datos desordenados y asociaciones erróneas.

No debemos quejarnos al no encontrar un documento de nuestro archivo, cuando éste fue colocado en un lugar que no le corresponde.

Para combatir y eliminar a estos enemigos debemos utilizar a los mejores aliados de nuestra memoria.

LOS ALIADOS DE LA MEMORIA

- **El interés**

Si realmente deseas recordar algo debes tener interés en ello. Más adelante explicaremos, cómo hacer de lo que no te atrae, algo que capte tu interés. Si no despertamos a este aliado se verán afectadas nuestra atención y concentración.

Una experiencia que casi todos hemos vivido fue cuando en la escuela un maestro supo hacer de su materia un tema interesante para nosotros, con lo cual nos resultó mucho más fácil aprender y recordar.

Una vez que nos interesamos por algo, nuestra atención se volcará hacia ello. Entre más interés tenemos, podremos aprender mejor, y entre mejor aprendemos, más interés tendremos.

- **La atención**

Para estar atentos debemos asegurarnos que nuestros sentidos físicos estén involucrados en lo que hacemos, ya que ellos representan una de las dos vías importantes para el registro de la información.

Si estoy con una persona, la estoy mirando a ella y no distrayendo mi vista con lo que pasa alrededor. Si ella me habla, estoy escuchando su relato y no la conversación de la gente que está al lado o lo que está transmitiendo la televisión o la radio.

Nuestra atención determina qué es lo que accede a la memoria de corto plazo. Esto despertará nuestra motivación y por lo tanto involucrará nuestra capacidad de concentrarnos.

- **La concentración**

Concentrarnos significa que pensamos en lo que estamos haciendo y no en algo que es totalmente ajeno a lo que realizamos.

En el momento en que nuestro pensamiento divaga, hemos perdido la concentración.

Nuestro interlocutor nos pregunta: «y tú, ¿qué opinas?» Darnos cuenta que en realidad no sabemos lo que nos dijo y el sentirnos perdidos para dar una respuesta, es un ejemplo de falta de concentración.

El que te concentres en un tema, hará posible que lo pienses con frecuencia durante otros momentos del día, con lo que facilitarás espontáneamente la repetición.

- **La repetición**

Aunque algunas personas han pretendido desacreditar la relevancia de la repetición en el aprendizaje, este aliado es de gran importancia para nuestra memoria y no debe dejar de practicarse.

Valgan como ejemplos el que cualquier persona que maneja las tablas de multiplicar, sabe, que sin haberlas repetido, no hubiera podido memorizarlas; así como un músico sabe que para memorizar una partitura debe repetirla varias veces.

La repetición de datos hace posible que se establezcan un mayor número de interconexiones neuronales, lo que equivale a tener ese mismo dato en un número mayor de archivos. Volver a localizarlos se hará más fácil. Recordar que la pirámide de Chichén-Itzá pertenece al periodo posclásico de los mayas se convierte en algo mucho más fácil de hacer si, más allá de lo que te dijo la maestra en la escuela, has leído sobre esa cultura o has visitado la zona arqueológica.

Adicionalmente a los aliados que ya hemos mencionado, y que todos podemos reconocer como importantes, hay dos más que destacan por el impacto que tienen para la memoria y que dependen en gran parte de nuestra subjetividad:

• **La asociación**

Una de las capacidades que distingue al cerebro humano es su habilidad asociativa. Como explicábamos anteriormente, para el aprendizaje acelerado, la asociación constituye un aspecto importante de los procesos de la memoria.

Nos resulta más fácil recordar a una persona cuando la asociamos con una gran variedad de actividades y experiencias. Por ejemplo, cuando relacionamos a alguien con un grupo de amistades personales, intereses culturales, encuentros de viaje, etc.

Es a través de asociaciones que nuestra memoria se agiliza. Vemos una cosa que nos recuerda algo, que se parece a algo, que te dice algo, que te suena a algo, y a través de la cadena el recuerdo se hace presente. Por medio de esta capacidad podemos dar un contenido emotivo a cosas que habitualmente no lo tienen, como pudieran ser los datos de un libro técnico, lo que puede convertir en interesante aquello que antes no lo era para nosotros.

- **La emoción**

Es probable que, al tener nuestra memoria, como vía de acceso en el cerebro a estructuras del sistema límbico, ésta sea la razón por la cual toda información que grabemos con un contenido emotivo se pueda recordar más fácilmente.

Cualquier evento de tu vida, aunque haya sido breve, si tuvo un impacto emocional fuerte, te será siempre fácil de recordar.

Desafortunadamente hay una gran cantidad de información que no sentimos que tenga, para nosotros, un contenido emocional. Sin embargo, si pudiéramos dárselo, lograríamos potenciar nuestra capacidad de recordarlo.

Para agilizar nuestra aptitud asociativa y dar un contenido emocional a la información que deseamos recordar, necesitamos ejercitar nuestra imaginación y visualización.

Las imágenes visuales, auditivas o quinestésicas, evocan asociaciones con mucha facilidad. Esta es la razón por la que nos resulta, generalmente, más fácil recordar una novela que un libro de ensamblado de máquinas, ya que la novela tiende a generarnos imágenes conforme la leemos. De igual forma, al crear imágenes, podemos convertir a cualquier libro en una historia fantástica que adquiera emotividad.

Habrá quien considere que un libro técnico es también generador de imágenes emocionantes, pero esto depende de la pasión que tengamos por el tema que estamos leyendo, en cuyo caso, estaremos también involucrando la emotividad.

LA IMPORTANCIA DE LA IMAGINACIÓN Y LA VISUALIZACIÓN

Eric Kandel, Premio Nobel de Medicina y uno de los neurocientíficos más reconocidos afirma que:

«La memoria es una forma de viajar que nos libera de los límites del tiempo y del espacio».

Esto nos habla de la íntima relación que existe entre la memoria y las imágenes, las cuales, como veremos, son las aliadas de la asociación y la emoción.

¿Es lo mismo imaginar que visualizar? Como procesos son prácticamente lo mismo. La sutil diferencia es tan sólo técnica. Imaginar es crear en nuestra mente algo nuevo, que no ha sido registrado previamente por los sentidos físicos y tampoco pensado con anterioridad. Si tú no conoces Chichén-Itzá, ni has visto fotografías del sitio, y yo te pidiera que proyectaras en tu mente su imagen, estarías imaginándolo, creando algo que es nuevo para ti.

Visualizar significa recordar a través de imágenes, algo que ya has registrado a través de tus sentidos físicos o de pensamientos previos. Si ya has visitado Chichén-Itzá, o has visto fotografías del sitio, o has creado películas mentales por tu deseo de visitarlo, al pedirte que traigas a tu mente una imagen de ese lugar estarás visualizándolo.

Un ejemplo sencillo que nos ayuda a comprender esta sutil diferencia es cuando una pareja planifica un viaje. Él ha escuchado algo sobre la Antártica, e **imagina** hacer el viaje ahí. Ella recuerda cuán feliz fue su luna de miel, **visualiza** la playa en la que estuvo y piensa en realizar el viaje a ese lugar.

Por otra parte recordemos que al hablar de imágenes, éstas pueden ser visuales, como una fotografía que proyectas en tu mente, pero también auditivas, como cuando evocas o creas una melodía, y también quinestésicas, cuando más que «vistas u oídas» son evocadas a través de sensaciones.

En el capítulo número dos explicábamos cómo las palabras constituyen uno de los dos cimientos de nuestro pensamiento, el otro son las imágenes. Es por ello que para SABER PENSAR, nuestra capacidad de imaginar-visualizar es importante y en relación a la memoria es imprescindible, como lo demostró el famoso investigador, el doctor Alexander Luria.

Para agilizar nuestra habilidad de imaginar-visualizar, debemos practicar la proyección de imágenes en nuestra mente, sin confundir la vista con la visualización, ya que algunas personas esperan que al cerrar los ojos las imágenes sean tan claras como en una película a todo color. Indudablemente que con la práctica esto se podrá lograr, pero todo requiere de constancia y esfuerzo.

Para ayudarnos en ello, veamos cómo podemos favorecer el proceso.

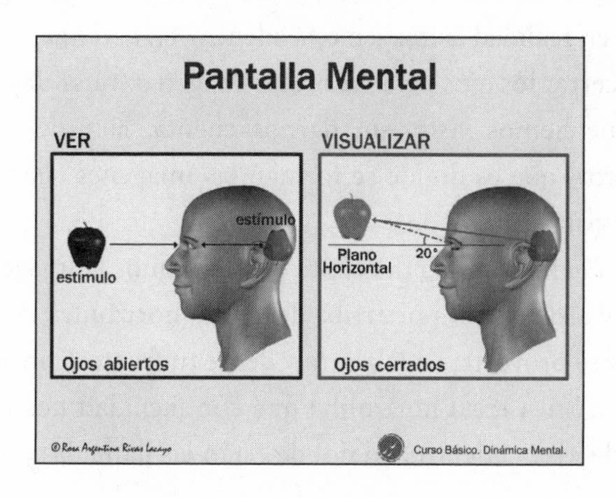

La pantalla mental es un concepto que nos facilita la práctica de la visualización y la imaginación, y consiste en proyectar nuestras imágenes hacia afuera y a una altura de 20° por encima del plano horizontal visual, con lo que estaremos evitando la tendencia natural de «ver» como si estuviéramos usando la vista.

Cuando una persona se queja de que al cerrar los ojos y tratar de imaginar o visualizar lo único que «ve» son manchas, o foquitos amarillos, o pelitos verdes que flotan, esto se debe a que inconscientemente está tratando de «ver», pero con los ojos cerrados, ya no es el sentido de la vista lo que podemos usar.

Como sabemos, para ver se requiere de un reflejo de ondas de luz que un objeto proyecte y nuestros ojos capten. Una vez que la vibración lumínica es captada por el ojo, se transforma en energía nerviosa que viajará a través del nervio óptico a la parte de atrás de nuestro cerebro, al área occipital, en donde está la corteza visual que procesará la información para dar forma a la imagen. Una vez que ahí se recibe y procesa la información, ésta volverá a ser enviada de regreso para llegar a la retina, que es donde estará la imagen que vemos. No obstante que nuestra vista se proyecta en tercera dimensión, y nos parece que la imagen está afuera, en realidad la imagen está adentro, en la retina.

Al cerrar los ojos para crear una imagen o tratar de recordar algo que hemos visto, sin darnos cuenta, la proyectaremos «adentro», que es donde se forman las imágenes cuando usamos la vista.

Para evitar esta tendencia es que lanzamos la imagen hacia afuera y a 20 grados por arriba del plano horizontal, como si la imagen se proyectara a la altura y desde tu frente. Con esto evitamos la línea recta horizontal que con facilidad nos remite a tratar de «ver» adentro, en donde están las llamadas post-imágenes que percibimos como hilitos rojos, o manchas negras, o bolitas azules.

Habrá quien diga que le resulta más fácil visualizar con los ojos abiertos, esto se debe a que al tenerlos abiertos se proyectan las imágenes hacia fuera de forma automática, evitando la interferencia de la retina. Cuando con los ojos abiertos tratamos de recordar algo, casi siempre volteamos los ojos hacia arriba. Sin embargo, hacerlo con los ojos cerrados es lo que nos da la capacidad de programar en un nivel de relajación y de ondas de reposo, que como hemos explicado es el mejor nivel para obtener resultados.

Una manera de ayudarte a ti mismo a proyectar las imágenes afuera y a esa altura, es que al cerrar tus ojos procures tocar con tus manos esa imagen en el sitio donde la estás proyectando. Incluir el sentido del tacto en el proceso te facilitará la creación de las imágenes.

En la medida que practiques la proyección de imágenes de esta manera, irás desarrollando cada vez más tu capacidad de imaginar y visualizar.

EJERCICIO:
Las claves de la memoria

Nuestra memoria es, sin lugar a dudas, una facultad imprescindible para nuestro aprendizaje. Con la relajación que ya estés practicando podrás iniciar los periodos de estudio de manera que favorezcas tu atención y concentración.

Aquí compartimos una técnica que te ayudará a desarrollar tu agilidad asociativa y que puede servirte como un sistema de claves para favorecer tu memoria, dándole el ejercicio que requiere.

LAS CLAVES DE LA MEMORIA

No. 1	T	Té	No. 6	∂	Joya
No. 2	N	Noé	No. 7	∇	Guía
No. 3	III	mayo	No. 8	8	fé
No. 4	Ɽ	Rayo	No. 9	ρ	Pie
No. 5	L	Ley	No. 10	TS	T1OS

Estas claves, creadas originalmente por el doctor Bruno Furst,[30] fueron elegidas por José Silva por la gran facilidad con la que pueden recordarse.

Sobre cada uno de los números, del 1 al 10, se construye una letra y con ella una palabra que sólo tendrá la consonante que le corresponde a ese número, siendo todas las demás letras de la palabra vocales, salvo el caso de la «y» que tiene un sonido semejante a una vocal.

Si te aprendes las diez primeras claves podrás deducir todas las que quieras, ya que la letra que corresponde al número siempre será la misma. Por ejemplo del 11 al 19 las palabras clave siempre empezarán con la letra T, que corresponde al número 1 y tendrán una segunda consonante que corresponderá al otro número. Todos los 20 empezarán con la letra N y así sucesivamente.

Aquí incluimos las primeras diez claves, en los cursos de Dinámica Mental® se entregan 100. Con estas primeras puedes practicar la proyección de imágenes en tu pantalla mental, asociando las palabras clave con una lista de cosas que necesites recordar, como puede ser la lista de compras o las actividades que vas a realizar durante el día.

No. 1 **Té.**	Proyecta la imagen de una gran taza de té en tu pantalla mental.
No. 2 **Noé.**	Proyecta la imagen de un anciano de barba blanca.
No. 3 **Mayo.**	Proyecta la imagen de un enorme calendario.
No. 4 **Rayo.**	Proyecta una imagen de los rayos del sol o una descarga eléctrica.
No. 5 **Ley.**	Proyecta una imagen de algo que represente para ti la ley, puede ser un policía.
No. 6 **Joya.**	Proyecta una imagen de una inmensa joya.
No. 7 **Guía.**	Proyecta una imagen de una guía telefónica o una guía de turistas.
No. 8 **Fe.**	Proyecta una imagen de algo que represente pera ti la fe, puede ser una Biblia.
No. 9 **Pie.**	Proyecta una imagen de un enorme pie.
No. 10 **Tíos.**	Proyecta una imagen de unos tíos muy especiales para ti.

Las imágenes que hayas elegido para tus claves debes procurar que sean siempre las mismas, lo que cambiará son las imágenes que representan a las cosas con las que las estarás asociando.

Supongamos que vas de compras y tienes que adquirir los siguientes productos: leche, pan, aceite de olivo, una escoba, detergente, un perfume, unas pilas, un cuaderno de apuntes, queso y arroz. En tu mente proyecta las siguientes asociaciones, visualiza un cartón de un litro de leche dentro de una gran taza de **Té**;

imagina al anciano **Noé** dando un pedazo de pan a cada uno de los animalitos conforme entren en el arca; visualiza botellas de aceite de olivo, imaginando que cuelgan en los árboles del paisaje que está plasmado en un gran calendario que corresponde al mes de **Mayo**, etc. Al llegar al mercado, con sólo traer a tu mente cada una de tus claves, podrás recordar la asociación. Entre más exageradas sean tus asociaciones te será más fácil recordarlas, como nos resulta más sencillo recordar siempre a la persona que se llama Zoila, se apellida Vaca y se casó con el señor Corral que a María Pérez.

Existen diversas metodologías asociativas para nuestra memoria, José Silva eligió ésta por comprobarla como la más sencilla de aprender y la más versátil, así cómo por ser la que nos lleva al desarrollo de otras capacidades.

Habrá personas que consideren más rápido o fácil escribir una lista de compras que grabarla en la memoria, pero si no usas tus facultades para lo cotidiano, no esperes obtener grandes resultados en las cosas de mayor trascendencia.

La práctica de las claves de la memoria tiene varios e importantes beneficios:

- **Darle ejercicio a la memoria**, que como hemos explicado es el primer y más importante paso que debemos dar para agilizarla.
- **Hacer asociaciones** que nos permitan recordar la lista de compras o las actividades que debemos realizar durante un día, ayudándonos a la vez a desarrollar nuestra capacidad asociativa.
- **Desarrollar la imaginación y la visualización**, con lo cual estaremos también preparándonos para el **desarrollo de la**

intuición y la creatividad, facultades que dependen de nuestra destreza imaginativa.

El ejercicio que le demos a la memoria es lo que hará posible que cada día adquiera mayor eficiencia, y por el desarrollo de claves asociativas podremos acelerar nuestro aprendizaje.

EJERCICIO:
La técnica de los tres dedos®

En el curso del Método Silva, con las claves de la memoria, que son el ejercicio básico y cotidiano que debemos tener, aplicamos también una técnica que servirá como clave asociativa de un nivel más profundo de concentración con lo que podremos recordar más fácilmente la información que hemos grabado.

La técnica de los tres dedos consiste en reunir los tres primeros dedos de cualquiera de tus dos manos, como un gesto que asociaremos con un nivel de concentración para poder grabar las cosas mejor y recordarlas más fácilmente.

La técnica se aplica para recordar lo que leemos o lo que escuchamos.

Para recordar la información que leemos:

- Pon atención a lo que vas a leer. Título, autor y tema. Una vez que hayas decidido iniciar la lectura:
- Cierra tus ojos y entra a tu nivel básico usando el Método del 3 al 1, como se explicó en el capítulo número dos. Una vez relajado, te dices mentalmente: «Voy a contar del 1 al 3 y a la cuenta del 3 abriré mis ojos para leer esta lección o libro», y mencionas mentalmente el título, el autor y el tema. Añades «los ruidos no me distraerán, tendré una concentración superior y una mejor comprensión». Con esto ya has utilizado la atención, la concentración y la repetición.
- Cuentas despacio 1, 2, 3, abres tus ojos y lees la lección o libro. El número 3 está asociado con un estado de relajación física que es idóneo para nuestro aprendizaje.
- Cuando hayas terminado de leer lo que te habías asignado, o lo que tuviste tiempo de leer, cierra tus ojos de nuevo, y entra a tu nivel básico con el método del 3 al 1, y te dices mentalmente «lo que acabo de leer, título, autor y tema, lo podré recordar en cualquier momento del futuro con el uso de la técnica de los tres dedos».

- Sales de tu nivel contando del 1 al 5. Nuevamente has reforzado la atención, la concentración y la repetición, añadiendo una orden o programación mental que por medio de la técnica te permitirá recordar la información más fácilmente.

En el futuro, cuando desees recordar esa información, reúne los tres primeros dedos de cualquiera de tus dos manos, respira profundo y trae a tu mente la imagen del libro. Al estar bien grabada la información, la asociación será fácil de establecer y podrás recordarla con facilidad.

Para recordar la información que escuchamos:

Antes de escuchar una conferencia, asegúrate de tener los datos importantes sobre el título, el tema y el nombre del conferenciante. Una vez que te encuentres listo para escuchar, y antes de que empiece la conferencia:

- Cierra tus ojos y entra a tu nivel básico de relajación.
- Una vez relajado te dices mentalmente: «Voy a contar del 1 al 3 y a la cuenta del 3 abriré mis ojos para escuchar esta conferencia», mentalmente te repites el título, el tema y el nombre del conferenciante, y añades «los ruidos no me distraerán, tendré una concentración superior y una mejor comprensión, y podré recordar esta información en cualquier momento en el futuro, con el uso de la técnica de los tres dedos. Voy a usar la técnica de los tres dedos y a mantener los ojos abiertos durante la conferencia».

- Una vez que haz hecho esta programación cuentas 1, 2, 3, abres tus ojos y escuchas la conferencia.

Durante la conferencia, y con tus ojos abiertos, procura mantener los tres primeros dedos de cualquiera de tus manos juntos. Esto tiene el propósito de que tengas una clave que te ayude a fijar tu atención.

En esta aplicación de la técnica hemos reforzado la atención, la concentración y la repetición. También hemos añadido la programación para recordar en el futuro, desde el inicio, esto para no tener que hacerlo al finalizar la conferencia e impedir la salida de otras personas al nosotros tener que cerrar los ojos y relajarnos.

En el futuro, cuando desees recordar esa información, reúne los tres primeros dedos de cualquiera de tus manos, respira profundo y trae a tu mente alguna imagen de la conferencia. Al estar bien grabada la información, la asociación será fácil de establecer y podrás recordar con facilidad.

La técnica de los tres dedos es una clave asociativa que, como mencionábamos al inicio de este capítulo, constituye una de las herramientas importantes para el aprendizaje acelerado.

En el curso de Dinámica Mental Método Silva, la técnica de los tres dedos tiene también una aplicación para las situaciones de examen, permitiéndonos recordar más fácilmente la información para obtener mejores resultados. Sin embargo esta aplicación de la técnica requiere de una capacitación mayor y de una orientación más amplia que se obtiene durante el curso.

EL ANECDOTARIO DE LA MEMORIA

Al ser nuestro cerebro un órgano que se transforma, la memoria no está «escrita en piedra». Nuestra experiencia hace que nuestra memoria sea diferente a la de otras personas, aunque se refiera a los mismos eventos. Por la influencia que nuestro pensamiento y nuestra conducta tienen en nuestro cerebro, la «huella» de nuestra memoria puede ser transformada, lo cual nos puede llevar a recordar cosas que jamás ocurrieron. En la medida en que nos repetimos «algo», ese «algo», termina siendo una «realidad» para nuestro cerebro, y pasa a formar parte de nuestros recuerdos.

Lo que los expertos llaman el «conocimiento medio» es una manera de creer que sabemos algo y al mismo tiempo no saberlo. El psiquiatra Robert Jay Lifton, de la Universidad de Yale, al estudiar a muchos criminales, se preguntaba cómo podían esos individuos pensar tan favorablemente acerca de sí mismos, considerando los actos que habían cometido, ¿acaso no recordaban los terribles hechos que habían perpetrado? El «conocimiento medio» es una especie de autoengaño que modifica la memoria de lo que fue real, como puede suceder ante eventos traumáticos, en donde el recuerdo posterior al evento puede estar distorsionado.[31]

Nuestros prejuicios, expectaciones y el conocimiento previo que tenemos son utilizados en un proceso de llenado ante los huecos que nos quedan de ciertas experiencias, lo que conduce a distorsiones en lo que recordamos.

Por otra parte nuestra memoria padece una especie de complejo de superioridad. Recordamos nuestros actos antes que los de los demás; nos acordamos más de lo que nosotros aportamos a un proyecto que lo que los demás aportan; siendo sinceros «no recordamos» la cantidad de tiempo y esfuerzo que los demás invierten en una tarea. Esto se debe a que nuestras aportaciones son información elaborada en nuestro propio cerebro y, por lo tanto, más fuertemente grabadas.

De acuerdo a muchos estudios existe también el «olvido motivado», lo que significa que tendemos más a recordar los momentos felices que los tristes. Esto, en muchos casos, puede ser muy sano y no necesariamente una negación patológica, pero en otros, puede ser peligroso para nosotros mismos, como el caso del adicto a los juegos de azar, que tiende a recordar las ocasiones en que ha ganado y en apariencia olvidar en las que ha perdido.

Nuestro cerebro trabaja a gran velocidad y nuestro pensamiento más aún, razón por la cual pueden existir también las «implicaciones pragmáticas», lo que significa que al escuchar o ver algo deducimos tan rápidamente algo que incorporamos ese proceso interno como parte de la realidad exterior. Si alguien te dice «el campeón de karate golpeó el bloque de cemento» puede ser que tu implicación pragmática sea: «el campeón de karate rompió el bloque de cemento». Ya podrás imaginarte los problemas que puede haber cuando afirmamos que alguien nos ha dicho algo que en realidad está distorsionado por nuestra implicación pragmática. El investigador C. S. Morgan decía acertadamente que:

**«Llenamos los valles de nuestros recuerdos,
con las alturas de nuestra imaginación».**

Si deseamos tener una mejor memoria debemos evitar también algunas cosas que la contravienen. El estrés-distrés impide una percepción precisa y por lo tanto un recuerdo adecuado. En estudios realizados sobre el aprendizaje de instrucciones complejas y de riesgo, se demostró que las situaciones estresantes tienen el efecto de reducir la habilidad para recordar instrucciones detalladas. Se invierte tanta energía en la ansiedad que los datos y los eventos reciben mucho menos atención.

En cuanto al consumo de sustancias, tanto el alcohol como la marihuana, inhiben nuestra habilidad para procesar nueva información; y el café en exceso, adicionalmente a su efecto sobre la producción de adrenalina que puede llegar a crear un estado de estrés, también puede llegar a disminuir el flujo de sangre que llega al cerebro, haciendo que las neuronas se vean afectadas por falta de oxígeno.

De forma positiva, podemos ayudarnos a registrar mejor la información, usando una fuente de luz adecuada, ya que ésta puede jugar un papel en la grabación de imágenes por los efectos químicos que produce, la luz de día es la mejor. Otro factor que debe considerarse es la temperatura, se estima que 20° centígrados es la temperatura ideal. El calor excesivo distrae nuestra atención y el frío nos puede provocar tensión muscular.

Otras técnicas que han comprobado ser muy eficientes para el estudio y que favorecen a nuestra memoria son los Mapas Mentales® de Tony Buzan y los ejercicios de *Brain Gym®* de Paul Dennison, conjugadas con las técnicas del método te darán acceso a un súper aprendizaje.

En cuanto a los complejos vitamínicos se sabe que la vitamina C, la B12, la riboflavina y el ácido fólico pueden favorecer los procesos de la memoria. En cuanto al Gingko Biloba, aunque no la incrementa, sí favorece la oxigenación de nuestras células cerebrales y por ello su consumo dosificado, y después de doce semanas, incrementa la agilidad de nuestra memoria, como lo demostró el doctor Keith Wesnes en un estudio científico realizado en la Universidad de North Umbria en Inglaterra, en el año 2002.

Lo más importante para tener una extraordinaria memoria no depende sino de nuestra determinación por ejercitarla, reconociendo que independientemente de la edad o de algunos problemas de salud que hayamos padecido, en nosotros está el brindarle los retos que signifiquen su continuo desarrollo. La vida es un constante proceso de aprendizaje, y para que éste sea efectivo, saber recordar es imprescindible, ya que como Napoleón Bonaparte afirmaba:

«Una cabeza sin memoria es como una fortaleza sin guarnición».

5

Talento para tener éxito

«Cuando triunfes por ti mismo, nunca dirás que otros han triunfado por suerte».

Proverbio antiguo

Al igual que existen bellísimas flores que crecen a pesar de las aguas estancadas del pantano, tú y yo podemos crecer y vivir exitosamente, a pesar de muchas circunstancias que creemos nos lo impiden. Lo primero que necesitamos es ser conscientes de que para llegar a la meta y alcanzar nuestros objetivos, se requiere de estrategias que exigen esfuerzo y una decidida voluntad.

Todos anhelamos lograr el éxito, aunque en muchas ocasiones no sabemos lo que éste realmente significa; cada persona tiene una idea diferente de lo que representa. Sin embargo, y respetando la definición que cada uno de nosotros quiera darle, estaremos de acuerdo que el éxito para considerarse como tal debe poseer ciertas características:

- **Nos produce genuina y duradera satisfacción.** Esto quiere decir que la razón para sentirnos gozosos no es aparente ni superficial, y que el sentimiento de alegría por lo que hemos logrado lo podremos evocar toda la vida, al recordar el motivo que nos llevó a sentirnos satisfechos.

- **Nos crea un sentido de plenitud,** lo cual nos produce un sentimiento de propósito y autotrascendencia.
- **Nos da una convicción de realización personal**, haciéndonos sentir y ser mejores personas.
- **Fortifica nuestras relaciones y nos genera la alegría de compartir.** Con ello mejoramos nuestro entorno, haciendo posible un mayor apoyo para quienes nos rodean y experimentando una expansión interna creada por el ambiente afectivo, que es resultado del hacer partícipes a otros de nuestros logros.

Esta experiencia y sentimientos concuerdan con lo que hoy la Psicología Positiva llama **FLUIR,** una de las actitudes que nos llevan a crecer y desarrollarnos no obstante los contratiempos y adversidades. «Fluimos» cuando nuestro quehacer cotidiano nos da satisfacción, sentido de vida y crea una experiencia de alegría y de estar totalmente involucrados con lo que hacemos.

Nuestro éxito empieza cuando reconocemos aquello que al realizarlo nos permite fluir. Para lograrlo, no se nos exige ser profesionistas, pero sí ser «profesionales». Esto significa que, sea cual sea nuestra labor, buscamos la excelencia y cumplimos con el esmero e integridad que la dignidad de todo trabajo exige.

Para fluir y potenciar nuestra capacidad de éxito, necesitamos reconocer los **dones y talentos** que Dios mismo, de manera gratuita, nos ha obsequiado, y que nos permiten cumplir con nuestra muy personal misión que nos dará plenitud de vida. Para reconocerlos, debemos identificar aquello que cuando lo hacemos nos produce el sentimiento de fluir.

La riqueza, que tanto asociamos con el éxito, proviene de utilizar esos talentos que te hacen único y que al expresar tu propio brillo te llevan a la abundancia, como quiera que tú la definas.

Así como necesitamos reconocer nuestros dones y talentos, necesitamos también potenciarlos y hacerlos fructificar. Para ello, requerimos de **estrategias** que nos faciliten el camino.

Una estrategia es el arte de conducir un proyecto para lograr una meta deseada.

El arte es la actividad humana que se dedica a la creación de cosas bellas. Todos debemos cumplir con la tarea de embellecer nuestra vida y la del mundo a nuestro alrededor, por ello, vivir exitosamente es importante y está al alcance de todos, siempre y cuando estemos conscientes de que no depende de la suerte, sino de nuestra determinación y la eficiencia de estrategias que utilizamos.

La experiencia me ha mostrado que son cuatro las estrategias básicas que se requieren para alcanzar nuestras metas:

Estrategias para el Exito

- Motivación
- Aptitud
- Optimismo
- Valores

MOTIVACIÓN

«Tu éxito depende más de tu motivación que de cualquier otra circunstancia».

RAR

La palabra **motivación** tiene su raíz en el latín *emovere,* que significa moverse. Esta estrategia es la que nos mueve a definir un camino y tomar acción. Lo opuesto a ella, y una de las cosas más peligrosas para una vida exitosa, es la parálisis, especialmente en los tiempos de desánimo, cuando más requerimos del movimiento que nos permite tomar perspectiva y poder ver, detrás de la adversidad, la oportunidad. La motivación es lo que despierta a nuestra voluntad para emprender el camino, por más arduo que éste parezca.

Así como en ocasiones nuestra motivación parece surgir espontáneamente, hay momentos en que debemos saber evocarla, nutrirla y sostenerla, para lograrlo necesitaremos dar los siguientes pasos:

Motivación

- Claridad de metas.
- Pensamiento.
- Emoción.
- Tomar acción.
- Aceptar riesgos.
- Perseverancia.

Claridad de metas

«Cuando una persona sabe lo que quiere y camina con seguridad, el mundo entero se abre para darle paso».

ANÓNIMO

Nuestra primera tarea es **definir lo que realmente queremos lograr.** Para esto, SABER decidirnos es de primera importancia. En muchas ocasiones no alcanzamos una meta, porque nunca fue claramente establecida y hemos ido cambiando con mucha frecuencia el objetivo. Cuando enfrentamos problemas puede haber momentos en que no tengamos claridad respecto a cuál es la solución adecuada, o bien, tengamos diversas alternativas que nos hacen sentir dudosos respecto a cuál elegir. Pero si no tomamos una decisión, nos quedaremos estancados, la primera que debemos tomar es definir cuál es la meta que deseamos lograr.

Reiteramos que uno de los más graves problemas que se interponen en nuestro camino al éxito es paralizarnos y optar por no decidir. La indecisión nos impide aprovechar oportunidades cuando no decidimos en el momento oportuno; y el no saber manejar nuestra subjetividad nos impide apreciar adecuadamente las consecuencias entre una y otra opción.

De una decisión oportuna y acertada puede depender un nuevo y mejor empleo, una relación sentimental trascendente para nuestra vida y la mayor parte de resultados positivos que deseamos obtener. ¿En cuántas ocasiones nos hemos lamentado por dejar pasar oportunidades que eran perfectamente asequibles, pero que nuestra indecisión nos impidió aprovechar?

Una de las técnicas que se presenta en el curso tiene como propósito ayudarnos a encontrar cuál es la solución a un problema cuando sentimos no conocerla, o bien qué alternativa tomar entre varias que pueden ser posibles. Esta técnica consiste en dos momentos de programación mental, uno por la noche antes de dormir y otro por la mañana al despertar. En ocasiones es a través de los sueños que obtendremos una información clara o con frecuencia será durante algún momento del día, a través de alguna asociación, cuando ni siquiera estábamos ya pensando en ello. Albert Einstein solía decir: «Cuando tengo un problema y me he pasado demasiadas horas pensando en él, sin llegar a una solución, dejo de pensar en el problema y me voy al parque, y ahí mientras camino entre los árboles, de repente, y sin saber cómo, me llega la solución».

Esta técnica nos da resultados al generar en nosotros un proceso de incubación, el cual ha sido estudiado y definido por el doctor Jonathan Winson, neurocientífico de la Universidad Rockefeller, de la siguiente manera: «Nuestra mente puede estar manejando pensamientos que están por debajo del nivel de nuestra percepción consciente. Cuando emprendemos una búsqueda de información en nosotros mismos, aun cuando nos ocupemos en otras actividades y sin darnos cuenta de este proceso mental interno, la información vendrá, aunque sea horas después»[32].

Algo que nos puede ayudar a definir con claridad una meta, más allá de saber qué es lo que en realidad deseamos, será plantearnos las siguientes preguntas:

¿Adónde me llevará el lograr esta meta? ¿Quién está o estará involucrado, y cómo se verán afectados por mis resultados? Alcanzar una meta que nos puede comprometer en el futuro con lo que no deseamos o que afecte seriamente nuestras relaciones más cercanas, no será en realidad una meta que nos proporcione éxito auténtico.

Nos atemoriza tener que elegir un camino porque implica abandonar otros, pero no elegir es ya en sí misma una elección, la menos favorable. Si has tomado una decisión firme y tienes un propósito definido, tendrás la fortaleza para actuar sobre tus sueños y metas.

Pensamiento controlado

«El pensamiento no es más que un soplo, pero ese soplo mueve al mundo».

VICTOR HUGO

De tu pensamiento surgen tus creencias y ellas son el hilo de oro o las tijeras para tu éxito. Lo que tú crees de ti mismo es lo que el mundo creerá de ti.

Para lograr un acertado manejo de nuestro pensamiento y saberlo conducir de manera efectiva, alimentando a nuestra motivación, necesitamos:

- **Cuidar nuestro lenguaje.** Asegurémonos de que sea positivo, proactivo y conducente a los estados de ánimo que en realidad nos «mueven». Tema que explicamos ampliamente en el capítulo número dos.
- **Desarrollar nuestra intuición y creatividad.** No existe un solo problema en tu vida para el cual no exista una posible solución. Todo camino a la meta presentará obstáculos, la

intuición nos hará ver las alternativas y la creatividad nos ayudará a descubrir nuevos recursos. Una acertada intuición guiará nuestra motivación en la dirección correcta, así como la creatividad abrirá el potencial de nuestro pensamiento, impidiendo que los obstáculos nos desmotiven. Dedicaremos a este tema el capítulo número seis.

- **Imaginar-Visualizar los resultados que esperamos obtener**. La imaginación constituye el motor de nuestro deseo, lo que nos impulsa para realizar esfuerzos y trabajar por lograr lo que anhelamos. Siendo las imágenes uno de los ejes constructores del pensamiento, ellas son capaces de sembrar abatimiento o entusiasmo, sin el cual nuestra motivación no existiría. Si no lo puedes imaginar, no lo puedes concebir y si no lo puedes concebir no lo podrás obtener. Más adelante, en este capítulo, compartiremos una técnica especialmente creada para este propósito.

Algunos podrán creer que el pensamiento no es tan significativo como los hechos, por ser tan «aparentemente» efímero, pero es nuestro pensamiento el que despierta nuestra emotividad y nos impulsa a actuar para concretar hechos.

Emotividad genuina

«La habilidad no consiste en esconder la emoción,
sino en saber canalizarla».

G. K. CHESTERTON

Una genuina emotividad significa que no sólo debe apasionarnos el pensar en la meta, debemos también **vivir con pasión el camino** para llegar a ella. La palabra «emoción» se deriva de las mismas raíces que la palabra motivación. Todos sabemos cuán importante es nuestra emotividad para avanzar en la dirección que deseamos. La emoción es lo que nos involucra y todo aquello que en nosotros la despierte, se convierte en un motor que nos impulsa a hacer lo que sea necesario para lograr nuestra meta.

Comprometernos emocionalmente con cada uno de los pasos que damos para llegar a nuestro objetivo, convierte al objetivo mismo en un imán que atrae y desarrolla cada vez más nuestras capacidades para alcanzarlo.

Tomar acción

«El hombre que difiere la acción, siempre estará luchando contra su propia desgracia».

HESÍODO DE ASCRA

Exire, la raíz de la palabra éxito, quiere decir «salir». No debemos quedar aferrados a ideas rígidas en espacios cerrados, sino tomar acción para aventurarnos en nuevas direcciones, teniendo que **salir de nuestra zona de comodidad**. ¿Cuántas veces quedamos atrapados por nuestro temor de explorar territorios nuevos, de conocer nuevas personas?

«Salir» significa también romper las barreras de nuestro temor y soberbia, para **pedir ayuda cuando es necesario**. Todos necesitamos apoyo para llegar a la meta, nadie arriba a su destino sin la generosa gratuidad de los que nos rodean.

La acción exige **trabajo**, lo que nos impone valores como la responsabilidad, sin la cual no hay efectividad posible. No caigamos en el error de pensar que se requiere de grandes trabajos para que la acción sea eficaz, ya señalaba Santa Teresa de Lisieux que: «Lo importante no es hacer cosas extraordinarias, sino hacer extraordinariamente bien las cosas ordinarias».

Cualquier acción, para generar resultados, necesita de **metodología y orden**, lo que significa trazar un camino por el cual tendremos que transitar. Necesitamos establecer procedimientos, una manera ordenada de hacer las cosas para que nuestras acciones nos den fruto. Acciones al azar producirán resultados al azar.

Para lograr efectividad en lo que hacemos requerimos de **hábitos,** cuestionando aquellos que se interponen en nuestro camino y determinando adquirir los que nos lleven a ser más efectivos. Más adelante dedicaremos un espacio a este tema, ya que así como nuestros hábitos pueden construirnos también pueden llegar a destruirnos.

Aceptar riesgos

«Si algo puedes hacer o sueñas poder hacer, empiézalo:
la osadía tiene magia, genio, poder».

ANÓNIMO

Unida a la acción, tan indispensable para alcanzar nuestras metas, está la necesidad de aceptar y asumir riesgos. Seguramente has escuchado el proverbio popular que afirma que: «El que no arriesga no gana». Todos los que han soñado con lograr algo y lo alcanzaron tuvieron la osadía de emprender el camino, a pesar de los riesgos y la incertidumbre.

Es normal sentir cierto temor cuando confrontamos situaciones que pueden considerarse riesgosas, pero sólo el que se atreve a caminar encuentra oportunidades. Toda persona que vive exitosamente tiene que enfrentar con frecuencia situaciones inciertas. ¿Qué necesitamos para asumirlas con éxito?

Lo primero es **estar atentos**. El riesgo se convierte en franco peligro cuando lo asumimos sin firmeza y de manera dispersa. Así como muchas oportunidades se nos escapan por distracción al estar mirando en una dirección incorrecta, cantidad de problemas se podrían evitar si nuestra mirada no se hubiera apartado del terreno que transitamos.

Al asumir riesgos, debemos estar dispuestos, en caso de un error, a aprender, a **«sacar bien del mal»**. Después de todo, detrás de cada adversidad hay una oportunidad y especialmente una gran fuente de aprendizaje.

La inseguridad de los riesgos puede minimizarse cuando sabemos **manejar nuestro tiempo**. Es un recurso de extrema importancia y nos permite, si sabemos administrarlo, ser prudentes cuando transitamos por situaciones riesgosas. El sabio manejo del tiempo requiere del equilibrio, bien lo dice el libro de Eclesiastés: «Todo tiene su momento, y cada cosa su tiempo bajo el cielo: ... Tiempo de arrancar y tiempo de plantar...Tiempo de destruir y tiempo de construir... Tiempo de llorar y tiempo de reír... Tiempo de abrazarse y tiempo de separarse... Tiempo de guardar y tiempo de desechar... Tiempo de callar y tiempo de hablar...Tiempo de lucha y tiempo de paz».

Muchas veces nuestro fracaso llega porque no hemos soltado amarras, dejando ir lo que ya no debe estar en nuestro presente. En ocasiones los sueños parecen desvanecerse por nuestro cansancio, por la incapacidad de darnos el tiempo de descanso para disfrutar de las pequeñas alegrías. En todo camino habrá tiempos de lucha y tiempos de serenidad y perspectiva.

Lo más importante respecto al riesgo es **atrevernos**. Piensa por un instante, ¿cuántas cosas has dejado pasar por tu vida? ¿Cuántas has postergado hasta ser muy tarde? Todo por miedo al riesgo. De los errores se aprende, lo que se estanca se pudre.

Perseverancia

«Los grandes logros no se alcanzan por la fuerza, sino por saber persistir».

SAMUEL JOHNSON

Muy pocas cosas en la vida se logran «a la primera», y mucho menos aquellas que realmente valen la pena. Es por ello que detrás de toda historia de éxito podremos encontrar a una persona perseverante. Cultivar esta gran virtud requiere de **paciencia**. Esperar resultados inmediatos, es en la mayoría de las ocasiones, una esperanza irreal. Como la sabiduría popular nos hace ver, «estar levantando a la gallina cada dos minutos para ver si ha empollado el huevo», traerá como único resultado la dilación de lo que esperamos o peor aún la imposibilidad de lograrlo.

Por otra parte, hay momentos en que abandonamos la tarea por falta de **flexibilidad**. Siempre hemos de recordar, que los caminos para alcanzar una meta pueden variar y si no tenemos la capacidad de modificar la ruta, nuestra rigidez terminará por causarnos agotamiento o fastidio.

La flexibilidad nos permite **vislumbrar alternativas** y no quedar atrapados, de tal manera que lleguemos a estancarnos cuando tenemos que enfrentar obstáculos. Siempre existirán diferentes maneras de sobreponernos a un contratiempo y continuar con el camino. Ampliar nuestra visión para percibir diferentes opciones nos ayuda a desarrollar nuestra creatividad y a ser más efectivos.

Perseverar nos exige **experimentar**. De la experiencia se adquiere el conocimiento que nos facilitará el camino para metas futuras. Si eres perseverante intentarás hacer las cosas las veces que sea necesario, aprendiendo de los errores. La capacidad de aprender y modificar el rumbo es lo que distingue a la perseverancia de la terquedad, la cual cree que haciendo más de lo mismo se puede llegar a un resultado diferente.

Para que las técnicas del método nos lleven a lograr los objetivos que nos proponemos, su práctica diaria es determinante, ya que la programación mental será lo que mantenga nuestra motivación para tomar acción y perseverar.

APTITUD

«Tu éxito depende más de tu disposición para desarrollar aptitudes, que de ellas mismas».

RAR

No faltará quien diga no tener aptitudes pero, aunque diferentes, todos las tenemos y están íntimamente ligadas a nuestros dones y talentos naturales. Los requisitos que debemos cumplir para potenciarlas son:

Aptitud

- Enfoque
- Planificación
- Apertura al cambio
- Autodisciplina

Enfoque

«El fracaso es generalmente resultado de la pereza o la distracción: surge cuando dejamos de enfocarnos en nuestra verdadera meta».

EPICTETO

La famosa escultura del Auriga en el Oráculo de Delfos, que representa al hombre que conduce una carroza durante una competencia, nos hace evidente cuán importante es saber enfocarnos.

Para lograrlo debemos **concentrarnos en el proyecto y no en el problema.** El auriga que conduce la carroza, tirada por seis u ocho caballos durante la carrera, mantiene la mirada serena y enfocada totalmente en su meta, sólo así podrá ganar. La forma relajada con la que su mano sostiene las riendas muestra una seguridad inequívoca de que alcanzará su objetivo.

Con frecuencia nos preocupamos más por los problemas y nos ocupamos menos en resolverlos. Concentrarnos en el proyecto nos convierte en personas proactivas, capaces de tomar iniciativa y nos ayuda a disipar la ansiedad que se genera por la preocupación.

Resuelve un solo problema a la vez. Tratar de darle solución a varios problemas al mismo tiempo, no sólo puede llegar a confundirnos sino también a generarnos mucha tensión la cual impedirá «el fluir» de nuestras aptitudes. Cuando enfrentamos diferentes problemas en nuestra vida, debemos de asignar un tiempo de reflexión a cada uno de ellos, pero nunca mezclarlos. Esto nos evitará caer en la sensación de agobio que nos aleja de la serenidad que necesitamos.

Cuestiona si lo que haces se relaciona a tu meta y te acerca a ella. Debemos preguntarnos si nuestro quehacer nos ayuda a avanzar hacia la meta deseada o por el contrario resulta contraproducente a lo que nos proponemos alcanzar. La congruencia entre lo que hacemos y la finalidad que tenemos es de vital importancia para que nuestras aptitudes se desarrollen y consoliden. De igual forma debe existir coherencia entre la programación mental subjetiva y las acciones que realizamos objetivamente.

Mantente sereno. Perder la calma no conduce más que a la confusión. No debemos permitir que los contratiempos nos hagan caer en el desequilibrio, causándonos una gran pérdida de energía y empañando nuestro enfoque, que debe permanecer en la meta. La relajación diaria será tu mejor aliado para lograr la serenidad que amplía tu visión y mantiene tu balance.

Planificación

«La previsión es una linterna mágica que proyecta las lecciones del pasado sobre la pantalla del porvenir».

GUILLOUX

Todo camino que debe andarse tendrá que considerar tiempo y trabajo. La planificación es de vital importancia para alcanzar nuestras metas pues nos ayuda a capitalizar la experiencia del pasado para ser más eficaces en nuestro presente y lograr un mejor futuro.

Al planificar, nuestra primera consideración debe ser la de **reconocer nuestra posición actual.** Para llegar a cualquier destino lo primero que necesitamos ubicar es el sitio de donde partimos, lo que también significa identificar y considerar cuáles son nuestros recursos, tanto físicos como mentales.

Define planes prácticos y específicos a corto, mediano y largo plazo y ponlos por escrito. Es importante establecer con claridad los pasos a seguir en nuestro proyecto, los recursos que se tendrán que tener y los requisitos que se habrán de cumplir para llegar a la meta. Ponerlo por escrito nos facilitará la tarea de visualizar e imaginar, sosteniendo así una meta clara y constante en nuestro pensamiento.

Evalúa periódicamente tus resultados. Un entusiasmo mal entendido nos puede llevar a omitir este paso, la consecuencia puede ser que actuemos sin fundamento o que avancemos por un camino que no es el adecuado para obtener los fines deseados. La evaluación periódica nos da la oportunidad de tomar perspectiva y en ocasiones de corregir o francamente modificar el rumbo.

Apertura al cambio

«...Vivir es cambiar, e ir perfeccionándonos equivale a cambiar muchas veces».

JOHN HENRY NEWMAN

Mucho nos lamentamos de no vivir exitosamente y de no alcanzar nuestras metas, pero con frecuencia no estamos dispuestos a cumplir con lo que la vida siempre nos exige, cambiar. Las aptitudes de ayer no siempre serán operativas en el hoy.

Ante la exigencia de cambio que la vida nos presenta, **siempre tendremos que elegir,** y como señalábamos anteriormente, no hacerlo, es ya en sí una elección que traerá consecuencias, y que casi siempre será la menos favorable de todas.

Todo cambio nos lleva a andar territorio nuevo, **no temas a la crítica ni al error.** Aprende a distinguir entre la crítica destructiva, que no aporta sugerencias ni mejoría, de la crítica constructiva, de la que casi siempre podemos obtener información valiosa que nos ayude a mejorar.

Por otra parte, los errores serán siempre cuota del camino, por lo tanto, debemos convertirlos en fuente de aprendizaje. Toda persona que ha logrado el éxito genuino y duradero ha tenido que pagar el precio de lo grande con muchas pequeñeces, ha conquistado su victoria a través de varias derrotas, ha logrado aciertos habiendo cometido errores. Maurice Maeterlinck solía afirmar: «**Cada vez que cometo un error me parece descubrir una verdad que aún no conocía**». Por esto a los errores no debemos temerles, sino capitalizarles.

Para cambiar tenemos que **aprender a dejar ir**. Sin esta capacidad permaneceremos cerrados y sin oportunidad de crecer. La vida siempre ofrece nuevas alternativas, para aprovecharlas, debemos saber desprendernos. Nuestra incapacidad de hacerlo nos puede conducir a co-dependencias con personas o situaciones que bloquean nuestras posibilidades de cambio y progreso.

El miedo al cambio se acrecenta por nuestra incapacidad de **tolerar la incertidumbre.** Una vida exitosa requiere de saber balancearnos en el trapecio de lo incierto. Nada está escrito ni garantizado. La incapacidad de tolerar los momentos de incertidumbre se convierte en uno de nuestros peores enemigos en el camino para alcanzar nuestras metas.

Autodisciplina

«La disciplina es la parte más importante del éxito».

TRUMAN CAPOTE

La primera condición que se nos impone para tener autodisciplina es el **ejercicio de la voluntad**. Todos anhelamos tener una voluntad férrea, sin darnos cuenta que para lograrlo habrá que ejercitarla en los pequeños esfuerzos. Al igual que la memoria, la voluntad requiere de ejercicio en lo cotidiano para ser aplicable en los grandes proyectos.

Por ejemplo, si te propones y logras como meta levantarte 5 ó 10 minutos antes que de costumbre, tan sólo por disciplina, le estarás dando las primicias del ejercicio necesario a tu voluntad, lo que te capacitará para lograr metas mucho más importantes y trascendentes. Recuerda que las personas de éxito tienen autodisciplina, y las mediocres sólo dicen tener metas, pero en realidad no hacen nada por alcanzarlas.

Quien desea ejercer la autodisciplina deberá estar consciente de que lo que vale la pena alcanzar exigirá **esfuerzo**. Lo que es significativo lograr siempre va precedido por nuestro empeño; lo que se obtiene fácilmente se pierde también de igual manera. Recuerda que no hay esfuerzos inútiles, aun Sísifo, a quien los dioses habían condenado a rodar sin cesar una roca hasta la cima de una montaña desde donde la piedra volvería a caer por su propio peso, desarrolló sus músculos gracias al esfuerzo.

Para nuestra autodisciplina es indispensable la **constancia**, la que se refiere al trabajo cotidiano y coherente con lo que anhelamos alcanzar. La constancia derriba todo obstáculo. Son pocas las personas que fracasan, pero muy numerosas las que renuncian al esfuerzo, cuando en ocasiones, sin saberlo, estaban a punto de llegar. La constancia es lo que nos garantiza el fruto de nuestros afanes. Para el que es constante la palabra «imposible» no tiene ningún significado.

Para que nuestra autodisciplina no sea en vano, en cuanto a llevarnos a un objetivo que no sea en realidad satisfactorio, debemos preguntarnos **¿estoy dispuesto a pagar el precio que el éxito me demanda?** Toda meta que se logra habrá requerido de sacrificio, de haber renunciado a algo por algo que estimábamos sería mejor. Muy triste es la situación de quien llega a su meta para darse cuenta que lo que sacrificó en el camino, era mucho más valioso que lo que ahora tiene.

OPTIMISMO

«Los pesimistas no son sino espectadores, mientras que los optimistas son quienes transforman el mundo».

F. P. G. GUIZOT

Henri Ford solía decir que «**El pesimismo es la canción fúnebre y la tumba segura del éxito**». Cien años después la Psicología Positiva con demostraciones clínicas comprobadas[33] lo confirma. Sin embargo, ser optimista no es «pensar bonito» o ser ilusos, puesto que el optimismo requiere de un trabajo interior y exige características que involucran a toda nuestra persona y a todo nuestro quehacer. Su primera condición es:

Optimismo

- Optimizar recursos
- Saber manejar el fracaso
- Relaciones de calidad

Optimizar recursos

«Los que no saben usar lo que sí poseen, son de verdad pobres».

JENOFONTE

Para optimizar nuestros recursos debemos **considerar y apreciar lo que sí tenemos.** Perdemos mucho tiempo y nos estresamos en exceso cavilando sobre todo aquello que consideramos carecer para alcanzar una meta. Para vivir exitosamente se requiere tomar en cuenta y valorar lo que ya está presente en nuestra vida y a partir de ahí crecer.

El optimismo nos ayuda a **aprender de nuestras experiencias**, potenciando nuestros recursos cuando enfrentamos nuevos retos. La experiencia es en sí misma uno de los mayores «capitales» con los que contamos, siempre y cuando hayamos aprendido su lección y madurado a través de ella.

Saber manejar el fracaso

«Los hombres que tienen éxito son los que saben como utilizar los fracasos».

STEPHEN CRANE

Quien teme al fracaso limita cada vez más su radio de acción. Quien es optimista sabe reconocer en la derrota una oportunidad para reanudar la tarea con mayor visión e inteligencia. Cómo respondemos ante el fracaso, es lo que en realidad demuestra si nuestro optimismo es verdadero o mera apariencia.

Ya que el fracaso suele casi siempre presentarse en el camino de una vida exitosa, tomemos el ejemplo de Thomas Alva Edison como uno de los más representativos para el manejo de esta experiencia. Se cuenta que cuando un periodista lo cuestionó respecto a cómo se había sentido ante los «4.999» intentos fracasados de encender su lámpara incandescente, éste respondió: «¿Fracasar? Yo he aprendido 4.999 maneras de cómo no se enciende una lámpara».

Para capitalizar esta experiencia **nunca pienses en un fracaso como algo permanente.** Toda situación, por dolorosa o contradictoria que nos parezca, será pasajera, al menos que, en nuestro pensamiento, la concibamos como algo que se instalará en nuestra vida para siempre. Esta forma de pensar nos lleva, sin duda alguna, al pesimismo y nos dejará paralizados cuando aún queda camino por andar y muchas otras alternativas para poder llegar a la meta.

No permitas que un fracaso invada y corrompa todas las áreas de tu vida. Fracasar en un trabajo no tiene por qué contaminar tus relaciones familiares o sociales, así como un disgusto relacional no debe afectar tu desempeño en otros espacios. Reconocer que algo no ha salido bien en una de las áreas de tu quehacer no significa que habrás de fallar en todas las demás. Pensar de esa manera resulta deprimente y nos impide volver a intentar las cosas.

Todos podemos cometer un error, por ello ante el fracaso mantén una actitud que siempre te recuerde que **no eres el único que se equivoca**, pensarlo disminuye tu autoestima y por lo tanto tu seguridad y confianza para retomar el camino y volver a hacer un esfuerzo. Después de todo, cada fracaso nos enseña algo que necesitamos aprender y debemos recordar, los caminos sin obstáculos son los que llevan a ninguna parte.

Relaciones de calidad

«Lo importante no es llegar primero y solo, sino llegar juntos y a tiempo».

LEÓN FELIPE

No hay éxito alguno en nuestra vida que no esté vinculado y se deba en parte a nuestra relación con los demás. Toda vida exitosa dependerá de cómo nos relacionamos **con nosotros mismos, con quienes nos rodean y con Dios,** quien es el eje de la fortaleza de nuestra más íntima interioridad.

Con frecuencia, en el camino hacia nuestras metas, ignoramos la importancia que tiene para nuestra vida la calidad de nuestras relaciones y por ello a menudo las descuidamos. En ocasiones la relación con nosotros mismos se torna en soberbia, nuestra relación con los demás en egoísmo y nuestra relación con Dios en algo inexistente. ¿Qué es lo que en realidad puede asegurarnos crear, mantener y hacer crecer nuestras relaciones de calidad?

Lo primero, en relación a nosotros mismos, es **una sana autoestima**. Saber valorarnos como personas y confiar en nuestras habilidades para enfrentar y resolver nuestros problemas.

En relación con quienes nos rodean debemos ejercer un **manejo inteligente de nuestras emociones,** que nos permitan una acertada **comunicación** y el desarrollo de la **empatía.** Sin la amistad no es posible lograr un bienestar genuino y durable, no es posible conservar la amistad si no somos capaces de hacer por nuestros amigos lo que hacemos por nosotros mismos. La genuina amistad es un bálsamo para la adversa fortuna y un acicate para continuar el camino.

Para una auténtica y profunda relación con Dios, **la práctica de la oración,** de acuerdo a la creencia que cada uno de nosotros tenga, será un quehacer de vida indispensable. Es absurdo pensar que podemos tener amistad con quien nunca establecemos contacto.

San Juan de la Cruz nos advierte que estamos destinados a la «Divina Unión», la cual Dios anhela tener con nosotros en este aquí y ahora. Lograr esto, que personalmente considero nuestro más significativo y verdadero propósito, sería sin duda la mejor garantía de una vida exitosa y de alcanzar la más importante de todas las metas.

Antes de abordar la cuarta estrategia, VALORES, consideramos importante, por estar tan entretejidas con las que ya hemos expuesto, ampliar la información en cuanto a nuestros hábitos e incluir una técnica que nos ayude con efectividad a resolver problemas y a programar con éxito nuestras metas.

Control de hábitos

«Los hábitos del hombre forjan su propia fortuna».

PUBLILIO SIRO

«Control de Hábitos®» es una técnica del Método Silva que nos ayuda a ejercer control sobre cualquier hábito que nosotros deseemos. Durante el curso y la capacitación que en él se recibe, aprendemos a regular o eliminar los hábitos que consideramos nos perjudican, tanto física como mentalmente, y aunque la técnica se enfoca al control de fumar y comer, la experiencia de muchos participantes nos ha demostrado su efectividad al aplicarla a otros hábitos.

Algunos nos sentimos sobrecogidos por nuestros hábitos, pensamos que son más fuertes que nosotros y que llegarlos a cambiar es poco probable. Esto sucede con frecuencia porque no recordamos cómo es que los adquirimos.

Ningún hábito llega a nuestra vida como «caído por la chimenea», todos han tenido un punto de partida y un trabajo propio que nos llevó a hacernos de ellos. Para comprender mejor cómo se forma un hábito nos puede servir esta analogía que solía relatar la doctora Clara Cadena, directora del Método Silva en Colombia:

Una persona asciende por la ladera de una montaña cubierta de nieve. Hace un gran esfuerzo por llegar a la cima y una vez ahí coloca su trineo para deslizarse en él. Pero al subirse al trineo y escasamente a un metro queda atascado, ya que la nieve aún no está compactada, ni hay camino hecho para deslizarse. El personaje de nuestra historia se baja del trineo y lo empuja para liberarlo, vuelve a deslizarse en él, sin embargo, a los pocos metros se vuelve a atascar. Cuando se da cuenta ha tenido que empujar el trineo desde arriba hasta abajo y ha llegado «bien sudado» y con algo de cansancio.

Vuelve a ascender por la ladera y vuelve a intentar deslizarle. En esta ocasión su trineo se atasca menos, pero aun así al llegar a la parte de abajo se da cuenta que la mitad del camino ha tenido que ser a empujones y que está sudando por el esfuerzo realizado.

De nuevo en la cima de la montaña, coloca su trineo en las huellas del camino, que él mismo ya ha trazado. En esta ocasión con sólo tomar impulso se desliza fácilmente por todo el trayecto. Conforme el personaje de nuestra historia repita este proceso llegará el momento en que si no sube pronto al trineo, éste por sí solo se deslizará.

De igual forma sucede con nuestros hábitos. La primera vez que hacemos algo requerimos de esfuerzo y terminamos algo «sudados». Cuando fumamos por primera vez, tosemos, y sobreponiéndonos al claro rechazo que nuestros pulmones muestran tener, nosotros seguimos «empujando». Al cabo del tiempo llegará el momento en que habremos automatizado fumar, tanto, que sin darnos cuenta de que tenemos un cigarrillo encendido, encenderemos otro.

Aunque no lo recordemos todo hábito tuvo una «primera vez». Reducirlo o eliminarlo va a requerir de colocar el trineo en otro lugar y de hacer un esfuerzo. Conforme lo hagamos cada vez nos resultará más fácil hasta que hayamos trazado un camino nuevo.

Lo mismo sucede con los hábitos mentales como la impuntualidad, la postergación o el desorden; «nadie nace, toda persona se hace». La primera vez que fuimos impuntuales nos sentimos incómodos, así como las primeras veces en que tuvimos que enfrentar la consecuencia de nuestra postergación o desorden al no encontrar algo traspapelado que resultaba importante tener en ese momento.

Un hábito es un comportamiento automatizado como resultado de la repetición. Éste puede ser modificado o eliminado cuando tomemos la decisión de hacerlo. Ningún hábito es más fuerte que nosotros, que somos su creador.

Si deseas modificar o erradicar cualquier hábito te ayudará mucho empezar a hacer cambios en la cantidad o la frecuencia, ya que estas dos variables son las que definen ese patrón de comportamiento. Como ejemplo, esto significaría que reducirás la cantidad de cigarros que fumas al día o modificarás los horarios en que fumas, espaciándolos cada vez más. Cambiar cualquiera de estas variables cambiará a la otra.

Para controlar cualquiera de tus hábitos lo primero que necesitas es deseo, tendrás que asegurarte que en verdad deseas modificarlo. Ese deseo depende sólo de ti y por lo tanto el cambio es importante para ti, «digan lo que digan los demás».

Tus actitudes juegan también un papel importante en el manejo de tus hábitos. Tener una actitud constantemente crítica y negativa hacia ti mismo te puede generar ansiedad, lo que te llevará con más facilidad a seguir «de manera compulsiva» con más de lo mismo. **La relajación es de suma importancia,** sobre todo cuando te sientes ansioso ante los cambios que estás realizando.

Así como adquiriste un hábito por haber repetido algo tantas veces, tendrás que ser constante para sostener las modificaciones que vayas haciendo día con día. Para lograrlo deberás tener en tu mente la imagen de una meta positiva e importante para ti, que deseas alcanzar a través del esfuerzo que estás realizando. Esto significa que tienes claridad en cuanto a los beneficios que obtendrás al cambiar tus hábitos. La imaginación es determinante para nuestro control de hábitos, puesto que una imagen es capaz de generar y alimentar nuestros deseos hasta llevarnos a satisfacerlos cueste lo que cueste.

Te será sumamente útil aplicar la filosofía de «sólo por hoy». Cualquier persona puede dejar de fumar por un día, o hacer una buena dieta, o ser puntual, o poner sus cosas en orden. Si en vez de agobiarnos pensando en el tiempo que tardaremos en alcanzar un propósito, nos concentramos en el esfuerzo de un solo día, cuando nos demos cuenta el tiempo habrá pasado, como siempre pasa, y habremos logrado nuestra meta.

Nuestros hábitos pueden llegar a determinar nuestra calidad de vida, como afirmaba el escritor británico Charles Reade:

«Siembra actos y cosecharás hábitos; siembra hábitos y cosecharás carácter; siembra carácter y cosecharás destino».

Resolver problemas y programar metas

«La inteligencia del ser humano se mide por su capacidad para resolver problemas».

JOSÉ SILVA

Los problemas, aun cuando puedan parecerse entre sí, nunca son iguales. Es experiencia común para todos tener que enfrentarlos y la vida constantemente nos presenta situaciones en las que debemos solucionarlos. Mientras estamos vivos, habrá problemas que podemos contemplar como catástrofes o como oportunidades para crecer. La pregunta es ¿cómo resolverlos de una manera eficiente?

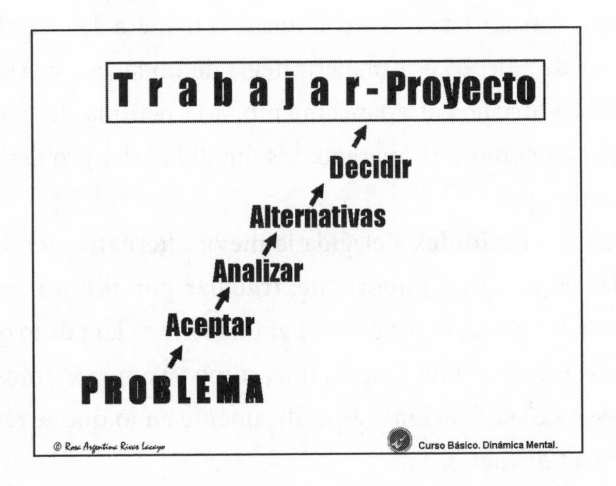

Lo primero que debemos hacer para lograr una solución es **aceptar** que tenemos un problema. La aceptación representa un 50% de la solución lo cual es comprensible, ya que mientras no aceptemos la situación no realizaremos ningún esfuerzo por cambiarla. Aceptar nuestra realidad es el primer paso que debe darse para encontrar una solución eficaz.

Una vez que reconocemos el problema, nuestro segundo paso será **analizarlo**, esto significa conocerlo. ¿A qué aspecto de nuestra vida concierne? ¿Cuál es su origen? ¿Cuál es el entorno en el que está inserto? ¿Quiénes están involucrados?... Este análisis nos evita confusiones pues de no hacerlo nos podemos encontrar tratando de resolver un problema, que no es como lo hemos pensado o peor aún no es el que en realidad estamos enfrentando.

El análisis del problema nos conduce al tercer paso, el cual consiste en considerar las **alternativas** que tenemos para resolver la situación adecuadamente. Nunca debemos cerrar nuestra perspectiva, ya que al no contemplar opciones nos podemos quedar atascados, tratando de resolver un problema por una vía inadecuada. «Encapricharnos» con una sola manera de hacer las cosas, o no decidirnos por una estrategia definida, es un error que puede conducirnos al estancamiento, a la pérdida de tiempo y energía, así como a la aparente insolubilidad del problema por mucho tiempo.

Una vez **decididos** y elegida la mejor alternativa tendremos que dar el paso más importante: **trabajar** por alcanzar nuestra solución. Para esto, la acción y tener una visión clara de lo que esperamos lograr es muy importante, como ya apuntábamos en la estrategia de motivación y específicamente en lo que se refiere a la claridad de metas.

Para comprender esto de una manera sencilla, imaginemos lo siguiente:

> ***Una persona****, por error o accidente,* ***cae en un pozo: Tiene un problema.*** *Para resolverlo, lo primero que* ***tendrá que*** *hacer es* ***aceptar que se encuentra dentro de un pozo.*** *Entonces,* ***deberá analizar que tipo de pozo es*** *en el que está ¿ha sido cavado de forma rudimentaria y conserva sus paredes de tierra?, o ¿es un pozo con paredes recubiertas de cemento?, ¿a qué profundidad del pozo se encuentra?, ¿está el pozo a escasos 10 ó 20 me-*

tros de una estación de gasolina?, o por el contrario, ¿está ubicado en un área completamente despoblada?...

Este análisis le permitirá a la persona saber si podrá salir del pozo escarbando sobre las paredes para ascender, o tendría que ser rescatado; qué tan cerca está de la salida; si con sólo gritar puede ser ayudado... lo que le hará ver ***cuál es su mejor alternativa.***

Una vez que ha ***decidido*** *y determinado lo que debe hacerse, tendrá que empezar a* ***trabajar por ello****. Sin embargo el* ***trabajo objetivo–físico****, no bastará, puede ser que requiera de tiempo para lograr su meta y si con el esfuerzo que va realizando no mantiene un* ***trabajo subjetivo–mental*** *que alimente su motivación, puede llegar a desalentarse con facilidad.*

Resolver problemas con eficiencia requiere que utilicemos todo nuestro potencial de la mejor manera; analizar el problema y ver las alternativas, nos obliga a utilizar la gran capacidad de razonamiento que nuestro hemisferio izquierdo posee. Decidirnos y crear una imagen en nuestra mente de la solución ya lograda, para mantener y alimentar nuestra motivación, nos lleva a emplear la gran capacidad intuitiva y creativa del hemisferio derecho.

Nuestro trabajo por alcanzar nuestros objetivos debe ser siempre un esfuerzo basado en la acción, y alimentado por la visión positiva de nuestros resultados. Todo problema tiene solución y todos somos capaces de confrontar y resolver la situación que enfrentamos, para lo cual necesitaremos «el arado» del trabajo y «la buena semilla y riego» de nuestra visión al futuro. Como nos dice Alex Rovira en su libro *La Buena Suerte*: «Muchos son los que quieren tener buena suerte, pero pocos los que deciden ir por ella».

Para alcanzar nuestras metas debemos tener muy claro en la mente qué es lo que deseamos; reconocer que para lograrlo tendremos que llevar a cabo una serie de acciones que deben ir acompañadas de la visualización del resultado, lo que mantendrá nuestra motivación, nos llevará a tomar las acciones adecuadas y enfocará el poder de nuestra intención.

Si la tía Eduviges (siempre hay una en todas las familias), desea bajar de peso, tendrá que vigilar su alimentación y hacer ejercicio, pero resultará igualmente importante para ella su capacidad de visualizar e imaginar sus resultados para mantener su esfuerzo, sobre todo ante un proyecto que requerirá de tiempo. Recuerda que si no lo puedes imaginar, no lo podrás concebir y si no lo puedes concebir, no lo podrás obtener. El resultado que creas con tu pensamiento es el resultado que atraerás hacía ti. No es lo mismo repetir la acción de pegar ladrillos que visualizar, al hacerlo, el resultado que obtendremos.

TRABAJAR

Hay personas que todos los días se proponen hacer algo, pero al mismo tiempo, con sus palabras e imágenes sabotean su propio esfuerzo, razón por la cual no obtienen lo que esperaban. Tu trabajo subjetivo debe ser coherente con los resultados que deseas. El escultor, para logar su obra, no sólo tendrá que aplicar el cincel al mármol, lo más importante es que tenga en su mente la idea clara de la figura que va a esculpir.

Esto implica **convertir nuestros problemas en proyectos**, dejar de contemplar el conflicto y evitar la desmotivación, manteniendo en nuestra mira, y de manera constante, la solución. Esto es lo que hace posible mantener el esfuerzo en nuestras acciones y seguir adelante hasta alcanzar el resultado. Dejar de decir que tenemos problemas, afirmando que tenemos proyectos, nos lleva a evitar sentirnos inmersos en el pozo, para anhelar con mayor ahínco estar fuera de él. Los problemas tienden a generarnos ansiedad, los proyectos por el contrario, ánimo y acción.

La historia nos demuestra, a través de innumerables personajes, la gran capacidad que tenemos para enfrentar fracasos, remontar obstáculos y llegar a la meta cuando se tiene una visión clara, definida y constante de lo que anhelamos alcanzar.

La técnica del «Espejo de la Mente®», que expondremos al finalizar este capítulo, es una extraordinaria herramienta para que nuestro trabajo subjetivo dé sustento motivacional al esfuerzo de nuestro trabajo objetivo. El único y verdadero motivador en tu vida eres tú mismo. De lo que en ocasiones escuches de otros, pero lleves a la práctica por ti mismo, dependerá que te muevas en la dirección correcta.

Esta técnica te servirá tanto para resolver problemas así como para alcanzar metas que son significativas o siempre has anhelado lograr. De igual forma puedes utilizarla para mejorar tus relaciones interpersonales, tus actitudes o desarrollar una habilidad que te gustaría poseer.

Con esta técnica muchas personas han obtenido un mejor empleo, una beca, mejorar sus ingresos substancialmente, encontrar una pareja, incrementar sus ventas, recobrar su salud... En ti está la capacidad para atraer todas las cosas buenas que deseas. Algunos parecen estar descubriendo apenas el «secreto» detrás del éxito, sabiduría milenaria para la cual nuestra metodología nos ha dado el cómo lograrlo, sencilla y de manera abierta, desde hace décadas.

Gran parte de ese «secreto» está en el poder de la intención, como han llamado los científicos a nuestra capacidad de enfocar nuestros pensamientos, lo que parece producir una energía suficiente que puede llegar a cambiar la realidad misma.[34]

El poder de nuestra intención es mucho más grande de lo que solemos pensar, como varias investigaciones lo han demostrado. Cada pensamiento que tenemos tiene el poder de transformar. Un pensamiento no es tan sólo una «cosa», un pensamiento es lo que influye a todas las demás cosas. La realidad no es algo fijo, sino algo mutable que fluye, y por lo tanto, abierto a toda influencia. Si la realidad es transformable y nuestra conciencia es una influencia rectora, todo apunta a que nuestra conciencia-pensamiento pueda hacer fluir las cosas en una u otra dirección.

La definición más común de lo que significa «intención», la puntualiza como «un plan con propósito para realizar una acción que nos llevará a un resultado deseado».[35]

El «Espejo de la Mente®» es una técnica que nos permite focalizar nuestra intención y trabajar en la dirección adecuada para alcanzar los resultados que deseamos. La utilizaremos para programar nuestras metas y visualizar la solución a nuestros proyectos.

Para las personas que deciden trabajar por sus resultados, la realidad les demuestra que más que necesitar suerte para tener talento se requiere de talento para tener suerte, y éste consiste en SABER PENSAR de manera correcta, canalizando nuestra intención.

Ya desde la década de los 80´s en la Universidad Lund de Suecia, los doctores Lassen, Ingvar y Skinhof, mostraron a nuestro cerebro como un simulador de nuestra conducta el cual nos hace llevar a cabo las acciones necesarias, de acuerdo a las imágenes que le proyectamos. Responsabilizarnos por nuestros resultados es el gran impulso para lograr lo que nos proponemos. María Teresa Contreras nos dice que:

«El éxito no requiere explicación; una persona triunfadora siempre ve una respuesta para cualquier problema y el necio siempre ve un problema como toda respuesta».

Aunque los extraordinarios resultados que esta técnica nos da puedan parecer «mágicos», es necesario recordar que la única magia es la que está dentro de ti. Lo que hace posible la efectividad es que a través de tus imágenes, tú mismo pones en acción los tres grandes motores de tu motivación:

EL DESEO. Esta es la **energía que nos impulsa** y nos pone en movimiento para alcanzar algo, nos involucra emocionalmente y nos genera necesidad, convirtiendo a nuestra meta en algo por lo que de forma decidida emprendemos el camino.

LA CREENCIA. Crear en nosotros un esquema que nos hace vislumbrar posibilidades se convierte en una **energía que nos mantiene luchando** por lo que anhelamos, a pesar de los obstáculos o contratiempos; implica apertura para concebir como posible lo que otros consideran imposible y nos genera seguridad en nosotros mismos. Con tal certeza seremos capaces de trabajar por nuestros objetivos con determinación y confianza.

LA EXPECTACION. Esta es la **energía que atrae** y promueve las condiciones favorables para lograr resultados; implica nuestra predisposición, que nos hace estar preparados y nos lleva a mantener apertura y atención a las oportunidades que se presentan, dándonos la capacidad de aprovecharlas pronta e inteligentemente. Nos genera la esperanza que nos hace capaces de perseverar hasta lograr.

Tu deseo, creencia y expectación te llevarán a crear las circunstancias necesarias para convertir a tus sueños en realidad, dándote el impulso, la fortaleza y la esperanza para persistir hasta lograr. Anthony de Mello nos recuerda que no debemos sentarnos a esperar.

«¿Y cuándo piensas realizar tu sueño? —le preguntó el maestro a su discípulo—. Cuando tenga la oportunidad de hacerlo —respondió éste. El maestro le contestó—: La oportunidad nunca llega. La oportunidad ya está aquí».

VALORES

«El éxito es para quienes con voluntad iluminada por la inteligencia, se sostienen en los valores de su corazón».

RAR

Si definimos el éxito de acuerdo a las características que mencionábamos al inicio de este capítulo, una vida exitosa para ser genuinamente satisfactoria, exige la práctica de valores. Considero que siete de ellos están de manera muy estrecha relacionados a los logros que nos dan autentica satisfacción, sentimientos de plenitud y realización personal, así como capacidad y alegría de compartir.

Valores

- La verdad
- La bondad
- La belleza
- La responsabilidad
- La esperanza
- El amor
- La fe

LA VERDAD. Pocas cosas pueden generar más confianza en nuestra persona y el sentimiento de «fluir», como el valor de la verdad, que implica honestidad íntegra. La verdad nos ayuda a reconocer por cuánto debemos mostrar gratitud, como punto de partida ante todo lo que emprendemos.

LA BONDAD. Lo que nos conecta con autenticidad a los demás, fortaleciendo nuestra inteligencia emocional y ayudándonos a construir puentes por donde, tal vez algún día, tendremos nosotros mismos que cruzar.

LA BELLEZA. El sentido del equilibrio y la excelencia. Crear belleza con lo que hacemos no sólo nos brinda una experiencia de satisfacción, también colabora con la construcción de un mundo cada vez mejor para todos los que nos rodean.

LA RESPONSABILIDAD. Nos compromete con la realización de nuestro mejor esfuerzo, asumiendo la consecuencia de nuestras decisiones, lo que nos debe hacer conscientes de la promoción de la justicia y del efecto que nuestros logros causan en nuestro entorno.

LA ESPERANZA. Es este el valor que sostiene nuestro optimismo, y que sin desprenderse de la realidad, nos impulsa para luchar por lo que anhelamos; perder la esperanza nos hace transitar hacia la apatía y el sin sentido.

EL AMOR. ¿Puede acaso darse una vida exitosa en el vacío del desamor? Este valor es el que nos da verdadera plenitud y nos permite hacer de nuestro éxito un campo de expansión que también incluye a los demás.

LA FE. Es el apoyo central que nos sostiene a pesar de los fracasos y contratiempos del camino. Es el valor que nos hace posible volver a empezar, cada vez que sea necesario. Detrás de toda persona de éxito ha estado su fe que le ha hecho creer que era posible, lo que otros afirmaban, que era imposible.

Los valores son una estrategia de gran importancia, ya que una vida exitosa, para ser genuina, lleva inherente a ella el anhelo de aportar a nuestra sociedad, de manera solidaria, crecimiento, bienestar y prosperidad.

Los valores son los que nos ayudarán a construir abundancia, sin avaricia; satisfacción genuina y duradera, sin egocentrismo ciego; bienestar y progreso, sin injusticia; alegría y fraternidad, sin caer en el camino fácil que ofrece todo a cambio de nada o pretende convertir a los demás en «asistidos», ignorando su potencial y dignidad.

Friedrich von Schiller decía: «A través de las décadas el éxito verdadero ha sido de aquellos que perciben las necesidades públicas y saben satisfacerlas». Por esto la vida exitosa y grandeza de una persona consiste en lograr lo que incluya grandes propósitos, los cuales se encuentran en las vidas personales de los que sirven a sus semejantes, beneficiando a sus congéneres y convirtiéndose en una bendición para su entorno, para su nación y para el mundo.

Todos podemos alcanzar el éxito cuando comprendemos y asumimos su verdadero significado, llevándonos a cumplir nuestra misión y a darle sentido a nuestras vidas. Joseph Campbell afirmaba:

«Sigue a tu felicidad interior y el universo abrirá puertas para ti, donde antes había sólo muros».

Independientemente de cualquier circunstancia, en nosotros está la capacidad de remontar los obstáculos y resolver los problemas que sentimos nos impiden lograr nuestros sueños, ya que lo importante no es lo que nos sucede, sino lo que nosotros hagamos con lo que nos sucede. Si deseamos vivir con éxito es porque anhelamos ser felices, asegurándonos de que la felicidad surja desde nuestro interior. ¿Se podrá?

Estoy firmemente convencida de que Dios desea para cada uno de nosotros felicidad y plenitud, más allá de nuestra más atrevida imaginación, y que aquí en este mundo y vida Él ya la dispone para nosotros, sin embargo hay un precio que pagar por ella y pocas personas lo expresaron mejor que el historiador romano Cornelio Tácito:

«Amor en tus sentimientos, justicia en tus actos, inteligencia en tus empresas, tacto en tus relaciones, servicio a tus semejantes, Dios en tu alma y férrea disciplina en ti. Sólo eso te pide la vida en precio por tu felicidad».

EJERCICIO:
Reflexión sobre nuestras estrategias

¿Qué tipo de trabajo o qué actividades me hacen fluir cuando las realizo y por qué?

____

____

____

¿Qué es lo que realmente deseo alcanzar?

____

____

____

¿A dónde me llevará alcanzar lo que deseo?

___

___

___

¿Quién o quiénes están o estarán involucrados en este proyecto? y ¿cómo se verán afectados?

___

___

___

¿Qué acciones debo tomar ya?

___

___

___

¿Qué hábitos me están impidiendo alcanzar mis metas y cuáles tendría que desarrollar para lograrlas?

___

___

___

¿Dónde me encuentro ahora en relación a mi meta?

___

___

___

¿Qué tendría que hacer a corto, mediano y largo plazo?

¿Cuándo tendría que hacer mi primera evaluación de resultados?

¿Qué cambios son necesarios en mi vida para alcanzar mis metas?

¿Cómo podría empezar a ejercitar mi voluntad cotidianamente?

¿Cuáles son las aptitudes que requiero y debo desarrollar?

¿Cuál de estas cuatro estrategias: motivación, aptitud, optimismo o valores es la que más debo fortalecer?

___

___

___

EJERCICIO:
Técnica «espejo de la mente»®

El nombre que se le ha dado a esta técnica es ante todo un símbolo: Un espejo es donde algo se refleja y en este caso el «Espejo de la Mente®» es donde se van a reflejar nuestros pensamientos a través de las imágenes que proyectamos. Ésta consiste en visualizar una primera imagen que representa nuestro problema, con lo que aceptamos la situación como una realidad y nos podemos detener a analizarla. Esta primera imagen que proyectamos frente a nosotros, en el área de nuestra «Pantalla Mental®» (que explicamos en el capítulo cuatro) la vamos a colocar dentro de un marco de color oscuro, que nos ayuda a representar una imagen que no causa tanto impacto ni tiene tanta fuerza y que está especificada en sus límites.

Una vez que hemos determinado cuál es la solución, lo que esperamos como resultado positivo, borraremos esa primera imagen y a la izquierda, contenida en un marco de color blanco, proyectaremos la imagen que representa la solución. El color blanco simboliza la luz y lo asociamos con darle a esta imagen toda la energía y fuerza; proyectarla hacía la izquierda promueve el uso del hemisferio derecho que favorece nuestra capacidad de manejar imágenes y espacios visuales. El hemisferio derecho «administra» nuestra creatividad y nos favorece la habilidad de proyectar imágenes y visualizar cada vez con mayor claridad.

A partir de esta primera vez, cada vez que entremos en un nivel de relajación o cada vez que pensemos algo respecto a este problema, visualizaremos únicamente la imagen de la solución, a la izquierda con el marco blanco. Con esto nos estaremos enfocando en el proyecto, «estar fuera del pozo» evitando así el agobio que muchas veces nos ocasiona seguir contemplando el problema.

Cuando utilizamos la técnica para programar una meta, no habiendo un problema específico que resolver, nuestra primera imagen puede representar dónde estamos ubicados actualmente en relación a ese objetivo.

La programación de nuestras metas debe convertirse en una tarea cotidiana. La visualización diaria de nuestro proyecto nos moverá en la dirección adecuada y atraerá los resultados que esperamos. Esto depende exclusivamente de tu determinación y tu enfoque. Como nos recuerda Epicteto:

«Tu felicidad depende de tres cosas que están bajo tu control: tu voluntad, tus ideas respecto a los eventos y el enfoque que hagas de tus pensamientos».

Es importante que la imagen que representa tu solución sea realmente la meta alcanzada y no los pasos intermedios que tendrás que dar para llegar a ella. Si vives en México y tu objetivo es llegar a Estocolmo, ¿para qué visualizas el aeropuerto de Nueva York? Visualizar tu meta debe despertar en ti la emoción de haberla alcanzado e involucrar todos tus sentidos. La «ves», la «oyes», la «hueles», la «sientes», la «vives»...

Habrá quien cuestione: ¿pero es que acaso nada tendremos que hacer y los eventos acontecerán como caídos por la chimenea? Obviamente la respuesta es no, sin embargo, mantener tu enfoque en la meta es lo que te llevará a realizar de manera adecuada todos los pasos intermedios. Si tu meta es realizar una venta, debes visualizar el trato hecho, cerrado y pagado y no tan sólo a los posibles clientes que pueden no llegar a hacer la compra.

Convertir a nuestros problemas en proyectos, como lo hacemos en esta técnica, puede transformar por completo nuestra mentalidad. El que habla de su problema de trabajo sigue estando en el mismo sitio, el que dice tener un proyecto de trabajo implica que ya ha emprendido el camino para resolverlo. Existe una diferencia abismal que distingue al que se siente víctima, del que asume el protagonismo y responsabilidad por su propia vida.

Cómo aplicar la técnica

Entra al nivel básico de relajación usando el método del 3 al 1 (que ya has aprendido a utilizar desde el capítulo dos).

Una vez en tu nivel básico de relajación proyectarás en el área de tu Pantalla Mental el «Espejo de la Mente» con marco azul oscuro. En él visualizarás la imagen del problema, ya sea cosa, persona o escena y harás un buen estudio y análisis de la situación.

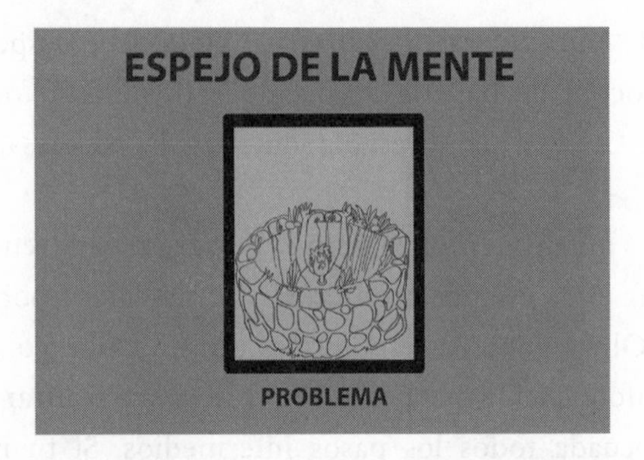

Una vez estudiado y analizado el problema, borrarás la imagen del problema, moverás el espejo hacia la izquierda, y cambiarás el marco del espejo a color blanco. En él proyectarás la imagen del problema ya resuelto.

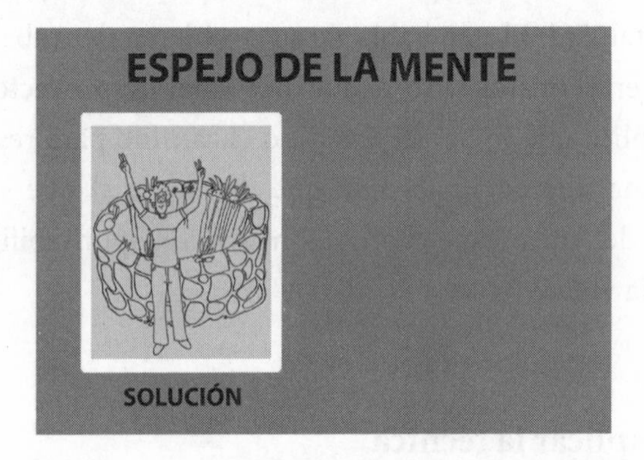

El tiempo de visualización depende de que evoques la emoción de haber logrado el resultado. Una vez hecho esto saldrás de tu nivel usando la cuenta del 1 al 5, como lo haces al terminar tu relajación.

De ahí en adelante programarás tu proyecto o meta diariamente y cada vez que pienses en esa situación u objetivo, aun con tus ojos abiertos, visualizarás tu resultado.

6

Horizontes de creatividad

«Hay que exigirle al hombre no solamente el esfuerzo de comprender, como exigía Hegel, sino también el esfuerzo de imaginar».

LADISLAO BOROS

Así como Sigmund Freud nos mostró que nuestro pasado puede influir en nuestro presente, de igual forma la Psicología Humanista, Cognitiva y Positiva nos ha mostrado cómo nuestra visión de futuro puede también afectar nuestro presente.

¡Somos seres en constante proceso de ser! Nuestros ojos siempre están llenos de horizontes y destinos. De nuestra imaginación y creatividad depende la visión de futuro que tengamos y ella es, en gran parte, responsable de cómo nos sentimos hoy. Miguel de Unamuno nos recordaba que:

«Somos más padres de nuestro futuro que hijos de nuestro pasado».

De nosotros depende la amplitud de nuestros horizontes,

que se estrecharán o abrirán de acuerdo a nuestra capacidad intuitiva y creativa. ¿Qué hacer cuando sentimos no poseer estas habilidades? Solemos asociar a la intuición y a la creatividad con personas extraordinarias: los grandes «genios» científicos o artísticos. No acostumbramos concebirnos a nosotros mismos como capaces de desplegar estas facultades, tal vez porque nuestra educación se ha encargado de difamar a nuestra imaginación, asociándola con las distracciones que nos impiden concentrar nuestra atención y con ese mundo de imágenes «fantasmagóricas» que despiertan en nosotros ansiedad y nostalgias. Sin embargo, la imaginación resulta ser el don primordial y el sustento de nuestras percepciones intuitivas y de nuestras ideas creativas.

Puesto que no son nuestros pies los que nos impulsan hacia delante, sino nuestra mente, educar nuestra subjetividad se convierte en una tarea prioritaria; adquirir control sobre nuestra imaginación es el esfuerzo indispensable, que debemos realizar para llegar a utilizar a la intuición con inteligencia, y para el desarrollo efectivo de nuestra capacidad creativa.

EDUCACIÓN SUBJETIVA

«Pensar es recogerse en una impresión importante dentro de nosotros mismos y proyectarla en un juicio personal».

HENRI FRÉDERIC AMIEL

Educar a nuestra subjetividad es determinante para SABER PENSAR. Con frecuencia nos involucramos con las impresiones que dentro de nosotros mismos surgen y con base en ellas describimos la realidad y emitimos juicios en relación a las personas y a las circunstancias. De que esas impresiones sean correctas o no, dependerá gran parte de nuestro navegar con sabiduría o de quedar encallados en los problemas.

En el capítulo dos expusimos la doble realidad que nos constituye la dimensión exterior y la interior, apuntábamos entonces a cuán limitada puede ser nuestra vista y de cómo ese mundo «invisible» juega un papel importante en nuestra vida.

En lo que se refiere a la información que recibe nuestro cerebro y con la cual determinaremos el curso a seguir para resolver las situaciones que enfrentamos, podemos llamar a estas dimensiones objetiva y subjetiva.

DIMENSIONES

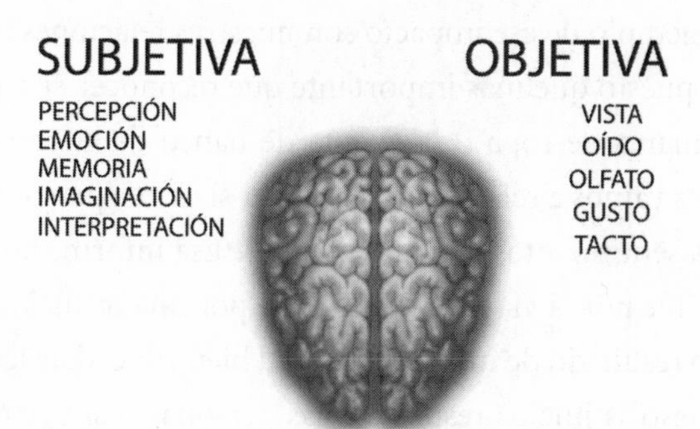

Lo objetivo alude a todo aquello que nuestro cerebro puede registrar por medio de los sentidos físicos: todo lo que vemos, oímos, olemos, tocamos y gustamos. Esta información es importante y constituye la realidad tangible que podemos constatar físicamente.

Lo subjetivo alude a todo aquello que nuestro cerebro también registra por medio de los sentidos internos: Nuestra percepción, que puede estar condicionada por nuestras creencias o prejuicios; nuestra emoción, que puede estar teñida por el estado de ánimo; nuestra memoria, que por experiencias pasadas puede añadir o eliminar información respecto a la situación presente; nuestra imaginación, que puede dispararse creando supuestos o ayudarnos a vislumbrar realidades más profundas; nuestra interpretación que por todo lo anterior puede ser acertada o distorsionante para la realidad.

Una de las cosas que más nos ayuda a resolver problemas es contar con la mayor cantidad de información posible; debemos ser conscientes de que nuestros sentidos físicos no son capaces de captar toda la información que necesitamos, siendo, tal vez, la de mayor importancia o impacto, la que nuestros sentidos subjetivos nos proveen.

Un ejemplo de ese impacto son nuestras relaciones interpersonales, puesto que más importante que reconocer el aspecto físico, la marca de ropa o la cuenta de banco de la persona con quien nos vamos a relacionar, será saber si es una persona honesta, si sus sentimientos son auténticos... Esa información nunca es asequible por la vía objetiva, pero sí por una intuición acertada como resultado de una subjetividad bien educada. Después de todo, nuestros juicios respecto a las personas o situaciones son una proyección de nuestro pensamiento, de lo que interiormente es importante para nosotros.

Cuando enfrentamos cualquier situación nuestros sentidos físicos nos proveen de información objetiva, de igual forma nuestros sentidos internos también aportarán información desde nuestra subjetividad. Entonces nuestra realidad será conformada por la información recibida por ambas vías. Sin embargo, la información subjetiva puede llegar a influir de una manera más determinante en nuestra valoración de la realidad. Abundan ejemplos que nos ilustran cómo nuestra subjetividad puede llegar a pesar más en nuestra descripción de la realidad, que lo que objetivamente hemos registrado por nuestros sentidos físicos.

Cuando alguien te pregunta si has conocido a cierta persona en alguna reunión, y te pide que le digas cómo es, la descripción física nunca será a la que le des mayor importancia y así, aunque puedas decir que es una persona bien parecida o desgarbada, harás hincapié en mencionar que es una persona simpática, o muy inteligente, o agradable o desagradable. Sin embargo la realidad de la simpatía, la inteligencia, o lo agradable, es fundamentalmente resultado de tu percepción, o de la emoción que esa persona pudo haber despertado en ti, o de la manera en que un dato de tu memoria se haya asociado, o de cómo tu imaginación haya creado una idea respecto a esa persona y de cómo has interpretado sus gestos, o sus palabras, o su disposición. De seguro para alguien más que estuvo presente y que también conoció por primera vez a esa persona que tú describes, el relato podría ser muy distinto.

Cuando realizamos un viaje no lo describimos en términos de: «Abordamos el avión a las 18:50... el hotel estaba ubicado en la esquina de la calle 35 con la Avenida Central... permanecimos cuatro días y tres noches en la ciudad visitada posteriormente, a la que arribamos por vía terrestre después de un recorrido de cuatro horas y 25 minutos... la comida estuvo siempre preparada con especies desconocidas... los horarios de los museos eran de las 10 a las 18 horas... la gente por lo general era de complexión regular, con piel apiñonada y de mediana estatura... el clima se mantuvo dentro de los 23 grados centígrados...»

Cuando describimos un viaje lo hacemos expresando: «Fue espectacular... el servicio del avión muy bueno... el hotel estaba muy bien ubicado... los días se hicieron muy cortos... el viaje por carretera fue precioso, los paisajes maravillosos... la comida fue una experiencia nueva, las especies le daban un sabor exótico... la visita a los museos fue genial... la gente era muy amable y con buena disposición... el clima estuvo perfecto...» Sobra decir que cada persona que viajó, aun los integrantes de una pareja, podrán dar una descripción diferente, como si hubieran viajado a dos sitios distintos.

La valoración que damos a la información que recibimos depende más de nuestros sentidos subjetivos. Por ello reza el tradicional refrán: «Nada es verdad y nada es mentira, todo depende del cristal con que se mira», ese cristal es nuestra subjetividad.

La forma en que nosotros interpretamos las cosas nos puede llevar a graves malos entendidos o al desarrollo de la empatía, que nos permite, desde un lugar en común, llegar a acuerdos y resolver situaciones.

Nos expresamos con frecuencia en términos de lo subjetivo: «¿Por qué me estás mirando feo?», pero en realidad ¿qué quiere decir mirar feo? Muchos conflictos se generan por este tipo de expresiones que pueden disparar respuestas muy ajenas a la realidad; educar nuestra subjetividad no es un lujo, sino un requisito para mejorar nuestra calidad de vida.

Un ejemplo que nos ilustra la importancia del equilibrio que deben guardar la dimensión objetiva y subjetiva es el que compara al ser humano con un submarino.

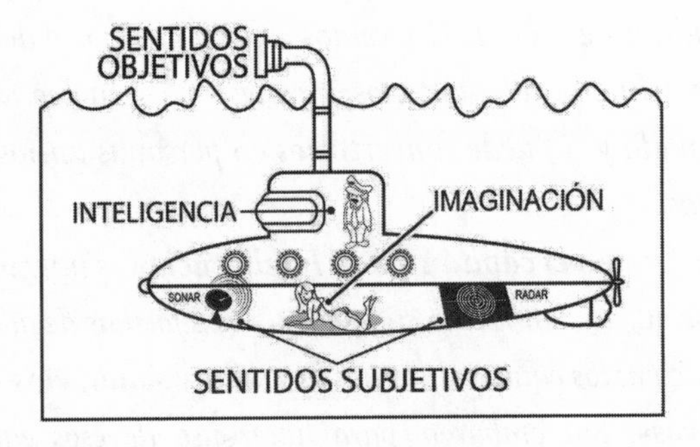

*El submarino navega tanto por aguas serenas como en medio de corrientes turbulentas. Es conducido por **el capitán «Don Inteligencia»**, quien para reconocer hacia dónde y cómo dirigir el submarino eleva con frecuencia **el periscopio, «los sentidos físicos»**, con el cual detecta si hay barcos a su alrededor, qué tipo de barcos son, o qué tan distante puede encontrarse de la costa.*

El capitán utiliza el periscopio para determinar su rumbo, como nosotros utilizamos la información objetiva para nuestra toma de decisiones. Sin embargo la mayor parte de las cosas que nos afectan a ti y a mí no podemos verlas a simple vista, guiarnos únicamente por los sentidos físicos nos puede llevar a cometer terribles errores.

*Hay días en que el capitán manda elevar el periscopio y se encuentra con una densa niebla que cubre la superficie del agua, la cual le impide ver y obtener la información que necesita. **¿Cuántos días nublados y oscuros enfrentamos tú y yo en nuestro diario vivir? ¿Cuántos días o situaciones hay en las que no «vemos claro»?** Por desgracia, cuando no hay claridad* *ni certidumbre, nos entristecemos o preocupamos y detenemos el submarino, paralizándonos; pero eso no resuelve absolutamente nada y sí puede convertirnos en personas ansiosas o deprimidas.*

Por fortuna ***el capitán «Don Inteligencia»*** *es muy inteligente y sabe que el submarino cuenta con otras formas de adquirir la información: los equipos internos de* ***radar y sonar, «los sentidos subjetivos»****. Sin embargo, para hacer uso de esos equipos se requiere de un especialista que sepa manejar e interpretar los símbolos en la pantalla del radar y los sonidos en el sonar. Desafortunadamente en la mayoría de los casos ese miembro de la tripulación no ha sido educado para tener disciplina y, siendo una «****mujer muy seductora****», tiende a distraer con facilidad a sus demás compañeros tripulantes, pero sus habilidades son indispensables para la navegación, y si realiza su trabajo de manera adecuada, la información que le da al capitán puede ser mucho más acertada y valiosa que la que le brinda el periscopio.*

Esa mujer seductora que tanto distrae a la tripulación, pero que es la especialista en el manejo de los equipos internos es: **la imaginación**, la misma que a ti y a mí nos distrae o nos puede crear «fantasmas», pero de la cual depende nuestra intuición y nuestra creatividad.

Por ejemplo, la imaginación es la que nos lleva a pensar, cuando un miembro de la familia se ha retrasado, que algo terrible debe haberle sucedido, pero es también ella la que nos ayuda a intuir una alternativa más acertada y a descubrir opciones más creativas para resolver el problema, si éste fuera real.

Una imaginación descontrolada, como bien lo hemos experimentado, puede generarnos estados de ánimo deplorables y convertirnos en su víctima. Sin embargo, la imaginación es una valiosa facultad mental de gran trascendencia que debemos educar. Albert Einstein afirmaba con insistencia:

«Más poderosa e importante que el conocimiento es la imaginación».

Nuestra **«voluntad», el motor del submarino** y nuestra **«inteligencia», el capitán**, deben ser quienes dirijan a este importante miembro de la tripulación para que realice el trabajo que le corresponde.

Tanto el periscopio como el radar y el sonar, en esta metáfora, representan la diferencia de especialización de nuestros dos hemisferios cerebrales: el izquierdo, analítico, lógico, matemático, racional; el derecho, holístico, intuitivo, musical, creativo. Ambos en comunicación permanente a través de la estructura del cuerpo calloso, pero lamentablemente viviendo en una sociedad que ha favorecido más el uso y desarrollo del izquierdo sobre el derecho.

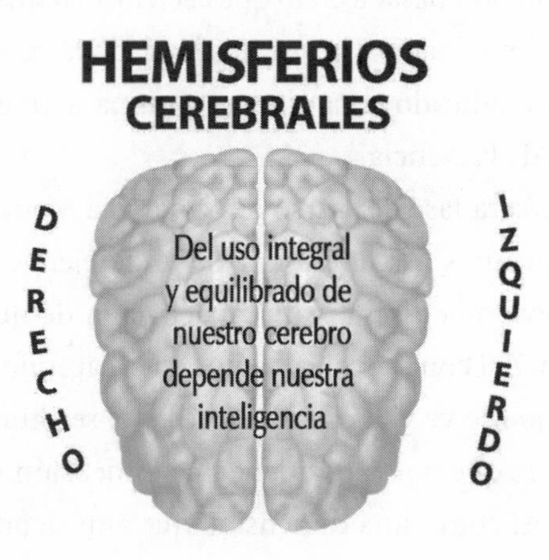
HEMISFERIOS
CEREBRALES
DERECHO
IZQUIERDO
Del uso integral
y equilibrado de
nuestro cerebro
depende nuestra
inteligencia

Nuestra inteligencia no depende de la información. Hay personas que a pesar de sus muchos títulos no saben cómo responder a los problemas más importantes de la vida; en cambio hay otras que sin título alguno desarrollan una extraordinaria capacidad para enfrentar y resolver los grandes retos que la vida les presenta. El conocimiento y la cultura nos ayudan a ser inteligentes, pero no son determinantes para nuestra sabiduría, así como nuestra intuición y creatividad sí lo son.

Tristemente desalentamos el uso de la imaginación diciendo que lo que proyecta son «tonterías», cuando en realidad nuestra mejor aliada para el aprendizaje, así como para la creatividad, es la imaginación misma.

El progreso se debe tanto a personas con una sólida formación académica, así como a los que se han atrevido a imaginar, siendo certeros en lo que imaginan. Sin la imaginación Miguel Ángel no habría pintado la Capilla Sixtina; Beethoven no habría compuesto la Novena sinfonía siendo sordo; ningún científico habría logrado resultados, puesto que en el principio de su método está la hipótesis, que en primera y última instancia no es más que una intuición basada en lo que el científico imagina que puede ser. Es la imaginación la que nos ha dado las grandes obras de arte y nos ha indicado el camino a seguir para los grandes descubrimientos de la ciencia.

En la tercera fase del curso de Dinámica Mental Método Silva nos dedicamos a realizar una serie de ejercicios que tienen como propósito la disciplina y capacitación de nuestra facultad imaginativa. Así como explicábamos en el capítulo dos la dimensión de lo que se ve y la que no se ve en el ser humano, de igual forma todo lo que nos rodea tiene una dimensión visible, tocable y medible, así como una dimensión que aun siendo constitutiva de la realidad de las cosas no nos es visible, tocable o medible. Si no fuéramos capaces de imaginar que hay algo más que ver detrás de lo visible a los ojos, Johannes y Zacharias Janssens no hubieran inventado el microscopio en 1590, y Antony Van Leeuwenhoek, no lo hubiera desarrollado en 1650.

Nuestra renuencia a aceptar el papel que la imaginación desempeña en nuestro progreso ha sido causa de mucho dolor a costos muy altos en la vida de muchos visionarios.

En el siglo XIX el doctor Ignác Semmelweis se atrevió a retar a la comunidad médica, afirmando que la fiebre puerperal, de la que morían tantas mujeres al dar a luz, era inducida por los mismos médicos, ya que al trasladarse de la sala de estudios de patología con cadáveres, a la sala de partos, eran ellos los que llevaban en sus manos lo que provocaba el problema y lo cual podía evitarse con el solo hecho de que se lavaran las manos a conciencia con una solución desinfectante. La burla fue generalizada, ¿qué podía estarse transportando en las manos?, y más aún, en las manos de un médico.

A pesar de que entre las pacientes de Semmelweis el promedio de muertes se redujo radicalmente del 18% al 1%,[36] el escepticismo de sus colegas ante lo invisible provocó rechazo a la recomendación.

En 1849, ante el repudio de sus colegas, el doctor Semmelweis fue reemplazado como director de la primera división de obstetricia en el Hospital de Viena, y a partir de ese hecho, fue perdiendo toda posibilidad de ejercer su profesión. Los editores del Boletín Médico de Viena escribieron: «Creemos que esta teoría de lavarse con desinfectante no tiene ningún uso práctico... No nos engañemos con esta teoría». Deprimido y con signos de Alzheimer, Semmelweis murió el 13 de agosto de 1865, solo y desacreditado.

Dos años después el doctor Joseph Lister mostró al mundo que las superficies sin asepsia tenían gérmenes y que éstos podían ser letales para la cirugía y la obstetricia. En 1879 Luis Pasteur, finalmente proveyó la pieza que faltaba en el argumento de Semmelweis, identificando a la bacteria estreptococo, la cual causaba la fiebre puerperal. La profesión médica por fin se convenció y adoptó los métodos de Semmelweis. Su memoria fue resucitada y se le consideró un héroe.

Hoy en día, en su natal Budapest, existen hospitales, museos, bibliotecas, estatuas y una importante escuela médica, dedicados a sus logros. Viena, que tanto lo despreció, se enorgullece ahora de que el doctor Ignác Semmelweis haya sido parte de su historia.

La experiencia de este gran médico se ha repetido tantas veces con tantas diferentes personas, que vale la pena preguntarnos, ¿hasta cuándo aprenderemos a tener humildad suficiente para reconocer que nuestros sentidos físicos son muy limitados en su percepción de la realidad?

Cada uno de nuestros sentidos físicos tiene su contraparte en nuestra imaginación; tenemos la capacidad de crear imágenes visuales, auditivas, olfativas, táctiles, gustativas… Gracias a ellas existen la pintura, la escultura, la música, los perfumes, las texturas sintéticas y la alta cocina. Todo proceso creativo se inicia con algo que se imagina.

Cada uno de los ejercicios de esta tercera fase del curso va capacitando a nuestra imaginación para alcanzar el desarrollo de una intuición acertada y una creatividad eficiente.

Aunque nos parezca que ejercitarnos imaginativamente no tiene ningún sentido, el proceso es necesario para alcanzar los logros que nos proponemos. De una imaginación educada dependen tus resultados.

¿Cómo aprendemos a imaginar? Imaginando, y qué mejor que hacerlo explorando la realidad interior del mundo que nos rodea.

MENTE ECOLÓGICA

«... Todo lo que hay en la naturaleza es bello, porque tus ojos, aceptando intrépidamente toda la verdad exterior, leen allí, como en un libro abierto, toda la verdad interior».

AUGUSTE RODIN

Enfrentamos severos problemas de contaminación que han envenenado nuestros ríos, el aire que respiramos y casi cualquier ambiente en el que nos movemos. Los cambios climatológicos que hemos provocado nos amenazan con fenómenos naturales cada vez más violentos. ¿Será la implementación de leyes un medio suficientemente efectivo para que reaccionemos?

Creemos que, no obstante los protocolos firmados y reglamentos establecidos, mientras no haya un cambio en nuestra conciencia, seguiremos procurando burlar las normas. Contemplar a la naturaleza desde nuestra interioridad, para descubrir su realidad más profunda, es probablemente lo que más nos puede ayudar a recobrar el equilibrio y a comprender nuestro lugar en la relación que desempeñamos con los reinos mineral, vegetal y animal.

Los seres humanos influimos sobre nuestro entorno y en los diversos niveles de la materia. Como sabemos, la expectativa de un investigador puede influir sobre los resultados de la investigación. Actualmente la investigación científica nos demuestra el poder de nuestra intención y cómo podemos afectar a la materia misma a través de nuestro pensamiento. Al fin de cuentas, el científico Heinz Von Foerster, doctor en Física y arquitecto de la Cibernética, tenía razón al afirmar:

«La objetividad es la ilusión de que las observaciones pueden hacerse sin un observador».

HEINZ VON FOERSTER

El decano emérito de la Escuela de Ingeniería de la Universidad de Princeton, el doctor Robert Jahn y su colega la psicóloga Brenda Dunne, quienes dirigen el laboratorio de investigación PEAR, en dicha institución, han acumulado durante 30 años abundante evidencia sobre cómo la intención dirigida del ser humano puede afectar el funcionamiento de las máquinas. En el curso de más de 2.5 millones de pruebas los doctores Jahn y Dunne demostraron definitivamente que la intención humana puede influir sobre equipo electrónico en direcciones específicas.[37] Sus resultados fueron replicados de manera independiente por 68 investigadores más.

Esto podría explicarse por el hecho de que cada partícula subatómica no es sólida ni estable, tan sólo existe como potencial de cualquiera de sus formas futuras, lo que se conoce en la física como «superposición», o suma de todas las probabilidades. En algunas instancias pareciera ser que es nuestra conciencia la que puede influir en esas probabilidades. El universo no es un contenedor de objetos separados y estáticos, sino un gran organismo de campos de energía interconectados en un continuo estado potencial de ser. Esto implica que la realidad no es algo fijo, sino mutable, y por lo tanto, abierta a ser influida.

El más grande y persuasivo conjunto de investigaciones ha sido reunido por el director de investigación de la *Mind Science Foundation* en San Antonio, Texas, el doctor William Braud, quien con sus colegas ha demostrado que nuestros pensamientos pueden afectar la dirección en que nadan los peces, el movimiento de otros animales como los jerbos (mamífero roedor del norte de África, del tamaño de una rata), y la subdivisión de las células en un laboratorio.[38]

Cleve Backster fue uno de los pioneros en proponer que la intención humana afectaba a las plantas, una idea entonces considerada absurda que, sin embargo, ha podido comprobarse como acertada.[39] Todo apunta a que todas las formas de vida están exquisitamente sintonizadas unas con otras, intercambian información y se ven afectadas por la intención.

Para entrar en armonía con todo lo que es, para que nuestra intención pueda ayudarnos a mejorar nuestro entorno, resolver problemas y ser mejores, debemos empezar por saber observar detenidamente. La observación nos lleva al conocimiento, el conocimiento a la comprensión, la comprensión al respeto y el respeto al amor. Cuando descubrimos el auténtico significado de amar apreciamos su verdadero poder. Teilhard de Chardin ya nos lo hacía comprender al decirnos:

«Algún día, después de que hallamos adquirido dominio sobre los vientos, las mareas y la gravedad, utilizaremos y cosecharemos para Dios las energías del amor, y entonces, por segunda ocasión en la historia del mundo, el hombre habrá descubierto el fuego».

«**Ama y haz lo que quieras**» decía San Agustín, pero resulta que amar no es tan fácil como creemos. Amar significa vibrar en armonía con todo lo que nos rodea. Hemos confundido el amor con la autosatisfacción. Amar es servir, empatizar, es la entrega que nos libera y hace crecer nuestro potencial. A la naturaleza hemos de tratarla con amor y respeto. Su respuesta, abundante o violenta, no será más que la réplica de la forma en que hemos pretendido dominarla.

APRENDER A MIRAR CON LOS OJOS CERRADOS

«Lo esencial es invisible para los ojos, sólo con el corazón se puede ver bien».

ANTOINE DE ST. EXUPERY

Así como cuando somos pequeños, nuestros padres y maestros nos ayudan a descubrir el mundo a través de nuestros sentidos físicos y a nombrar las cosas para poderlas reconocer desde su realidad objetiva, tendremos también que emprender un viaje fantástico al interior de la materia, para establecer los puntos de referencia que posteriormente nos ayudarán a identificar la información, desde la realidad subjetiva y a utilizar nuestra intuición.

Al igual que damos nombre a las calles, como referencia que nos sirve para llegar a un sitio, debemos ir estableciendo referencias subjetivas que nos ayuden a identificar acertadamente la manera en que nuestra percepción subjetiva capta información, desarrollando así una intuición acertada y útil para resolver problemas.

Al igual que en lo objetivo usamos distintos puntos de referencia para llegar a un sitio, ya que habrá quien utilice el nombre de la calle, pero también quien haga alusión a un monumento, o algún edificio público, nuestros puntos de referencia subjetivos serán igualmente diferentes para cada uno de nosotros. Nuestra forma de percibir es siempre única, lo significativo es que sea correcta.

Todos hemos vivido la experiencia de intuir. Generalmente desconfiamos de esa «imagen, voz o sensación» interior. Hasta que al pasar cierto tiempo, comprobamos que nuestra percepción era acertada. De igual forma ha habido ocasiones en que esa experiencia interna comprueba no ser correcta. Por ello capacitar a nuestra imaginación perceptiva es de suma importancia para poder interpretar esa «imagen, voz o sensación» que se nos comunica desde el interior. Éste es uno de los más importantes propósitos en los ejercicios de la tercera fase del curso.

Hemos de despertar nuestra capacidad imaginativa para ir aprendiendo a descubrir e identificar nuestro entorno desde una dimensión más profunda y con un propósito práctico.

Una imaginación controlada nos lleva al desarrollo intuitivo, ayudándonos a conocer mejor el mundo que nos rodea tanto en su dimensión exterior como interior, y por lo tanto, a resolver problemas más efectivamente.

De igual forma esta capacitación nos ayuda a desarrollar la conciencia necesaria que nos permite darnos cuenta de lo que sucede dentro de nosotros mismos; nos brinda un medio de autodisciplina para tener un acertado control de nuestra subjetividad; despierta en nosotros la motivación y nos ayuda a desarrollar la empatía. Todas estas habilidades son esenciales para nuestra inteligencia emocional.

Los ejercicios en que proyectamos nuestra imaginación al interior de los metales, las plantas o los animales, nos ayudan a descu-

RESOLVER PROBLEMAS

1.- CONTROLAR LA IMAGINACIÓN
2.- DESARROLLAR LA INTUICIÓN
3.- CONOCER MEJOR EL MUNDO QUE NOS RODEA

CONCIENCIA AUTODISCIPLINA MOTIVACIÓN EMPATÍA

brir y observar de una manera diferente esa realidad subjetiva que influye en todo lo que es. Saber proyectar, retener y eliminar imágenes bajo el control de nuestra voluntad y con un propósito inteligente, hace posible que nuestra imaginación finalmente se convierta en el hábil tripulante que utiliza con eficiencia el equipo interno.

Estas prácticas pueden parecernos fantasía, pero al igual que cuando se aprende a tocar el piano, empezamos por reconocer las claves de sol y de fa, la diferencia entre una nota redonda o una blanca, una negra, una corchea o semicorchea... cosas que parecen no tener sentido para quien desea interpretar cuanto antes una melodía completa, sólo con este conocimiento y ejercicio se podrá leer una partitura y se podrá decir que realmente sabemos tocar el piano. Saber leer una partitura significa que podemos reconocer los símbolos que ahí se representan y de manera coherente interpretar su sentido. Nuestra imaginación también requiere de aprender los pasos necesarios, para interpretar los símbolos con los que nos «habla» nuestra intuición.

En la medida que despertamos a nuestra sensibilidad, podemos identificarnos más fácilmente con el trabajo que realizamos, lo que nos permitirá «fluir» y alcanzar con mayor facilidad el éxito. El buen mecánico automotriz ama los autos; el arquitecto exitoso está identificado con los materiales que utiliza; el maestro que trasciende da un ejemplo de vida a sus alumnos...

Cuenta una vieja historia que el maestro carpintero Chang llevó al príncipe de la región una preciosa cómoda labrada en madera. Cuando los miembros de la corte observaron el mueble exclamaron que seguramente había sido creado por obra sobrenatural. Cuando Chang fue interrogado por el príncipe, el maestro replicó: No existe ningún misterio, su excelencia, explicaré mi forma de trabajo. Cuando empecé mi tarea, mi primera intención fue preservar la serenidad, aquietando mis pensamientos para poderme concentrar en la imagen de mi obra. Después de haber dejado pasar los pensamientos de fama o recompensa, evitando así toda distracción y concentrándome en mi habilidad, me interné en el bosque. El árbol apropiado apareció ante mí, en la forma que yo lo requería y empecé a crear con mis manos lo que ya había visto con los ojos de mi mente. Mis habilidades naturales entraron en armonía con la naturaleza de la madera. En realidad lo que se piensa que ha sido ejecutado por obra sobrenatural, se debe únicamente a lo que le he explicado.

¿Conoces personas que parecen tener la «mano pesada» para las cosas?, casi todo se les descompone. ¿Tienes «buena mano» para las plantas?, crecen grandes y hermosas, pero más que «mano pesada» o «buena mano», es nuestra actitud la que resulta determinante para nuestros resultados. Estamos constantemente modificando nuestro entorno, asegurémonos de hacerlo de manera correcta.

Nuestra falta de observación nos ha llevado a una autocomplacencia que nos aleja cada día más de nuestro verdadero ser, de las relaciones significativas con los demás y de la sensibilidad necesaria para comprendernos como parte del todo que conformamos con la naturaleza. Aprender a reconocer la realidad más profunda de lo que nos rodea nos aportará puntos de referencia subjetivos que nos ayudarán a resolver problemas con los reinos mineral, vegetal y animal. Por otra parte, dentro de nosotros, existe cada uno de estos niveles, por lo que explorar el mundo es también, en cierto sentido, descubrirnos a nosotros mismos.

Mirar a la naturaleza desde el interior y con nuestros ojos cerrados, desarrollando nuestra sensibilidad, nos lleva a entrar en armonía con la realidad profunda de las cosas y nos permite, desde esa armonía, manejarlas adecuada e inteligentemente.

Estamos inmersos en un mundo plenamente vivo y mucho más interrelacionados con todos los demás niveles de materia y vida de lo que nosotros solemos pensar. Tanto la investigación de «percepción» en plantas como en estudios realizados sobre la extraordinaria inteligencia de los animales, nos muestran cómo todo responde a nuestros estímulos, como una secuencia de causas y efectos, en donde nuestra afectividad y pensamiento juegan un papel de alto impacto sobre la realidad.

Emilio Galindo, misionero durante varios años en África, nos recuerda:

«Camina por el mundo con el alma abierta a todas sus maravillas, con una mirada siempre nueva... No pases frente a las cosas distraído y soñoliento, como un turista que lleva prisa, penetra su misterio. Dialoga fraternalmente con ellas. No hay cosa más triste en el mundo, que una persona que nunca ha interrogado a las flores, o a la puesta del sol, o al mar agitado, o al agua que canta bajo los sauces».

NUESTRA GENIALIDAD

«Los genios son los que dicen mucho antes, lo que se va a decir mucho después».

RAMÓN GÓMEZ DE LA SERNA

Casi siempre asociamos a la genialidad con personas «especiales» y casi nunca con nosotros mismos, pero ¿qué significa la palabra genio? Ésta es en realidad una palabra inventada en tiempos relativamente modernos, se creó como vocablo en el siglo XVI, época que muchos consideramos como genial, el Renacimiento.

Fue en la corte de Ludovico Sforza, duque de Milano, gran mecenas de muchos artistas, entre ellos Leonardo da Vinci, donde esta palabra se gestó. Su verdadero y original significado apela a la capacidad que todos poseemos.

GENIO

Es la persona que no depende de los libros y de las autoridades, es la persona que se apoya en sus propias ideas y experiencias.

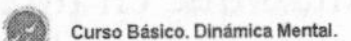

Toda persona, ya sea un artista, un chofer de taxi, un científico, una ama de casa, un médico, un estudiante... tiene que enfrentar cotidianamente problemas en su entorno y descubrir cómo resolverlos. Para ello, no siempre encontrará la información que necesita en los libros o en boca de las autoridades, tendrá que apoyarse en sus experiencias y confiar en sus ideas.

A quienes tradicionalmente consideramos como genios han sido personas que se atrevieron a afirmar lo que aún no había sido escrito y en muchos casos, a cuestionar lo que la autoridad consideraba ley absoluta e inamovible.

Nicolás Copérnico se atrevió a afirmar una realidad contraria a la que todos los libros mencionaban. En su obra *Sobre las revoluciones de las esferas celestes,* elaborada entre 1507 y 1532, el Sol era el centro del universo conocido y no la Tierra. Siendo clérigo de la Iglesia, tuvo que evitar la condena de las autoridades diciendo que en realidad su obra no era más que un escrito novelesco.

En 1609 Galileo Galilei, quien ya había desarrollado el uso del telescopio escribía: «Doy infinitas gracias a Dios, por haber sido tan generoso conmigo y haberme elegido a mí como primer testigo de estas maravillas escondidas en la oscuridad durante tantos siglos». Efectivamente era la Tierra la que se movía. Sin embargo, Urbano VIII ordenó que la Inquisición lo llevara a juicio en el año 1632-33. Atreverse a cuestionar a la autoridad, casi le costó la vida.

En la época de Leonardo da Vinci se prohibía hacer estudios con cadáveres; sin embargo él se las arreglaba para que alguien le llevara alguno fresco de vez en cuando. A través de sus observaciones, fue que realizó sus extraordinarios dibujos de anatomía.

Cuentan que en una ocasión, mientras trabajaba con un cerebro, llegó a casa su madre, quien muy apegada a los fundamentalismos de su época se habría escandalizado ante el atrevimiento de su hijo por trabajar con lo prohibido. Leonardo consciente de las ideas de la señora, rápidamente puso el cerebro en una olla de agua hirviendo. Cuando ella le preguntó qué estaba haciendo, Leonardo creativamente respondió que se encontraba preparando el potaje del día, el cual, al cabo de un rato, se sentaron a comer.

Es probable que ni tú ni yo seamos especialistas en Física o Matemáticas o artistas como Leonardo. Lo importante es lo que hay detrás de estas historias, la capacidad de ir más allá de lo visto u oído, y seguir la propia genialidad, que aunque tú o yo no la empleemos para descubrir nuevos astros en el cielo, o para realizar grandes obras maestras, la necesitamos para resolver los problemas que la vida nos presenta.

Todos hemos tenido ideas geniales pero no nos gusta correr el riesgo de que nos digan locos o de que nos insistan que «no se puede». Cada vez que has descubierto una manera nueva de hacer las cosas, o comprobado que lo que has intuido era correcto, o has generado una idea creativa que ha dado fruto, has experimentado tu genialidad.

Por otra parte, como decía Thomas Alva Edison: «La genialidad consiste en tomarse las cosas con empeño; 98% de transpiración y 2% de inspiración». Efectivamente, todos tenemos ideas geniales, pero se requiere de trabajo y esfuerzo para convertirlas en realidad.

Atrevernos a usar nuestra mente de una manera nueva, alimentada por la observación y apoyada en nuestras actitudes positivas; descubrir nuestra intuición y creatividad, que nunca estarán supeditadas a los libros pero sí a la calidad de nuestro contacto con nuestra interioridad, es lo que nos llevará a ejercer plenamente nuestra genialidad.

DESTREZA CREATIVA

«Todo lo que una persona puede imaginar, se podrá hacer realidad».

JULES VERNE

Todos poseemos el don de la creatividad, desarrollarlo y utilizarlo para mejorar nuestra calidad de vida y colaborar con el Buen Dios en su tarea de hacer crecer y sostener la vida, depende de reconocer qué es lo que verdaderamente significa ser creativo y desplegar nuestra destreza de SABER PENSAR y de tener una imaginación educada.

Nuestra **creatividad es, ante todo, la actitud** con la que nos relacionamos con el mundo que nos rodea y está caracterizada por:

- **La capacidad de descubrir nuevas relaciones** que nos permiten contemplar las cosas de una manera fresca o inédita, distanciándonos del afán de ver las diferencias para darle prioridad a lo que nos conecta y une; alejarnos de los prejuicios para descubrir lo que nos es común.
- **La capacidad de modificar acertadamente las normas establecidas** para sustituirlas por alternativas mejores. Cambiar las reglas nada tiene que ver con destruir instituciones, sino con mejorarlas e impulsarlas al crecimiento y desarrollo.
- **La capacidad para encontrar nuevas soluciones a los problemas.** La vida nos podrá enfrentar a una misma situación en varias ocasiones, sin embargo, el tiempo, las personas y las condiciones siempre serán diferentes, y nuestras

soluciones tendrán que serlo igualmente. Un ejemplo es cómo, en todas las épocas, ha existido el problema de la brecha generacional, inclusive con cada uno de nuestros hijos de diferentes edades, no podemos pretender resolver un conflicto de disciplina de igual forma con todos, aunque sintamos que el problema es el mismo.

- **La capacidad de enfrentarse positivamente con los nuevos problemas.** Nuestro quehacer y progreso siempre habrán de generar nuevos retos, sólo la disposición positiva de enfrentarlos nos brindará las alternativas correctas y nos evitará caer en el catastrofismo paralizante.
- **La capacidad de contribuir al progreso de la realidad social.** Ser creativos no solamente nos ayuda a resolver nuestros problemas, sino también a encontrar alternativas que participen y colaboren de manera efectiva en el beneficio de nuestros congéneres.

Es necesario ser conscientes de que la creatividad es, ante todo, una actitud y nuestras actitudes dependen siempre de nosotros mismos, las vamos creando de acuerdo a nuestra forma de pensar.

Es también muy importante darnos cuenta de la relación que existe entre la verdadera creatividad y la mejoría que ella debe causar en nuestro entorno, lo cual hace referencia a nuestro sentido de la ética y al compromiso con nuestra sociedad, que nos obliga a una actitud abierta, positiva y generosa, para que al irnos, dejemos «un mundo mejor para aquellos que nos sigan».

Todos podemos enfrentar la vida con una actitud creativa, libre, que nos haga posible resolver los problemas y crear mejores condiciones. Para ello debemos aprender a desarrollar las características de la creatividad.

CARACTERÍSTICAS DE LA CREATIVIDAD

Curiosidad

«La contemplación de las cosas me ha convencido de que nada de lo que podemos imaginar es increíble».

PLINIO EL VIEJO

La gran creatividad que admiramos en los niños se debe fundamentalmente a su curiosidad. Es muy triste que al llegar a ser adultos perdamos, en gran parte, nuestra capacidad de asombro, y por lo tanto de ser curiosos.

La curiosidad es la que nos motiva a observar, y como bien sabemos es la observación la que eventualmente nos lleva a generar hipótesis, experimentar, descubrir y crear.

La gran genialidad del famoso personaje de sir Arthur Conan Doyle, el detective Sherlock Holmes, fue ante todo su capacidad de observación, derivada de su insaciable curiosidad.

Pensamiento Creador

«En el mundo mental, la genialidad se distingue del talento en que es intuitiva».

OSCAR WILDE

El pensamiento creador es nuestra capacidad de ver más allá de lo que ya ha sido visto. La persona creativa siempre se anticipa a los demás. ¡Si se quiere ser creativo se requiere de intuición para generar nuevas ideas, de atrevernos a hacer las cosas de una manera nueva!

Leonardo da Vinci nos da un claro ejemplo de «ver más allá» a través de sus célebres diseños para la aerodinámica y diversos tipos de maquinaria, que consideramos producto de la revolución industrial y la modernidad y que, sin embargo, él vislumbró desde hace 500 años.

Fluidez de ideas

«Resulta más fácil juzgar el ingenio de un hombre por sus preguntas que por sus respuestas».

PROVERBIO FRANCÉS

¿De qué manera se relacionan las cosas? En las personas creativas las ideas fluyen continuamente. Esto hace posible que ante cualquier cosa que se oye, se ve o se siente, se puedan desencadenar nuevas ideas asociativas.

La fluidez de ideas nos hace posible pasar de un concepto a otro aunque provengan de diferentes áreas del conocimiento. De la capacidad de relacionar a la Ingeniería con la Medicina se desarrolló la Ingeniería Biomédica, como nueva área de especialización académica. ¿Quién lo hubiera pensado hace 100 años?

Como ejercicio sencillo, para desarrollar esta característica, debemos preguntarnos en qué se parece un elefante a una tetera.

Flexibilidad

«Yo sólo sé que no sé nada».

SÓCRATES

La facultad de seguir simultáneamente varios posibles planteamientos es lo que nos ayuda a no quedarnos estancados en una sola manera de hacer las cosas.

La flexibilidad nos da capacidad para cambiar las alternativas cuando sea necesario. Las personas poco creativas tienden a ser rígidas y quedan atrapadas en una terquedad que les impide ver otras opciones.

Un ejemplo de la importancia de esta característica la encontramos en las personas que, siendo mayores, decidieron «atreverse» a aprender a usar una computadora cuando se empezó a gestar este cambio tecnológico. Gracias a ello no perdieron su empleo y han aprovechado la información que la red les brinda para mantenerse activas y actualizadas.

Originalidad

«Nuestra era de las ansiedades es, en gran parte,
el resultado de intentar hacer el trabajo
de hoy con herramientas y conceptos de ayer».

ANÓNIMO

La gente creativa tiene ideas más originales y ocurrencias más sorprendentes. La persona original tiene una especie de «olfato» para lo que para otros, o no es posible, o parece absurdo. La originalidad nos lleva a pensar en cosas enteramente nuevas y diferentes.

La creatividad de Walt Disney se desarrolló a partir de utilizar a un ratón como caricatura, cuando para la mayor parte de la gente, en ese entonces, un ratón resultaba algo totalmente absurdo para ser usado como sujeto de entretenimiento.

Capacidad de nuevas definiciones

«La naturaleza humana está siempre ávida de novedades».

PLINIO EL JOVEN

La persona creativa reflexiona con mayor rapidez y facilidad, siendo capaz de pasar por encima de las definiciones establecidas. En consecuencia es capaz de crear un nuevo lenguaje.

La capacidad de tener nuevas ideas hace posible poner nuevos nombres a experiencias o situaciones ya conocidas, que a través de una nueva definición adquieren una nueva realidad.

Un ejemplo es el concepto que hoy tenemos de «correo», totalmente diferente al que se tenía hace 10 ó 15 años, por el uso que ahora hacemos de la tecnología.

Sensibilidad para los problemas

«Todos nuestros conocimientos se generan en los sentimientos».

LEONARDO DA VINCI

Los creativos pueden intuir las relaciones causa-efecto de un problema y desarrollar la empatía con mayor facilidad que los no creativos, para lograrlo, requerimos de una sensibilidad que nos permita identificar las verdaderas necesidades de nuestro entorno, lo cual nos exige un interés genuino por el otro y una clara conciencia ética.

El gran éxito de Henry Ford, como persona creativa, se debió a su capacidad de percatarse de la gran necesidad de facilitar un medio de transporte a las mayorías, con lo cual ideó su línea de producción y logró la fabricación del Modelo T, a un costo mucho más accesible que cualquier otro automóvil hasta entonces.

Tolerancia a la ambigüedad

«Consideramos la incertidumbre como el peor de todos los males, hasta que la realidad nos demuestra lo contrario».

JEAN BAPTISTE-ALPHONSE KARR

Esta es la capacidad de vivir en una situación problemática y oscura, y seguir trabajando con constancia y claridad de objetivos para dominarla. La persona creativa puede soportar durante mucho tiempo la insolubilidad de un problema, sin cejar en su intensivo trabajo para superarlo. Muchas veces, como bien sabemos, la solución se encuentra de manera inesperada; para conseguirla, se debe tener la capacidad de trabajar con tolerancia hacia la incertidumbre y sin renunciar al esfuerzo ante las contradicciones.

Thomas Alva Edison representa un extraordinario ejemplo de constancia y claridad de objetivos, a pesar de todas las incertidumbres tras la cantidad de fallidos intentos que enfrentó, antes de lograr encender su bombilla.

Inconmovible confianza en sí mismo

«La confianza en sí mismo es el primer requisito de las grandes conquistas».

SAMUEL JOHNSON

Ser creativo conlleva una gran autoconfianza y a la vez la capacidad de ser crítico respecto a sí mismo. También en esto se distingue a la persona creativa: no se aferra a su opinión y no la defiende como si se tratara de verdades definitivas, está dispuesta a aceptar otras soluciones si es que son mejores.

Gracias a la gran confianza en sí mismo es que Stephen Hawking, considerado uno de los más grandes científicos del siglo XX, sin ninguna capacidad de autosuficiencia y confinado a una silla de ruedas, y sin poder hablar, haya llegado a ostentar el mismo cargo que en su tiempo ocupó Isaac Newton en la Universidad de Cambridge.

Experimentación

«El hombre es sabio no en proporción de su experiencia, sino en proporción de su capacidad para experimentar».

GEORGE BERNARD SHAW

Sólo la experimentación nos lleva a descubrir verdaderas posibilidades para crear algo. Ser creativos tiene el gran propósito de ayudarnos a resolver problemas y experimentar es lo que nos lleva a comprobar la efectividad de nuestras ideas y lo que fomenta el desarrollo de todas las otras características de la creatividad.

Sin la constancia y capacidad de experimentar es probable que Marie Curie, descubridora del radio y del polonio, que estudiamos en la tabla periódica de los elementos, y la única persona que ha ganado en dos ocasiones el Premio Nobel, hubiera abandonado sus esfuerzos antes de haber logrado sus objetivos.

Ahora que ya conocemos las características de la creatividad, será importante recordar siempre que la creatividad no se hereda, se aprende y se desarrolla; para lograrlo, el uso de nuestra imaginación es imprescindible. Sobre esto, Albert Einstein afirmaba:

«Reconocer los nuevos problemas y las nuevas posibilidades, así como considerar los problemas ya añejos pero desde un ángulo nuevo, requiere la fuerza de la imaginación y eso es lo que marca los verdaderos progresos en la ciencia».

A través de la práctica de la relajación puedes acceder a este nivel de interioridad, desde el cual podrás ejercitar tu capacidad imaginativa y así desarrollar tu intuición y creatividad.

Aprender a mirar desde dentro y con los ojos cerrados es lo que nos ayuda a poder ser creativos de manera efectiva y con los ojos bien abiertos. Sólo el que escucha en su interior, descubre sus propias capacidades y puede marcar el camino, por donde otros también podrán ascender.

PROPIEDADES DE LA CREATIVIDAD

«Cuando me examino a mí mismo y a mis métodos de pensamiento, llego a la conclusión de que el don de la fantasía ha significado más para mí que mi talento para absorber conocimiento».

ALBERT EINSTEIN

Para impulsar nuestra creatividad debemos potenciar las propiedades básicas que la conforman y que se nos exigen para el desarrollo de las características que ya hemos mencionado. Si observamos, nos daremos cuenta que estas propiedades están presentes y son una síntesis de los aspectos más importantes en las características creativas.

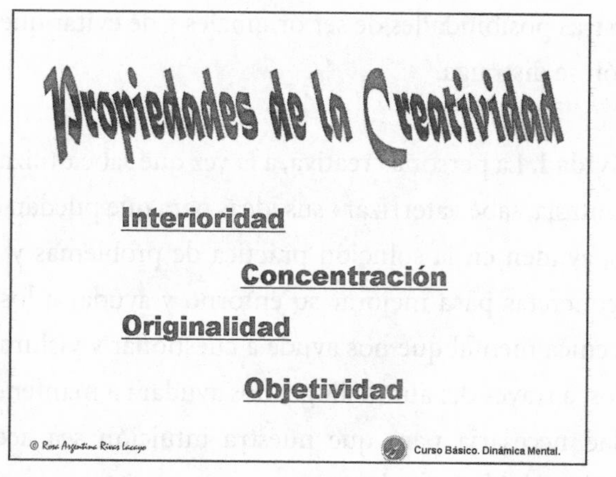

Interioridad. La persona creativa sabe estar consigo misma, busca las soluciones dentro de sí; reconoce el valor del silencio, evita llenar su espacio de ruido y no deambula buscando a alguien que le resuelva sus problemas, puesto que sabe que la solución siempre está dentro de sí misma. Un estado de profunda relajación física es un requisito para facilitar nuestras prácticas de interioridad.

Concentración. La persona creativa puede concentrarse y pasar horas enteras dedicada a su esfuerzo, hasta encontrar soluciones. Está en lo que está. Su pensamiento e intención están completamente enfocados. La relajación mental evitará la dispersión y favorecerá nuestra habilidad de concentrarnos.

Originalidad. La persona creativa tiene una imaginación controlada, es capaz de manejar su fantasía con inteligencia y propósito y puede intuir con acierto nuevas alternativas. Al saber canalizar su imaginación se le ocurren cosas que a otros no; tener herramientas mentales que faciliten el control de las imágenes ampliará nuestras posibilidades de ser originales y de evitar que la imaginación se distraiga.

Objetividad. La persona creativa, a la vez que sabe utilizar el don de la fantasía, sabe «aterrizar» sus ideas para que puedan ser operativas, ayuden en la solución práctica de problemas y aporten ideas concretas para mejorar su entorno y ayudar a los demás. Una técnica mental que nos ayude a cuestionar y vislumbrar resultados, a través del autodiálogo, nos ayudará a mantener la objetividad necesaria para que nuestra intuición sea acertada y nuestra creatividad efectiva.

En la tercera fase del curso, y después de capacitarnos en la exploración del mundo que nos rodea para establecer puntos de referencia subjetivos, se practicarán las técnicas que nos faciliten el control de la imaginación y la capacidad de autodiálogo para cuestionar y llevar a nuestra intuición y creatividad al terreno de lo práctico.

La técnica de «Laboratorio»® nos facilita la creación imaginativa de los recursos que nos ayudan a controlar nuestras imágenes para orientarlas de forma creativa a la solución de nuestros problemas.

La técnica de «Consejeros»® se refiere a la creación de dos imágenes que representan a un hombre y a una mujer, y son símbolo de las capacidades del hemisferio izquierdo, también llamado masculino y del hemisferio derecho, llamado femenino. Estas dos imágenes, que cada uno de nosotros elige, pueden ser de familiares conocidos o personajes históricos, que representan para nosotros confianza y sabiduría, y nos facilitan el autodiálogo. Desafortunadamente no todos sabemos hablar con nosotros mismos, y por ello, con demasiada frecuencia, recurrimos a otras personas para dialogar y encontrar en ellas las soluciones que sólo pueden estar en cada uno de nosotros.

Todo buen terapeuta sabe que su labor fundamental es acompañar al paciente a través del diálogo, para que él mismo descubra sus respuestas. Por algo decía el famoso neuropsiquiatra Karl Menninger: **«Si los seres humanos supiéramos tener verdaderos amigos, que escuchan, no habría psiquiatras».** Sobra decir que el más importante de los diálogos es el que hacemos en nuestra interioridad, puesto que favorece el autoconocimiento. Tristemente nos resulta más fácil buscar las respuestas afuera que cuestionarnos a nosotros mismos.

Gran ignorancia han demostrado tener quienes, sin conocer el curso, han pretendido ver en esta técnica un sesgo espiritista, ya que no obstante nuestro profundo respeto a todas las creencias, siendo nosotros una institución educativa, nada podría estar más alejado de la realidad de nuestra metodología.

Acaso nunca te has preguntado a ti mismo, cuando enfrentas un problema, ¿qué consejo me daría mi padre?, o ¿qué pensaría el jefe respecto a cuál será la mejor solución?, o ¿qué diría mi madre sobre esta posible decisión? Todos hemos vivido este cuestionamiento; hacerlo no representa apelar a espíritus, en ocasiones simplemente se debe a que no tenemos acceso, en ese momento, a esa persona. La PNL, una década después, llamó a estos mismos conceptos «Modelaje» y «Mentores». Acusar a alguien de espiritista por facilitarse, a través de estas preguntas e imágenes, el autodiálogo que le ayudará a encontrar la solución, es caer en la ignorancia fanática que sólo un ser irracional es capaz de desplegar.

Cierto es que estas técnicas pueden parecer «fantásticas» a quien no las conoce o practica, pero para quien valora, como toda persona creativa lo hace, el don de la imaginación, éstas se convierten en una poderosa herramienta para lograr la solución a problemas y para descubrir y profundizar el potencial creativo. Lo que se pretende es brindarte las técnicas para que nunca llegues a decir, «es que ni siquiera me lo puedo imaginar», lo que significaría que no se hará el esfuerzo por resolver la situación.

Por más grande que sea un problema ten por seguro que dentro de ti está la respuesta. Como afirmé en mi libro «*Saber Crecer: Resiliencia y Espiritualidad*»[40], el Buen Dios que nos ama, nunca permite en nuestra vida aquello que no esté en nosotros resolver, y que a pesar de sentirse como situación oscura, no nos lleve a ser mejores, pero es en nuestro interior donde hemos de buscar.

SABER IMAGINAR es el punto de partida para toda percepción intuitiva y para todo acto creativo. Lo que antecede a todo descubrimiento científico es la observación, que carecería de sentido si no fuera acompañada de una reflexión especulativa a través de nuestras imágenes. Toda creación artística nace en la imaginación de quien la crea y la más importante obra de arte, por la cual todos somos responsables, es nuestra propia vida.

Para Galileo, su especulación imaginativa y sus propias consideraciones internas, sobrepasaban todos los descubrimientos astronómicos que llegarían a inmortalizar su nombre. Cierto que se enorgullecía de haber sido el primero en haber construido un telescopio, pero él creía que su verdadera genialidad descansaba en su capacidad para observar el mundo y reflexionar.

La posteridad coincide por completo con Galileo en la valoración de sus méritos. Como Albert Einstein señaló:

«Las afirmaciones a las que se llega simplemente mediante el razonamiento lógico están vacías de realidad por completo. Galileo es el padre de la física moderna, incluso de la ciencia moderna en su conjunto, justamente porque se dio cuenta de esto e hizo que quedara grabado en el dominio de la ciencia, para la posteridad».

EJERCICIO: Reflexión sobre la intuición y la creatividad

¿Controlas a tu imaginación o sientes que ella te controla a ti?

____

____

____

¿Cuántas veces has podido comprobar que tu tristeza o ansiedad se han debido más a lo que has imaginado que a la realidad de los hechos?

____

____

____

¿Eres de los que piensan que si no lo ves y no lo tocas, no existe? Sí o no y ¿por qué?

____

____

____

¿Estás consciente que el progreso de la humanidad no es otra cosa más que convertir en realidad lo que generaciones pasadas han considerado imposible?

___

___

___

¿Qué actividad podrías llevar a cabo que despertara más tu sensibilidad hacia la naturaleza?

___

___

___

¿Alguna vez se te ha ocurrido pensar qué se «sentirá» ser una máquina, o una planta, o una mascota, y cómo te gustaría que te trataran?

___

___

___

¿Tienes mano pesada o buena mano? ¿Qué actitudes podrías mejorar?

___

___

___

¿Has interrogado alguna vez a una flor? ¿Cuándo podrías hacerlo?

___

___

___

¿Has aprendido a identificar tu manera de percibir intuitivamente?

___

___

___

¿Qué ideas geniales has tenido que otras personas llevaron a efecto?

___

___

___

¿En cuántas ocasiones te has dejado llevar por una percepción equivocada de las cosas?

___

___

___

¿Cuántas veces te ha comprobado el tiempo que lo que intuiste era correcto?

¿Qué tan creativo consideras ser?

¿Qué tipo de actividad recreativa, artística o de interés científico te podría ayudar a desarrollar más tu creatividad?

¿Te fijas más en las diferencias que en las similitudes?

¿Qué normas te gustaría cambiar para mejorar tu entorno?

____

____

____

¿Procuras encontrar siempre nuevas alternativas para resolver problemas o te apegas a fórmulas ya preestablecidas?

____

____

____

Un problema, que enfrentas por vez primera, ¿representa para ti un reto o una calamidad?

____

____

____

¿De qué manera contribuyes al progreso de la realidad social de tu entorno?

____

____

____

¿Cómo podrías ser más observador?

¿Podrías aprender a confiar más en tu intuición?

¿Te sientes capaz de hacer asociaciones entre cosas que aparentemente no tienen ninguna relación?

¿Eres rígido en tu forma de pensar? ¿Te aferras a tus ideas? ¿Cómo podrías ser más flexible?

Cuando se te ocurre algo «muy loco», ¿te atreves a explorarlo y expresarlo?

___

___

___

Inventa tres nuevas palabras sobre algún tema que te guste.

___

___

___

¿Te das cuenta que tu sensibilidad y empatía con los demás pueden ser un gran motor para tu creatividad? ¿Cómo podrías ser más sensible?

___

___

___

¿Eres capaz de trabajar con constancia y de mantener claros tus objetivos a pesar de la incertidumbre? o ¿tiendes a abandonar las cosas cuando no tienes «la sartén por el mango»?

___

___

___

¿Has perdido la confianza en ti mismo por tener algún defecto, haber padecido un accidente o tener una pobre autoestima?

___

___

___

¿Logras aprender de la crítica o te cierras por completo ante ella?

___

___

___

Cuando somos niños nos gusta experimentar, ¿qué actividad «experimentadora y divertida» podrías tener en el presente?

___

___

___

¿Consideras que la edad te limita para seguir experimentando y seguir descubriendo cosas nuevas? ¿Estás consciente de que los grandes logros creativos generalmente se alcanzan a partir de los 55 años de edad?

___

___

___

7

Visualización y salud

«Los milagros no suceden en contradicción a la naturaleza, sólo en contradicción a lo que nosotros conocemos de la naturaleza».

SAN AGUSTÍN DE HIPONA

La historia nos ha comprobado, generación tras generación, cuán limitado es nuestro conocimiento de la realidad. Una y otra vez cuando llegamos a creer que lo sabemos todo y nos burlamos del que se atreve a retar nuestras ideas, la vida misma se encarga de remitirnos a la humildad, haciéndonos ver que aquello que se pensaba ridículo, constituye una nueva verdad para nuestros conocimientos.

Cuando Lady Mary Wortley Montagu, en el siglo XVIII, arriesgó a sus propios hijos insistiendo que se les inoculara con un cultivo de viruela, los fanáticos religiosos aseguraron que estaba poseída por el demonio al pretender introducir y promover una práctica de los «infieles» musulmanes. Cuando el doctor Werner Forssmann, en el siglo XX, consideró que al introducir un catéter desde la vena del brazo, éste le llevaría a poder explorar interiormente la aurícula del corazón, fue considerado como loco. El tiempo comprobó que los dos estaban en lo correcto.

A pesar de que fue a Edward Jenner (1749-1823) a quien se le dio crédito por la vacuna de la viruela, fue realmente Lady Mary Wortley Montagu quien introdujo en Europa el concepto de la inoculación. Habiendo sido víctima ella misma de la enfermedad y perdido a su hermano por la viruela, su legado y causa culminaron en 1979, cuando la Organización Mundial de la Salud declaró que la viruela, el asesino inmemorial, había sido erradicado en todo el mundo. Millones de personas le deben su vida o la vida de gente muy querida para ellos a esta extraordinaria mujer, que sin educación académica, arriesgó su reputación para ayudar a los demás.

Un buen día del año 1929, contraviniendo las normas, ignorando las órdenes del jefe de su departamento en el hospital y amarrando a su asistente en la mesa de operaciones, para evitar que interfiriera, Forssmann introdujo un catéter ureteral en la vena de su brazo y lo hizo avanzar hasta llegar a la aurícula derecha de su corazón; subió al departamento de Rayos X, donde él mismo se tomó una placa comprobatoria. Su «locura» le hizo posible ganar el Premio Nobel de Medicina en 1956.

Pareciera que tenemos terror a las nuevas ideas, las tachamos de diabólicas o dementes. Antes de que se descubriera el sistema circulatorio en 1616 y la anestesia quirúrgica en 1844, el fundamentalismo religioso y la ciencia oficial se manifestaban totalmente en contra de ambas «tonterías». La soberbia, en matrimonio con la ignorancia, resultan ser una combinación muy peligrosa para el progreso.

Desde la antigüedad se ha considerado que nuestra salud no sólo depende del funcionamiento orgánico, sino también de nuestros pensamientos y emociones, así como de los valores que espiritualmente nos sostienen.

Ya el mismo Hipócrates, padre de la Medicina, en el 400 a.C., afirmaba que el cáncer en el pecho estaba relacionado a las mujeres «histéricas». La histeria fue un diagnóstico en Psiquiatría, profundamente estudiado por Sigmund Freud, que hacía referencia a la propensión inconsciente de un paciente a convertir un problema emocional en un problema de salud física. Hoy en día, a la histeria se le conoce como Neurosis Conversiva.[41] También el famoso médico griego Galeno, en el año 140 de nuestra era, observó y registró la relación existente entre la depresión y dicha enfermedad.

Hasta el año 1900 la relación entre el cáncer y los factores psicológicos era comúnmente aceptada en los círculos médicos. En el 90% de los libros de texto sobre cáncer del siglo XIX se repite un concepto fundamental: **La historia de la vida emocional juega un papel principal en la tendencia de una persona para desarrollar cáncer y en el progreso de la misma enfermedad.**

"La fuerza curativa natural que habita dentro de cada uno de nosotros es la mejor arma que tenemos para recuperarnos".

Hipócrates

Curso Básico. Dinámica Mental.

Ya desde el siglo XVIII se subrayaba la importancia de la ansiedad y la tristeza en el cáncer. En 1846 el doctor Walter Hoyle Walshe, publicó en Inglaterra, su tratado *La naturaleza y el tratamiento del cáncer* el cual cubría todo lo que entonces se sabía del tema. En este trabajo ya se implicaba la predisposición genética, la cual junto a un largo periodo de estrés psicológico podía resultar en cáncer. En dicha obra él expuso su punto de vista con claridad y fuerza:[42]

«Mucho se ha escrito sobre la influencia de la desesperación, de los reveses de la fortuna y de la habitual tristeza de ciertos temperamentos en la generación de materia cancerosa. Si se da crédito a lo que sistemáticamente se ha escrito y observado, éstas son en definitiva las causas más poderosas de la enfermedad».

En 1853 Sir James Paget en su clásico libro *Patología quirúrgica* escribió:

«Son tan frecuentes los casos en los cuales una ansiedad profunda, una esperanza diferida o una desilusión, anteceden al crecimiento o al incremento del cáncer, que no podemos dudar que la depresión es un pesado aditivo a otras influencias que favorecen el desarrollo de la constitución cancerosa».

En Estados Unidos el doctor Willard Parker (1800-1884), reconocido cirujano, resumió sus 53 años de experiencia quirúrgica con el cáncer afirmando:

«Es un hecho que una gran tristeza está especialmente asociada con la enfermedad. Si los pacientes de cáncer, fueran por regla alegres, antes de que apareciera la malignidad, la teoría psicológica no se podría aplicar, pero es exactamente lo contrario. Los hechos apoyan lo que la razón nos muestra».

Si la idea que se tenía de la íntima relación entre cuerpo y mente era tan clara desde la antigüedad, **¿cómo fue que perdimos esa visión?**

SALUD HOLÍSTICA

«Hemos llegado al siglo XXI dedicados al mundo exterior en el que la tecnología y la ciencia han hecho un esfuerzo por explicarlo todo, prometiendo resolver nuestros problemas, sin embargo las fracturas y debilidades de este esquema han empezado a mostrarse con claridad».

THOMAS MOORE

¿Qué es la salud? Tristemente, para muchas personas, la salud tan sólo representa ausencia de enfermedad. Sin embargo, habría que retomar lo que la misma medicina académica, que se practica en todos los grandes hospitales nos dice, y cómo la define la Organización Mundial de la Salud.

SALUD

Es el resultado del equilibrio entre:

Lo biológico

Lo psicológico

Lo social

Curso Básico. Dinámica Mental.

Si nos apegamos a esta definición, estar sanos significa que todos nuestros aparatos y sistemas funcionan bien, que nuestras emociones están en perfecto balance y que nuestras relaciones son positivas y plenas de armonía. De acuerdo a esta definición, tendríamos que preguntarnos ¿cuántos de nosotros estamos genuinamente sanos? Si cualquiera de estos aspectos no cumple con el requisito de equilibrio, hemos dejado de estarlo.

Al profundizar en esta misma definición, la medicina se ha llegado a percatar de un cuarto aspecto de nuestro ser que influye en nuestra totalidad y que puede en muchos casos también afectar y determinar el curso de la salud y de la enfermedad, nuestra espiritualidad.

En contra de lo que muchos podrían pensar, el concepto de espiritualidad y su impacto para la salud se ha extendido a las esferas académicas y cada vez cobra una mayor importancia en la preparación de los futuros médicos. En 1992 tres facultades de Medicina daban cursos sobre espiritualidad. Para el año 2000, sesenta y dos escuelas médicas, tan sólo en Estados Unidos de Norteamérica, habían ya incorporado esta enseñanza para el manejo de los pacientes. Entre ellas se encuentran las universidades Vanderbilt, Emory, Georgetown, John Hopkins, Stanford y Harvard.[43]

Independientemente de cuál sea nuestra creencia personal, la espiritualidad siempre hace referencia a los grandes valores comunes a todas las religiones, que permiten al individuo y a los grupos potenciar su fortaleza y definirnos como seres humanos de verdad.

Los valores nos dan estabilidad, se convierten en la brújula que nos ayuda a encontrar el rumbo a pesar de los fuertes vientos y la desorientación. Cuando la salud física se pierde, la salud psico-emocional se trastorna y las relaciones parecen desintegrarse, son nuestros valores los que nos ayudan a sobreponernos y salir adelante. En verdad que somos una unidad indivisible: cuerpo-mente-espíritu.

Nuestra atención al cuerpo se beneficia de los conocimientos y de los cuidados que el médico puede proporcionarnos, así como nuestra vida psico-emocional requerirá en ocasiones de la empatía y guía del terapeuta especialista. Sin embargo, en el aspecto espiritual todos debemos estar involucrados para apoyarnos solidariamente y dar la entereza que sólo el amor y la esperanza pueden brindarnos.

La palabra holística viene del griego HOLOS que significa entero, integral. La medicina holística es la que contempla a la persona como unidad indivisible, cuerpo-mente-espíritu, no es una medicina alternativa sino que integradora de la medicina académica, la psicología y los valores espirituales.

Todavía hasta los inicios del siglo XX los médicos conocían a fondo a sus pacientes, sabían de sus inquietudes, tristezas y problemas familiares. En muchos casos el médico visitaba al paciente en su casa y podía percatarse de la problemática de su entorno. Antes de dar un diagnóstico, las preguntas y la conversación se prolongaban.

Conforme el siglo pasado avanzó, la relación médico-paciente cambió. El médico familiar, que visitaba nuestro hogar, prácticamente ha desaparecido, la entrevista consta de algunas preguntas sobre los síntomas, una auscultación breve y una solicitud que parece interminable: biometría hemática; examen general de orina; examen de lípidos y glucosa; placa de tórax; ultrasonido de…; tomografía axial computarizada… El paciente se ha convertido en un extraño a quien se le conoce por sus valores de hemoglobina o recuento de leucocitos… La persona quedó desintegrada y **perdimos la visión**.

Por supuesto no debemos dejar de apreciar el extraordinario desarrollo que la medicina ha realizado en su tarea de adquirir conocimiento y mejorar su práctica. Para algunos médicos la evolución de la medicina en la actualidad podría considerarse en tres etapas. La Etapa 1 de la medicina moderna ha traído **tres grandes avances**, que para millones, han marcado y seguirán marcando la diferencia entre la vida y la muerte.

La tecnología: Antes de dar su diagnóstico, el médico ya ha mirado nuestros «adentros», en partes, por entero o en secciones.

La farmacología: Contamos con un arsenal de medicamentos que provocarían la envidia de Esculapio, el dios griego de la medicina.

La cirugía: Si se rompió, lo pegamos; si estorba lo quitamos y si mal funciona lo trasplantamos.

A pesar de este impresionante avance, pareciera que cada vez más personas se desilusionan de la práctica médica. La razón, la pérdida de visión de nuestra realidad integral.

Para muchos médicos el paciente no es más que un riñón poliquístico en la cama 507, o un carcinoma pulmonar en la 911, o una oclusión intestinal en la 624, **¿pero, quién es en realidad el paciente?** ¿Cuál es su situación familiar-afectiva? ¿Cómo está su condición económica?

La enfermedad es, en muchas ocasiones, consecuencia de nuestro estrés crónico, aunque también debemos reconocer que el estar enfermos es en sí un gran estresor. Una hospitalización nos puede producir ansiedad, desequilibrio afectivo e incertidumbre respecto al futuro.

Sin embargo, y siendo lo anterior tan obvio, no fue sino hasta mediados del siglo XX en que se retomó la profunda relación existente entre cuerpo y mente, y se reconoció la necesidad de que el psicólogo también fuera parte del equipo de trabajo en el ambiente hospitalario, apareciendo así lo que algunos especialistas han llamado la Etapa 2 de la medicina moderna, que no reemplaza pero sí se integra a la Etapa 1.

LA MEDICINA

ETAPA 2

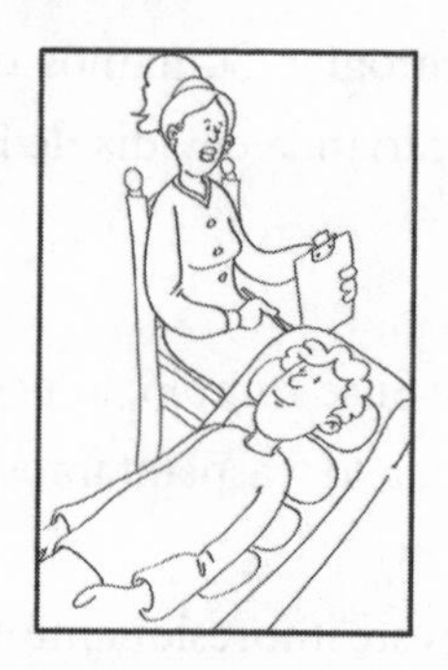

La Etapa II nos obliga a ser conscientes del impacto que nuestra mente y emociones tienen sobre el cuerpo y la necesidad de saber utilizar nuestros recursos psico-emocionales, para favorecer el equilibrio de nuestro ser.

Sin embargo y tristemente, no pasó mucho tiempo antes de que se escuchara a estos especialistas hablar del paranoico de la cama 653, o del hipocondriaco de la 845, o del deprimido de la 594. **¿Pero, quién es en realidad el paciente?** ¿Cuáles son sus creencias? ¿Qué proyecto de vida ha tenido? ¿Puede encontrar algún sentido a lo que le acontece? ¿Tiene confianza y disposición para luchar por su vida?

Ante este persistente vacío parecía requerirse de alguien que brindara al paciente la compañía y el apoyo afectivo y que independientemente de su diagnóstico médico o psicológico le proporcionara herramientas de autoayuda que pudieran darle la motivación para luchar por su calidad de vida. **Alguien que sí supiera quien es en realidad el paciente.**

En 1971 el especialista en oncología, O. Carl Simonton, después de haber participado en el curso del Método Silva, empezó a aplicar con sus propios pacientes las técnicas de relajación y visualización aprendidas. Los resultados no se dejaron esperar. Dicho en sus propias palabras en un congreso en San Juan, Puerto Rico, en 1975 y retomadas en su libro:[44]

> *Al día siguiente de haber terminado el curso, el 4 de abril de 1971, empecé a utilizar las técnicas con mi primer paciente que tenía 63 años. Le pedí que se relajara tanto como pudiera y en ese estado de relajación que visualizara su cáncer de la manera como él lo entendía. Le pedí que visualizara el tratamiento al que estaba sometido, causando los efectos que se esperaban y también que visualizara sus células blancas, haciendo la tarea que comúnmente hacen, destruyendo a las células cancerosas para expulsarlas del cuerpo como normalmente sucede.*
>
> *Eso es todo lo que le mandé hacer 3 veces al día. Jamás había visto resultados iguales a los de él. Venció el cáncer y tenía muy pocas probabilidades de ello, adicionalmente no tuvo reac-*

ciones desagradables al tratamiento médico que se le daba. De acuerdo a mi experiencia, ese paciente no tenía realmente oportunidad de salir tan bien. Yo nunca había visto a una persona superar el cáncer sin tener siquiera reacciones negativas al tratamiento. Era una experiencia nueva para mí.

Cosas verdaderamente excitantes vinieron después. El paciente utilizó los mismos principios para vencer la artritis y la impotencia sexual que le había impedido tener relaciones sexuales por más de 20 años.

El doctor Simonton, quien dirige el *Simonton Cancer Center* en Malibu, California, sigue hasta la fecha aplicando los conceptos y prácticas de visualización y relajación, que se enseñan y practican en la cuarta fase de nuestro curso. Por su trabajo innovador en el campo de la oncología ha recibido el Reconocimiento Humanitario de parte del *Cancer Control Society.*

Del trabajo y experiencia de Simonton se inspiró el doctor Bernie Siegel, también especialista en oncología, como él mismo lo menciona en su libro *Love, Medicine and Miracles*, traducido al español como *Amor, medicina milagrosa.*[45]

En 1974 el neurocirujano Norman Shealy, en ese entonces director del Centro de Rehabilitación del Dolor en el Hospital St. Francis en la ciudad de LaCrosse, Wisconsin, y también habiendo participado en nuestro curso, pudo obtener un increíble 80% de mejoría en sus pacientes, aplicando las técnicas aprendidas. El doctor Shealy es reconocido como uno de los más importantes expertos en el manejo del dolor, siendo uno de los primeros especialistas en aplicar alternativas para el control del dolor crónico.

A partir de estos médicos pioneros, se generó un movimiento que culminó en la fundación de la Asociación Americana de

Medicina Holística en 1978, con sede en la ciudad de Edmonds en el estado de Washington.

Toda la investigación realizada y las comprobaciones obtenidas desembocaron en lo que un grupo importante de investigadores médicos ha llamado la Etapa 3, en la década de los 90's, reconociendo a las técnicas de autoayuda, programación a distancia y espiritualidad como parte integral de la unidad que somos.

Diferentes nombres se le han dado a este tipo de prácticas: visualización creativa, imaginación activa o guiada, proyección de imágenes o meditación guiada para la salud, imaginería médica, visualización positiva, terapia imaginal voluntaria; pero sin lugar a dudas, fue el Método Silva el pionero y visionario en darnos las herramientas prácticas para empezar a aplicar este potencial que poseemos.

La Etapa 3 tiene como propósito incluir con el tratamiento médico y psico-emocional las técnicas de programación personal y de visualización a distancia, con las que podemos también ayudar a los demás, así como las prácticas de espiritualidad, de acuerdo a las creencias de cada persona.

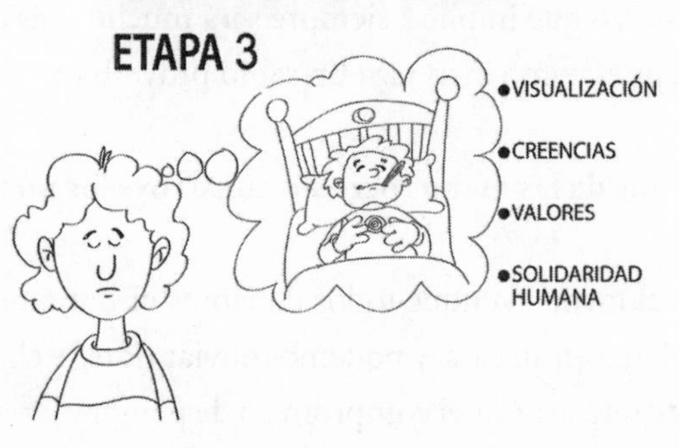

Todos debemos estar involucrados en esta etapa. Todos necesitamos del apoyo afectivo y también de saber usar nuestra propia mente para ayudarnos a nosotros mismos. De igual forma, y como se ha ido comprobando, esa ayuda que el familiar, amigo o voluntario comprometido nos brinda puede ser el detonador que haga la diferencia en nuestros resultados.

Para quien visita a un paciente en el hospital, en su casa, o lo visualiza y piensa en él desde donde se encuentra, el paciente tiene un nombre, un entorno relacional y sueños por realizar, es alguien a quien, más allá de su diagnóstico médico o psico-emocional, estamos afectiva y humanamente ligados.

La Etapa 3 es consecuencia de un significativo número de investigaciones y comprobaciones clínicas realizadas en las dos últimas décadas del siglo XX y en lo que ya hemos avanzado del XXI.

Brindarle al paciente, no sólo todos los beneficios de la medicina moderna y de la terapia psico-emocional, sino también el uso práctico de la relajación, la visualización y uso de las imágenes para su salud, así cómo sus prácticas de espiritualidad, de acuerdo a sus propias creencias, ha demostrado ser la forma más eficiente de retomar el sentido humano y profundo de la medicina.

A nivel personal todos debemos asumir la responsabilidad de trabajar por nuestra salud y luchar por nuestra vida, lo que a pesar del esfuerzo que implica, siempre será mucho más motivante y efectivo, pues como bien reza un sabio proverbio:

«Dios nos da las manos pero no construye los puentes».

De igual forma, aunque todos debemos visitar a un paciente en el hospital o en su casa, y podemos enviar flores y chocolate, lo importante será asumir el compromiso de pensar diariamente en él o ella para que desde nuestro nivel básico de relajación, visualicemos su recuperación-salud, y de acuerdo a nuestras propias creencias oremos por él. Esto requiere de involucrar a nuestra humanidad de forma integral y de ejercitar el amor en su justo significado.

MENTE Y ESPIRITUALIDAD EN LA MEDICINA

«Nuestro cuerpo es el carruaje; la mente-pensamiento quien lo conduce; las emociones los caballos; nuestros valores, las riendas».

ANÓNIMO

Recobrar la visión de la unidad cuerpo–mente–espíritu que somos, nos exige reconocer y saber manejar el impacto que nuestros pensamientos tienen en nuestra salud, la necesidad de canalizar nuestra emotividad inteligentemente, y la importancia de clarificar y ejercer nuestros valores.

Este reconocimiento y su aplicación integral ya están presentes en la medicina del siglo XXI, tanto en grandes centros académicos como en centros hospitalarios. Una nueva realidad sostenida en una cada vez más abundante evidencia e investigación clínica.

En diciembre de 1997 se efectuó una histórica reunión en la Universidad de Harvard, a la que se le acredita tener la mejor escuela de Medicina en el mundo. Se convocó a una conferencia con el siguiente título: «*La oración de intercesión y la intención de sanar a distancia: investigación clínica de laboratorio*». Más de 100 investigadores de diversas escuelas médicas se reunieron para discutir y exponer los experimentos realizados con el uso de la relajación, visualización y oración a distancia que se estaban realizando en sus respectivas instituciones.

Todos estos estudios tenían en común la meta de comprobar si se podía ayudar a sanar a personas por medio de visualización y prácticas espirituales, sin que las personas supieran que estaban recibiendo esa ayuda. Los investigadores dieron a esta práctica diferentes nombres: Oración a distancia, intencionalidad a distancia, interés empático...

Dos de los grandes pioneros en este área de investigación, que estuvieron presentes, fueron los doctores Lawrence LeShan y Bernard Grad. A LeShan se le reconoce como uno de los más importantes investigadores en el área de la medicina mente-cuerpo y a Grad, de la Universidad de McGill en Montreal, por su investigación científica sobre la influencia de la intención.[46-47]

Entre las investigaciones realizadas sobre los efectos de la visualización a distancia y los efectos de la oración mencionamos algunas de las más importantes:

Pacientes cardiacos en cuidados intensivos. Dr. Randolph Byrd. Hospital General. San Francisco, CA.

Pacientes psiquiátricos hospitalizados. Dr. Bernard Grad. Universidad McGill. Montreal, Canadá.

Pacientes de VIH. Dra. Elizabeth Targ. California Pacific Medical Center.

Pacientes de cáncer. Dra. Helene S. Smith. G. Brush Cancer Research Institute.

Reacción bioquímica en la contracción muscular de vasos sanguíneos y tracto intestinal. Dr. David J. Muehsam, M.S. Markow, Patricia A. Muehsam, y Arthur A. Pilla. Mt. Sinai School of Medicine.[48-49-50]

IMAGINACIÓN EN LA SALUD

«Nuestras imágenes, que representan nuestras creencias, nuestra esperanza y nuestras actitudes, tienen una extraordinaria influencia en la calidad de nuestra vida, en nuestro manejo de las crisis y en el cómo funcionan nuestros cuerpos».

DEIRDRE DAVIS BRIGHAM

Siempre hemos sabido que nuestra imaginación causa efectos en nuestro cuerpo, respondemos al escuchar pasos en la oscuridad o con tan sólo imaginarlos como reales. Como hemos mencionado en capítulos anteriores, nuestro cerebro no distingue entre realidad y fantasía; imaginarnos en un encuentro apasionado provocará la misma explosión hormonal que el evento mismo.

Los atletas de alto rendimiento, en casi todos los países del primer mundo, reciben entrenamiento mental, aprenden a visualizar sus resultados en las competencias.[51] Si nuestras imágenes pueden modificar nuestro rendimiento físico, es más que lógico reconocer el impacto que pueden tener en nuestra salud.

Desde hace años, y por medio de la investigación médica, sabemos que de manera voluntaria podemos regular el ritmo cardiaco y otras funciones, tradicionalmente llamadas autónomas, a través de la mente.[52] Sin embargo, el que la ciencia empiece a constatar cómo el uso de nuestra imaginación puede marcar la diferencia entre salud y enfermedad, representa una verdadera revolución para la medicina.

El doctor Robert Ader y sus colaboradores del Centro Médico de Rochester, Nueva York, han demostrado, de manera concluyente, que a los leucocitos, las células blancas del ejército defensivo del organismo, se les puede enseñar a responder por medio de estímulos mentales.

La Psiconeuroinmunología es la especialización médica que hoy en día ha demostrado con estudios clínicos cómo nuestros pensamientos y creencias pueden ser determinantes para nuestra salud. Puesto que nuestro pensamiento influye sobre el funcionamiento de nuestro sistema nervioso y éste a la vez sobre nuestro sistema de inmunidad, nuestra imaginación puede equilibrar y fortalecer nuestras defensas, para ayudarnos a recobrar la salud o desequilibrarlas y debilitarlas haciéndolas incapaces de defendernos.[53]

Stephen Locke y Mady Horning-Rohan han publicado una bibliografía comentada de más de 1.300 artículos científicos escritos a partir de los últimos años de la década de los 70's, dedicados a examinar la influencia de la mente sobre la inmunidad y las conexiones neuroendocrinas correspondientes.

Existen ya indicios que sugieren una conexión entre procesos mentales positivos y una buena respuesta del sistema inmunitario. Varios investigadores han demostrado que algunos neurotransmisores, como las endorfinas, además de estar relacionados con la alegría, la disminución y eliminación del dolor, pueden activar una buena respuesta en el sistema de inmunidad. En una serie de estudios se pudo observar el efecto en las células T del sistema inmune que intensificaron su ataque y destrucción contra células cancerosas.[54]

Algunas investigaciones han logrado establecer una relación entre diferentes perfiles de personalidad y la respuesta ante la enfermedad. Entre los factores psicológicos que se han encontrado como significativos para dar una respuesta más favorable, están el sentido de control personal interno y, sobre todo, la visualización.

Las imágenes que proyectamos en nuestra mente reflejan nuestra actitud frente a la enfermedad, al tratamiento y a las expectativas que tenemos, y que pueden fortalecer o debilitar la respuesta de nuestro cuerpo.

El trabajo de estudio y recopilación que ha hecho la doctora Jeanne Achterberg y publicado en su libro *Por los caminos del corazón: Historia y perspectivas de la visualización como instrumento de curación,* constituyen una aportación irrefutable sobre los efectos que nosotros podemos producir en nuestro organismo a través de nuestras imágenes.

En la cuarta y última fase del curso podremos comprobar, por medio de sencillos ejercicios de visualización, cómo nuestra intuición puede ser extraordinariamente acertada y puede ayudarnos a obtener una mayor cantidad de información para resolver problemas de manera más efectiva. La intuición tiene muchos usos prácticos. Ser una persona intuitiva no significa que «adivines» la vida de la gente, pero sí que seas capaz de encontrar las mejores alternativas para la tuya propia y para servir mejor a todos aquellos que te rodean.

La intuición la desarrollamos como resultado de la educación de nuestros sentidos internos, que son indispensables para nuestra buena navegación por la vida, como lo explicamos ampliamente en el capítulo anterior. Las decisiones más importantes de tu vida: qué carrera estudias; con quién te casas; qué oferta de trabajo aceptas; con quién te asocias en un negocio; en qué amigo puedes confiar.... dependerán todas, en gran parte, de tu intuición. Que esas decisiones muestren ser las correctas con el tiempo y te proporcionen verdadera satisfacción y felicidad, dependerá de que tu intuición haya sido la correcta.

De igual forma, en esta última fase, se practican ejercicios de visualización que nos ayudan a explorar y conocer mejor la anatomía y funcionamiento de nuestro cuerpo. Tristemente conocemos más cómo funcionan los automóviles, las máquinas o las computadoras, que nuestro propio organismo.

El equilibrio o desequilibrio está en nosotros. El médico no es quien nos cura, sino quien nos orienta, y ayuda a nuestro cuerpo para que éste responda y recupere su salud. De igual importancia es que sepamos acompañarnos a nosotros mismos, ya que de nada servirá un tratamiento médico si lo consideramos una «porquería». Con esa actitud sería igual no tomarlo. Para descubrir dentro de nosotros la fuerza curativa que ayudará a la efectividad del tratamiento médico debemos aprender a conocer más profundamente a nuestro propio cuerpo.

Con herramientas creativas, visualización e imaginación, en esta fase del curso obtenemos técnicas para ayudarnos a nosotros mismos con el propósito de mantener o mejorar nuestra salud, adquiriendo también la capacidad de ayudar a los demás.

Algunos investigadores dentro de la comunidad médica, prefieren tratar de explicar los resultados exitosos que se obtienen con la imaginación a través de la biología. La doctora Sue Heiney, quien dirige el departamento de Oncología Psicosocial del South Carolina Cancer Center en Columbia, utiliza la visualización con los pacientes de cáncer ayudándoles a manejar el dolor y a reducir sus niveles de estrés. A pesar de no afirmar que con la imaginación desaparece el cáncer, reconoce la evidencia clínica de cómo, en las personas que usan la relajación y la imaginación, se mejora la respuesta inmunológica del organismo.

Lo que tú imaginas construye tu pensamiento, que a la vez despierta una respuesta en tu propio cuerpo. Alimenta a tu pensamiento con imágenes que te motiven y promuevan tu salud, y por increíble que parezca, te puedan servir para ayudar a los demás.

Si una significativa cantidad de científicos especializados nos afirman que nos convertimos en lo que pensamos, nuestra salud debe empezar en nuestra cabeza.

EL DOLOR

«El dolor no puede ser nunca ni insoportable ni de larga duración, a menos que tú lo agrandes a fuerza de la imaginación».

MARCO AURELIO

El dolor es un mecanismo de supervivencia, es la manera en que nuestro cuerpo nos avisa que algo está ocurriendo y que debemos escucharle. Sin embargo, con mucha frecuencia, el dolor depende más de nuestra subjetividad que de una realidad física, ya sea ésta interior o exterior.

Todos sabemos que el umbral del dolor varía de una persona a otra y de una circunstancia a otra en la misma persona. No es lo mismo sentirnos enfermos y con dolor estando solos, que cuando alguien amorosamente nos acompaña.

El dolor físico se produce por una lesión o un mal funcionamiento, a través de los cuales se liberan sustancias como la bradiquinina y las prostaglandinas que excitarán a los receptores del dolor en el sistema nervioso, conocidos como nociceptores. Puesta en marcha esta respuesta, transitará por la médula espinal hasta llegar al cerebro, y entonces sentiremos dolor. Nuestro dolor emocional también tiene un receptor, que es nuestra percepción de los eventos, un sitio de paso como la médula, que se refiere a nuestra interpretación, y el punto de llegada que es la elaboración de nuestro pensamiento.

Contrario a lo que pensamos, y desde la investigación de los especialistas neurólogos, aun el dolor físico tiene en su mayor parte aspectos muy subjetivos. Cuando sentimos dolor éste tendrá los siguientes componentes:[55]

Sensación: El síntoma físico que nos produce malestar.

Emoción: El estado de ánimo que modifica nuestro umbral de dolor.

Interpretación: Lo que pensamos que significa esa molestia.

Conducta: Nuestro comportamiento que puede intensificar o atenuar el malestar.

Como podemos ver, en estos cuatro componentes, los tres últimos dependen del control interno que tengamos de nuestra subjetividad, a través de la cual influimos en nuestro organismo y en sus recursos fisiológicos capaces de modificar la percepción del dolor.

Así como existe el dolor «alarma», que nos sirve como aviso para atendernos, existe también el dolor «enfermedad», un dolor crónico que puede ser el resultado de un desarreglo en el sistema nervioso o de los círculos viciosos en los que podemos caer.

1. **La memoria del dolor.** Añadimos al malestar de hoy, el temor guardado por las sensaciones del ayer. Para romper este ciclo debemos saber vivir aquí y ahora, dejando el pasado donde pertenece.
2. **Contracción muscular.** A la sensación del dolor le añadimos tensión. Para evitar este ciclo la relajación física y mental es indispensable.
3. **La atención.** Pareciera que cuando algo nos duele no podemos pensar más que en ello. Salir de nosotros mismos para dar atención a otras cosas y a otras personas nos evitará esa fijación casi enfermiza que podemos llegar a tener con nuestro dolor.
4. **La ansiedad.** Un dolor es un síntoma que nos debe llevar a procurar resolver la causa que lo provoca. Permanecer en la preocupación sólo incrementará nuestra molestia. La serenidad y la virtud del desapego, la sabiduría de que «esto también pasará», constituyen el mejor antídoto para amortiguar nuestra angustia.
5. **La tristeza.** Lamentarnos por lo que sucede puede conducirnos a un estado depresivo que sólo empeorará nuestra circunstancia. Es importante expresar nuestros sentimientos, pero también asirnos de valores como la esperanza y la fe para poder combatir este estado que nos puede sumir en la desesperación.

6. **El insomnio.** Permanecer despiertos, cuando deberíamos de estar dormidos, sólo prolonga las horas en que todos estos círculos viciosos pueden incrementarse. Procurar el descanso y dormir una buena cantidad de horas será una estupenda medicina para aliviar nuestro dolor.
7. **La inactividad física.** A pesar de que una molestia pueda restringir algunos de nuestros movimientos, el no procurar algún tipo de actividad, nos dejará con la sola posibilidad de seguir pensando en nuestro dolor. Realizar algún tipo de ejercicio físico y sobre todo comprometernos en alguna actividad que involucre nuestra capacidad de dar a los demás, nos ayudará a evitar las consecuencias agravantes de este círculo vicioso.

Cualquier dolor puede convertirse en crónico si lo combinamos con la desocupación, la ausencia de actividades de interés, la carencia de distracciones y la reacción sobreprotectora de los demás, que nos substrae de ser responsables de nosotros mismos.

La limpieza mental de nuestro vocabulario, la cual explicamos ampliamente en el capítulo dos, es de vital importancia para el manejo del dolor, puesto que nuestra forma de expresarnos en relación a lo que sentimos despierta emociones, provoca interpretaciones y genera conductas que pueden ser negativas o pesimistas, llevándonos a los círculos viciosos que nos impiden superar la situación.

Para ayudarnos a nosotros mismos a manejar nuestro dolor debemos:

- Relajarnos, y asi, contrarrestar la sensación.
- Pensar positivamente, canalizando de manera adecuada nuestra emoción.

- Visualizar un resultado positivo, para formarnos una sana interpretación.
- Servir a los demás, desviando así nuestra atención y evitando caer en la conducta dolorosa.

Aun cuando nos sintamos desfallecer, por alguna circunstancia de dolor, recordemos lo que Victor Hugo apuntaba:

«A nadie le faltan fuerzas, lo que a muchísimos les falta es voluntad».

EL PACIENTE EXCEPCIONAL

«Lo más difícil de aprender de la vida es saber qué puente hay que cruzar y qué puente hay que quemar».

DAVID SYME RUSSELL

La gran mayoría de las personas que asisten al curso lo hacen con el propósito de ampliar sus alternativas de superación personal y de alcanzar un desarrollo humano cada vez más integral, que les permita descubrir su potencial y aplicarlo para mejorar su calidad de vida.

Ocasionalmente también participan personas que buscan una alternativa de autoayuda para enfrentar una situación grave de salud. He sido testigo de recuperaciones asombrosas, logrando identificar después de más de tres décadas de experiencia y acompañamiento, a quienes solemos llamar pacientes excepcionales.

El paciente excepcional es quien estará dispuesto a luchar por su vida y a procurar que ésta sea de la mejor calidad; buscará las soluciones dentro de sí mismo y tendrá la determinación de cambiar aquellas cosas que afectan su bienestar, «quemando los puentes» que ya no deben estar en su presente y «cruzando» aquellos que significan una transformación necesaria en su ser y quehacer.

Son personas capaces de apegarse a una disciplina diaria de relajación y visualización. Están abiertos a replantearse sus propios valores y descubrir el sentido de su vida; desarrollan una fe inconmovible, de acuerdo a sus propias creencias, practican la oración profunda, se liberan de la culpabilidad y los resentimientos a través de un genuino perdón y están dispuestos a transitar por un proceso de transformación de vida. Todo esto les obliga a modificar aquellas creencias o ideas que les predisponen al fatalismo, a las imprudencias o al abandono de toda esperanza.

Ayudarse a sí mismo exige moverse en dirección de todo aquello que nos da un propósito, orientándonos hacia las cosas que nos proporcionan alegría y genuina satisfacción. El paciente excepcional está preparado para morir hoy, pero planifica su trabajo como si fuera a vivir siempre. El resultado es que logra salir adelante, en contra de la mayoría de los pronósticos, y convierte a su propia vida en un camino ejemplar de superación y servicio.

El Método Silva nunca ha pretendido reemplazar al médico ni al terapeuta, sino más bien ser el medio que proporciona a la persona las herramientas que favorezcan su calidad de vida y le ayuden a aprovechar y potenciar el tratamiento que está recibiendo, integrando a él la fortaleza de sus propios recursos internos.

Los conflictos y el dolor emocional es lo que más se interpone en nuestro camino para recuperar la salud. Es una gran tarea la que debe realizarse, al tener que cuestionar muchas de las creencias que fácilmente nos llevan a la desesperación o al sentimiento de impotencia.

Debemos SABER PENSAR, tener control sobre palabras e imágenes que conforman a nuestro pensamiento, para poder canalizar nuestra emotividad. Las crisis son momentos de oportunidad. A pesar del desequilibrio, que en muchas ocasiones nosotros mismos hemos provocado, nadie es culpable de estar enfermo, pero todos debemos ser responsables por nuestra salud.

Todos debemos de tratar de ser felices, es la gran tarea de la vida, y ese esfuerzo se esfuma con frecuencia por las pérdidas y tristezas, por las preocupaciones y ansiedad, por los conflictos y la rabia. Todas estas situaciones, grandes generadoras de estrés, casi siempre anteceden a la enfermedad por su efecto destructivo en el sistema de inmunidad; pero una vida feliz no depende de tener las mejores cartas, sino de saber jugar bien con las que sí tenemos.

VALORES

«A las cosas las percibimos, a los conceptos los pensamos pero los valores deben ser sentidos y vividos».

ANÓNIMO

Ayudarnos a nosotros mismos a mantener el equilibrio que nos proporciona una buena salud o trabajar por recuperarla, nos exige reconocer la importancia de los valores y nuestra fortaleza espiritual.

No se puede negar que la esperanza es un poderoso «medicamento» para nuestra recuperación y para el mantenimiento de nuestra salud, recordando que la verdadera esperanza nunca es ciega, sino luminosa, para ayudarnos a tener una visión mucho más clara de la realidad y de las posibilidades, que aunque invisibles a nuestros ojos, están en el potencial de nuestro interior.

Para ser capaces de entrever el futuro, a pesar de las predicciones, necesitamos de una imaginación esclarecida por la esperanza, y necesitamos ejercerla como una disciplina, que a la vez que permite que nuestras lágrimas fluyan, como fluyen las mareas, nos deje al mismo tiempo vislumbrar las enormes posibilidades del océano.

La esperanza nos abre espacios de alegría que nos devuelven, a pesar del dolor y la tristeza, al mundo de los vivos. Por ello las palabras «terminal» y «desahuciado» deben ser abolidas del mundo de la medicina, ya que toda predicción puede ser siempre opacada por la fortaleza del espíritu, que nos permite dar un sí a la vida y seguir adelante.

La esperanza siempre es posible, a pesar de la turbulencia en el horizonte, lo que necesitamos es creer. Nuestra fe, de acuerdo a cada una de nuestras tradiciones, es lo que siempre nos remitirá a la confianza, indispensable para luchar y encontrar un propósito en la noche oscura que transitamos.

Nuestra fe nos permite descubrir el sentido en lo que nos ocurre y SABER que Dios nos ha creado con capacidades mucho más amplias y efectivas de las que creemos tener, como el avance de la ciencia y el progreso nos lo ha demostrado. Nuestra responsabilidad es trabajar por descubrirlas.

Desde las tragedias de Sófocles, ya se afirmaba que la más bella obra humana es la de ser útil al prójimo, lo que nos remite a la relevancia del amor. La insensibilidad con la que muchos transitamos frente al dolor de los demás, no demuestra más cuán estupidizada está nuestra alma, recordemos la sabiduría del Talmud:

«¿Si no soy para mí mismo, quién será para mí? ¿Si no soy para los otros, para quién soy? ¿Y si no es ahora, cuándo?»

El amor, mucho más que una palabra poética, es el valor que nos compromete con la vida. Hoy sabemos que los grandes sentimientos vienen del cerebro, pero los grandes pensamientos, que contribuyen a la bondad y el bien, siempre vendrán del corazón.

No debemos posponer ni un instante más el desempeño del amor en nuestra vida, para que, reconociéndonos como instrumentos del genio creador de Dios, podamos ayudar a sostener y hacer crecer la vida de nuestros semejantes. Después de todo, nuestro camino de aprender y crear no tiene otro propósito más que SABER PARA SERVIR.

La tarea de conocernos a nosotros mismos implica explorar todo nuestro potencial, caminar nuestra interioridad, descubrir, educar y aplicar los recursos que poseemos, y que nos ayudan a mejorar nuestra calidad de vida y a compartir generosamente con los demás.

Ser un verdadero visionario en la ciencia es no tener miedo para proponer lo impensable y demostrar que muchos de nuestros paradigmas científicos pueden estar equivocados. Permanecer abiertos a todas las posibilidades es lo único que nos permite seguir descubriendo los secretos de la naturaleza. La verdadera ciencia no niega la existencia del misterio de Dios, como la verdadera fe no debe negar lo que descubre la ciencia. El gran científico Wernher Von Braun, físico, matemático y padre de la tecnología para los viajes de exploración al espacio, expresó con extraordinaria lucidez:

«Encuentro tan difícil comprender a un científico que no reconoce la presencia de una razón superior, detrás de la existencia del universo, como comprender a un teólogo que se atreve a negar el avance de la ciencia. Ciertamente no existe ninguna razón científica de por qué Dios no puede tener la misma relevancia en nuestro mundo moderno como la que ha tenido antes de que empezáramos a escudriñar su creación con el telescopio, el ciclotrón y los vehículos espaciales».

EJERCICIO: Reflexiones para mi salud

Te recomiendo que te relajes y con la mayor honestidad posible te contestes las siguientes preguntas. Hacerlo te ayudará a tomar nota de aquellas cosas que ameritan cambiar y te pueden ayudar a mejorar tu calidad de vida y salud.

Anota cinco cosas que te dan alegría y un sentido de realización.

___

___

___

Pregúntate si estás asignando tiempo a las cosas que te dan alegría.

___

___

___

¿Cómo enfrentas un problema de salud? ¿Con qué actitud?

___

___

___

¿Cuándo enfermas, te sientes constantemente dominado por el problema?

___

___

___

¿Sientes que tienes control y puedes ejercerlo sobre la enfermedad?

___

___

___

¿Te sientes de antemano vencido por el problema?

___

___

___

¿Te sientes motivado para luchar y con potencial para vencer el reto?

___

___

___

¿Qué creencias deberías modificar?

___

___

___

¿Qué relaciones interpersonales deben ser replanteadas?

___

___

___

¿Qué aspectos de tu trabajo deben cambiar?

___

___

___

¿Qué o quién socava tu esperanza? ¿Cómo podrías manejar mejor esa situación o relación para impedir que perjudique tu salud?

Necesitamos hacer cosas que le den propósito a nuestra vida. Pregúntate ¿qué es lo que da sentido y significado a mi vida? Lo que da sentido y significado debe depender de ti y no de lo que otras personas hagan o digan, o de que estén presentes.

EJERCICIO: Programación para mi salud

Si enfrentas en estos momentos un problema de salud y deseas ayudarte a ti mismo a recuperar tu bienestar, deberás practicar tu relajación tres veces al día y visualizar el resultado que esperas alcanzar. El ejercicio deberá tener una duración mínima de 15 minutos.

Entrarás a tu nivel básico de relajación con el Método del 3 al 1®. Una vez relajado física y mentalmente:

1. Visualiza tu problema.

2. Imagina el tratamiento médico que recibes y su efecto positivo en tu cuerpo.
3. Imagina tus propias defensas haciendo lo que es su trabajo, para restablecer tu salud y mantener el equilibrio.
4. Visualízate, imagínate, siéntete en perfecto estado de salud.

Respetando cualquiera que sea tu creencia y si tú lo consideras oportuno, te sugerimos que mientras te encuentras en tu nivel de relajación, practiques la oración que estimes adecuada para ti y agradezcas al Buen Dios, como tú lo concibas, que así como lo visualizas así sea.

Cada vez que pienses respecto a tu problema trae a tu mente la imagen de ti mismo en perfecto estado de salud, conforme lo has ido visualizando en tus ejercicios de relajación.

Cuando recibas tu tratamiento médico, visualiza el efecto positivo que éste está teniendo en tu cuerpo y la imagen de ti mismo en perfecto estado de salud.

Realizar esta práctica con disciplina requiere de una gran determinación. Si estás dispuesto a seguirla, te sorprenderás de tus resultados.

8

El curso

«Busca dentro de ti la solución de todos los problemas, hasta de aquellos que creas más exteriores y materiales... Aun para abrirte camino en la selva virgen, o para tender un puente, has de buscar dentro de ti... Y acertarás constantemente, pues dentro de ti llevas la luz...».

AMADO NERVO

SABER PENSAR es la tarea más importante que tenemos. Para lograrlo debemos conocer y saber manejar los procesos internos que constituyen nuestro pensamiento. Saber que las respuestas siempre están dentro de nosotros y asumir la responsabilidad de trabajar por encontrarlas, significa emprender un viaje trascendente a nuestra interioridad y desde ahí motivarnos a la acción.

Nuestra propuesta es sencilla: conócete, descúbrete y encuentra en ti mismo la capacidad de resolver problemas con mayor efectividad y así mejorar la calidad de tu vida.

El curso de Dinámica Mental Método Silva está conformado por un conjunto de técnicas que ofrecen una metodología educativa que nos ayuda a capacitar y potenciar nuestras facultades mentales.

Al ser una institución educativa, nuestra metodología ha sido y será siempre respetuosa de todas las creencias, sosteniendo su misión en los valores universales comunes a todas las filosofías de vida.

Nuestro curso se inicia con una Conferencia de Introducción que tiene una duración aproximada de dos horas, y está dividido en cuatro diferentes fases, que tienen una continuidad y deben tomarse en el orden siguiente:

FASE 101: Dedicada al manejo del estrés, el aprendizaje de la relajación profunda y el control de los problemas tensionales. Consta de los siguientes ejercicios prácticos:

- Relajación física y mental extendida®.
- Control para dormir®.
- Control de jaquecas®.
- Control para despertar y mantenerse despierto®.
- Control de sueños®.

FASE 202: Dedicada a potenciar nuestra capacidad de aprendizaje, agilizando nuestra memoria y concentración, la toma de decisiones, la programación de nuestras metas y objetivos, el manejo del dolor y el control de nuestros hábitos. Consta de los siguientes ejercicios prácticos:

- Pantalla mental y claves de la memoria®.
- La técnica de los tres dedos®.
- Técnica del vaso de agua®.

- Técnica del espejo de la mente®.
- Técnica de anestesia de guante®.
- Control de hábitos®.

FASE 303: Dedicada al desarrollo, capacitación y manejo de nuestros sentidos internos, intuición y creatividad, a través de ejercicios de proyección de imágenes. Consta de los siguientes ejercicios prácticos:

- Proyección mental a nuestra casa®.
- Proyección mental a los metales®.
- Proyección mental a las plantas®.
- Proyección mental a los animales®.
- Creación de un laboratorio mental®.
- Creación de la imagen de los consejeros®.

FASE 404: Dedicada al manejo de la imaginación para nuestra salud y de nuestra habilidad intuitiva. Consta de los siguientes ejercicios prácticos:

- Proyección mental a la anatomía humana®.
- Trabajo de casos®.

La duración del curso es de aproximadamente 40 horas. Al terminarlo, los participantes, a quienes con cariño llamamos «graduados», reciben un diploma que acredita su participación y una credencial, previa entrega de su fotografía, que los identifica para participar en las actividades que el instituto ofrece para ellos.

En el área bajo mi cargo, desde hace más de 25 años hemos realizado una adaptación de la metodología, a través de la cual se ha creado un curso especial para niños, enfocado de manera importante al aprendizaje. También se han hecho adaptaciones y creado cursos para adolescentes y jóvenes, los cuales brindan una orientación de acuerdo a las motivaciones y cuestionamientos de su edad.

El brindar a las personas, desde una época temprana, las herramientas que edifican una sana autoestima, favorecen el aprendizaje y les dan un enfoque positivo de la vida, es probablemente uno de los mejores recursos que les podemos proporcionar para ayudarles a construir una mejor calidad de vida y prevenirles de problemas en el futuro. Como la investigación actual apunta, un enfoque emocional positivo desde una edad temprana, puede ayudarnos a prolongar la vida e inclusive ser un estupendo preventivo para problemas como el Alzheimer.[56]

Nuestra Institución, como se menciona en la introducción, no es una organización multinacional. Por tanto, cada país o área en el mundo, puede tener diferentes políticas en los servicios que brinda. Lo que resulta importante es el apego a las técnicas del curso y su orden.

Algunos instructores pueden tener ideas brillantes y elaborar sobre teorías e hipótesis que resultan muy interesantes, pero nuestra metodología ha estado y seguirá estando centrada en su propósito primordial, ayudar a las personas a descubrir su potencial natural y resolver sus problemas cotidianos.

La problemática básica de los seres humanos continúa siendo la misma. Nuestro curso no es una disertación filosófica, ni exposición metafísica y mucho menos una pretensión sectaria. Por ello, la labor de todo instructor no es la especulación sobre teorías o hipótesis, sino la explicación sencilla y accesible de todas las técnicas y el compartir los conocimientos pertinentes, que dan soporte académico y científico a la metodología, así como la motivación adecuada para la práctica.

Todo graduado, al recibir su diploma y credencial, goza del derecho de repetir el curso en el futuro para actualizarse y reforzar su práctica, sin costo alguno. Esta es una política que debe respetarse en todo el mundo. Podrá haber algunas zonas, que por falta de un local adecuado, soliciten una cuota mínima por este servicio.

En la ciudad de México, se brinda también una reunión semanal y gratuita para los graduados, en la que se comparten conferencias sobre temas de Psicología, Desarrollo Humano, Medicina, Pedagogía y profundización de las técnicas del curso y su práctica. El llamado «Club de Graduados», como se le nombra a estas reuniones, tiene como propósito dar un servicio que favorezca la motivación y el ejercicio de las técnicas aprendidas.

Nuestro curso es probablemente uno de los más imitados y en ocasiones plagiado, lo cual constituye un acto fraudulento. Nos sentimos orgullosos de haber sido y seguir siendo una metodología modelo para una gran cantidad de cursos de superación que hoy se imparten. Sin embargo, es importante que nos aseguremos de que la persona que dice impartir nuestro curso sea realmente un instructor autorizado y cuente con la credencial actualizada que así lo acredita, lo que puedes verificar en las páginas de Internet que se mencionan al final de este libro, en «Datos de contacto».

Nuestra institución en México ha creado también la Asociación de Orientación Holística, una fundación de ayuda y beneficencia, que cuenta con dos centros de atención.

En la ciudad de México brinda servicio a personas con proyectos de salud graves, para quienes la medicina no ofrece alternativas de solución. Contamos con un grupo de médicos, psicoterapeutas y graduados voluntarios que brindan a los pacientes una orientación integral, compartiendo con ellos técnicas de relajación y visualización para su salud.

En la ciudad de Mérida, Yucatán, el centro se dedica fundamentalmente a la atención de niños y jóvenes de muy escasos recursos económicos con diversos síndromes y lesiones cerebrales. También se cuenta con supervisión médica, neurológica, fisiátrica, psicológica, y de voluntariado comprometido. De igual forma, y de manera integral, como en la ciudad de México, se atienden a personas con proyectos de salud severos. Los resultados alcanzados en ambos centros, a lo largo de más de 25 años, han sido extraordinarios.

Nuestra Institución cuenta con una significativa cantidad de estudios e investigación, publicados en diferentes países, que han comprobado la efectividad de la metodología. Algunos de estos estudios han sido compilados en un manual de investigación, publicado por *Silva Mind Control International.*[57]

Nuestra Institución en México, Centro América y Panamá, cuyo nombre es **Asociación Latinoamericana de Desarrollo Humano. S.C.**, y cuyas oficinas centrales están en la ciudad de México, tiene como MISIÓN: COLABORAR con el ser humano en el mejoramiento de su calidad de vida, facilitándole el uso de sus propios recursos y ayudándole a descubrir o reforzar su potencial y valores; APOYAR el desarrollo de las empresas y los grupos sociales y SERVIR a la comunidad con efectivo trabajo social.

Comprometidos con nuestra misión, realizamos nuestro trabajo de una forma coherente con los contenidos que difundimos, haciéndolo de una manera actualizada, profesional, ética, responsable, solidaria y respetuosa de ideas, creencias, intereses y situaciones de toda persona. Logramos el más alto grado de efectividad.

Anna Frank decía, a su corta edad y en medio de tanta limitación y dolor: «**Es maravilloso saber que no hay que esperar ni un momento para empezar a mejorar el mundo**», lo que depende de cada uno de nosotros, de nuestra determinación por ser mejores y de trabajar responsablemente por construir un mundo mejor para todos. Puede ser que en ocasiones sintamos que lo que hacemos contribuye tan sólo una gota en el mar, pero el mar sería menos si le faltara esa gota.

Si recordamos que lo que la mente puede concebir, la mente puede conseguir, el curso nos brinda las mejores herramientas para comprender y aplicar la maravillosa capacidad creativa que Dios mismo nos ha dado. La ciencia hoy dice que tal vez un pensamiento tenga el poder de cambiar al mundo. Nuestra participación es vital, en verdad que puede ser que sepamos lo que somos, pero no lo que podemos llegar a ser.

Aun tratando de explicar de la manera más sencilla y completa lo que el curso representa y nos aporta, lo trascendente nunca se puede expresar con tan sólo palabras. Bien afirma el teólogo húngaro Ladislao Boros:

«Lo esencial escapa siempre a nuestros esfuerzos intelectuales y a nuestras palabras. Solamente se da como experiencia».

Date la oportunidad de vivirla.

9

Dios, vida y mente

Una reflexión personal

«No me siento obligado a creer que el mismo Dios que nos ha dotado con sensibilidad, razonamiento e inteligencia tenga la intención de que renunciemos a usarlos».

GALILEO GALILEI

Absurdo, en verdad, resultaría que nuestros dones y talentos no tuvieran el propósito de ser descubiertos, desarrollados y puestos a la práctica para mejorar el mundo en que vivimos y con nuestra inteligencia resolver problemas y encontrar alternativas que nos procuren una vida mejor.

A lo largo de estos 37 años de tener el privilegio de compartir la metodología con miles de personas, en más de 20 países de América, Europa y Medio Oriente, y de ser testigo de extraordinarias experiencias de transformación, éxito y salud, siempre he recibido el afecto de quienes me han honrado con la posibilidad de servirles, y encontrado el apoyo de la comunidad pedagógica, psicológica y médica. Desafortunadamente no puedo decir lo mismo, cuando debo referirme a ciertos grupos religiosos, fanatizados por su muy restringida visión del mundo y del ser humano.

Pareciera ser que para muchos fundamentalistas, la mente, su investigación y potencial, representan hoy en día la misma «amenaza» y les provoca la misma inseguridad que les generó la teoría de evolución de Charles Darwin en el siglo XIX, o la afirmación de Galileo de que la Tierra no era el centro del universo y se mueve.

Tristemente la cerrazón y el prejuicio de quienes, ignorando por completo de qué trata el curso, se han atrevido a descalificarlo y desprestigiarlo ante al público por sus propias ideas fundamentalistas, lo único que demuestran es una religiosidad muy alejada de la verdadera fe.

Nuestra Institución, siendo educativa, como hemos ya mencionado, respeta todas las creencias, y por ello en cada país los instructores tienen la absoluta libertad de profesar la fe que ellos deseen, de acuerdo a sus propias tradiciones. Escribo este capítulo a título muy personal, respetando las diferencias de credo que muchos de mis compañeros en el mundo pueden profesar o no.

Puesto que soy católica practicante, esta reacción sectaria y fanatizada ha resultado muy dolorosa para mí. Por otra parte, las mentiras divulgadas en algunos medios electrónicos y la persecución de la cual hemos sido objeto, no han hecho más que reforzar mi convicción sobre las bondades de la metodología y redoblar mi empeño porque se le conozca y practique.

El haber tomado el curso por vez primera y practicarlo a lo largo de tantos años, ha sido un instrumento en mi vida para acercarme cada vez más al Buen Dios y descubrir más profundamente mi propia espiritualidad. Mi trabajo como instructora me ha permitido también constatar la maravillosa experiencia que ha sido para muchas personas el **emprender su autodescubrimiento y camino de interioridad.**

El inicio de esta injustificada crítica tiene su origen en grupos pentecostales en la década de los 70´s, grupos que en sus reuniones promueven una serie de manifestaciones que dan prioridad a una religiosidad exteriorizada y a demostraciones de sanación. Con un terrible oscurantismo, acusaron de ser «magia» a la capacidad natural que se puede tener para controlar procesos como el dolor y que, independientemente de las creencias de la persona, se puede manejar por medio de la relajación y técnicas de contra estimulación, que la medicina reconoce y aplica de manera común en la actualidad.

Posteriormente en los 90´s, José Silva expresó en libros, de edición casera, sus ideas particulares sobre el desarrollo de la inteligencia y respecto a algunas de sus creencias personales. Sin considerar que él mismo aclaró en cada uno de sus escritos, que dichas ideas no representaban en nada una posición del instituto, ni se relacionaban con ningún aspecto del curso, no faltó quien quiso ver en ellas una razón para justificar su irracional actitud en contra de una metodología que cuenta con investigación seria y que ha ayudado a millones de personas en el mundo.

A pesar de que en muchas ocasiones no estuve de acuerdo con José, siempre manifestaré mi respeto por su preclara visión respecto al potencial de la mente humana; por la sencillez con la cual nunca se autoerigió como «maestro»; por el respeto profundo que promovió en la Institución por las diversas creencias de quienes hemos formado parte de ella; y sobre todo, por su convicción de servicio a sus semejantes, como principal propósito de vida.

Convencida de mi propia fe, me niego a considerar que los que no creen como yo, están condenados a carecer del amor inconmensurable y de la luz de Dios y me niego a creer en un Dios tan pequeño, que pueda verse amenazado por los talentos de sus criaturas, talentos que Él mismo les ha dado. Por ello concuerdo con Galileo y la frase que de él hemos citado al inicio de este capítulo.

Esta injustificada ofensiva lo único que pone en evidencia es cuán ciega puede ser la soberbia y cuán atrevida es la ignorancia. Tenemos una necesidad urgente de revivir la humildad y cultivar la tolerancia, indispensables para aprender y seguir creciendo.

Un triste ejemplo de esta soberbia e ignorancia han sido algunos documentos, en páginas de Internet, que sobre la llamada *New Age* han circulado entre grupos fanatizados, haciendo creer a muchos fieles que su visión representa la verdad y la política oficial de la Iglesia.

En algunos de ellos, se atacan los postulados básicos de la Física Cuántica; la espiritualidad de Carl Jung; la Psicología Transpersonal, practicada incluso en diversas universidades católicas. Citan como *New Age* al *Biofeedback* (técnica científica médica para enseñar a una persona a regular funciones del cuerpo), a la práctica del yoga, a la hipnosis e inclusive a la terapia Gestalt. Todo esto no hace más que poner en evidencia el absurdo «oscurantismo», de quienes se autoerigen en jueces implacables de lo que no conocen.

Su falta de respeto, ataca creencias básicas de otros credos, como es la reencarnación para los budistas e hinduistas, y la relación con la naturaleza para los pueblos indígenas. Atacan también cualquier tipo de meditación que no lleve como centro el mensaje de Cristo, lo cual representa una ceguera irrespetuosa hacia creyentes de otra fe.

¿Por qué tanto miedo? Algunos suelen decir que una fe que

carece de firmeza puede verse perjudicada; si así fuera, deberíamos trabajar más por fortalecer la fe de los creyentes, lo cual requeriría del ejemplo de vida que muchas veces no damos.

Ante esta situación y por mi absoluto convencimiento de los grandes beneficios que nuestra metodología pueda darle a sus participantes, solicité la intervención de la autoridad arzobispal que me corresponde. La situación fue aclarada favorablemente para el método, a través de un documento firmado por el Arzobispo, aunque el poder del fundamentalismo no permitió que se le diera la divulgación que el mismo Arzobispo solicitaba. Agradezco al padre Camilo Maccise O.C.D., quien ha sido Padre General del la Orden del Carmelo Descalzo en Roma, doctor en Teología y reconocida autoridad en el conocimiento de la Biblia, que en el apéndice que él escribe en este libro, haga mención a dicho documento, que está a la disposición de quien lo solicite en nuestras oficinas.

Por otra parte, por ser practicante de mis creencias y miembro activo de mi Iglesia, me permito citar algunos documentos oficiales, que a pesar de quienes pretenden ignorarlos, nos muestran una clara posición eclesial en cuanto a la ciencia y la legítima búsqueda del ser humano por explorar su potencial. Estoy segura que la lectura completa de dichos documentos ayudará a dilucidar la verdadera posición de nuestra Iglesia, para quienes somos católicos.

De la encíclica *Populorum Progressio*[58]

El Método Silva tiene como propósito brindar técnicas prácticas que nos den alternativas de mejoramiento y que siempre han pretendido ayudar al perfeccionamiento de las facultades naturales que todo ser humano posee, aunque en algunas ocasiones no haya atinado a descubrirlas o potenciarlas. Sobre esto y nuestra natural vocación al desarrollo:

«Desde su nacimiento, ha sido dado a todos, como en germen, un conjunto de aptitudes y de cualidades para hacerlas fructificar: su floración, fruto de la educación recibida en el propio ambiente y del esfuerzo personal, permitirá a cada uno orientarse hacia el destino que le ha sido propuesto por el creador. ***Dotado de inteligencia y de libertad, el hombre es responsable de su crecimiento,*** *lo mismo que de su salvación. Ayudado, y a veces estorbado, por los que lo educan y lo rodean,* ***cada uno permanece siempre, sean los que sean los influjos que sobre él se ejercen, el artífice principal de su éxito o de su fracaso: por sólo el esfuerzo de su inteligencia y de su voluntad,*** *cada hombre puede crecer en humanidad, valer más, ser más».*

PP. 15

Me siento orgullosa de pertenecer a una Iglesia que proclama a la luz de un Dios bueno y siempre aliado, la gran trascendencia que el hombre tiene para la creación, y las necesidades que el mundo de hoy nos exige, como son la capacidad de SABER PENSAR, y de mayor humanidad. Sobre nuestra propia condición la Iglesia apunta:

«Si para llevar a cabo el desarrollo se necesitan técnicos, cada vez en mayor número, para este mismo desarrollo ***se exige más todavía pensadores de reflexión profunda que busquen un humanismo nuevo,*** *el cual permita al hombre moderno hallarse a sí mismo…»*

PP. 20

Nuestra metodología resalta la importancia de nuestra responsabilidad y la trascendencia que el trabajo de cada uno de nosotros tiene ya que:

«El hombre debe cooperar con el creador en la perfección de la creación y marcar a su vez la tierra con el carácter espiritual que él mismo ha recibido».

PP. 27

¿No es acaso nuestra responsabilidad potenciar a nuestra espiritualidad con la congruencia de nuestro pensamiento? Se requiere de esfuerzo para establecer el equilibrio necesario entre cada una de las partes que nos conforman. No debemos dividir al hombre en compartimentos, ni obligar a la ciencia a caer de nuevo en la dicotomía cartesiana que tanto ha retrasado una más profunda comprensión de nuestro ser:

«El hombre no es verdaderamente hombre más que en la medida en que, dueño de sus acciones y juez de la importancia de éstas, ***se hace él mismo autor de su progreso****, según la naturaleza que le ha sido dada por su creador y de la cual asume libremente las posibilidades y las exigencias».*

PP. 34

¿Acaso la mente y sus posibilidades, descubiertas y por descubrir, no son parte del potencial mismo que Dios nos ha dado? ¿Acaso no estamos moralmente obligados a descubrir y potenciar todas aquellas facultades que nos llevan a la superación?

«Lejos de ser la norma última de los valores, ***el hombre no se***

> ***realiza a sí mismo si no es superándose.*** *Según la tan acertada expresión de Pascal: El hombre supera infinitamente al hombre».*
>
> PP. 42

Hoy más que nunca requerimos de fraternidad, de caridad y de búsqueda de todo aquello que pueda unirnos, en una Iglesia abierta y respetuosa de las diferencias, que asuma lo verdaderamente universal. ¿No es acaso lo universal, lo que siempre incluye al otro, aunque no crea como yo?

> *«Y si es lamentable que el mundo se encuentra en un lamentable vacío de ideas, hacemos un llamamiento a los pensadores y a los sabios, católicos y a todos los hombres de buena voluntad... Buscad y encontraréis, emprended los caminos que conducen a través de la colaboración, de la profundización del saber, de la amplitud del corazón, a una vida más fraterna en una comunidad humana verdaderamente universal».*
>
> PP. 85

Del concilio Vaticano II.
Documento *Gaudium et Spes*[59]

Para Dios, como lo afirma este documento, «**no hay nada verdaderamente humano que no encuentre eco en su corazón**».GS. 1 En verdad que debe darnos «Gozo y Esperanza», título del documento en español, el que para los católicos, nuestra Iglesia demuestre su posición abierta y tolerante ante los cambios profundos que la ciencia suele traernos:

«El Espíritu científico modifica profundamente el ambiente cultural y las maneras de pensar... ***Los progresos de las ciencias biológicas, psicológicas y sociales permiten al hombre no sólo conocerse mejor, sino aun influir directamente sobre la vida de las sociedades****».*

GS. 5

¿Quiénes somos en realidad, como seres pensantes y capaces de ser creativos? Si somos creyentes, ¿dónde encontrarnos con Dios? ¿Habrá miedo entre los fundamentalistas de que toda persona sea capaz de encontrar al Dios que le habita? «La verdad os hará libres» (Jn. 8,32) y eso siempre resulta peligroso para quienes por la culpabilidad y el miedo, pretenden coartar la libertad de la persona y determinar su destino, libertad que Dios mismo respeta y destino que sólo a cada uno de nosotros nos corresponde decidir.

«El hombre, por su interioridad es, en efecto, superior al universo entero; a esta profunda interioridad retorna cuando entra en su corazón, dónde Dios le aguarda, escrutador de los corazones, y dónde él personalmente, bajo la mirada de Dios, decide su propio destino».

GS. 14

Cuánta necesidad tenemos de una inteligencia sabia que pueda vislumbrar lo invisible, que supere tantos límites autoimpuestos o ciegamente asumidos por nuestra falta de cuestionamiento a las figuras de autoridad.

«La inteligencia no se ciñe solamente a los fenómenos. Tiene capacidad para alcanzar la realidad inteligible con verdadera cer-

> *teza...* ***La naturaleza intelectual de la persona humana se perfecciona por medio de la sabiduría, la cual atrae con suavidad la mente del hombre a la búsqueda y al amor de la verdad y del bien. Imbuido por ella, el hombre se alza por medio de lo visible hacia lo invisible.*** *Nuestra época, más que ninguna otra, tiene necesidad de esta sabiduría para humanizar todos los nuevos descubrimientos de la humanidad. El destino futuro del mundo corre peligro si no se forman hombres más instruidos en esta sabiduría».*
>
> GS. 15

El verdadero creyente parte de la realidad del amor gratuito de Dios, de la absoluta libertad con la que nos ha creado y de la abundancia de dones y talentos con los cuales nos ha dotado, para elegir nuestro destino y sin coacción alguna buscarle y amarle con todo nuestro ser y quehacer:

> *«Dios ha querido dejar al hombre en manos de su propia decisión, para que así busque espontáneamente a su creador y, adhiriéndose libremente a éste, alcance la plena y bienaventurada perfección. La divinidad humana requiere, por tanto, que el hombre actúe según su conciencia y libre elección, es decir, movido e inducido por convicción interna personal y no bajo la presión de un ciego impulso interior o de la mera coacción externa».*
>
> GS. 17

Me entristece y me avergüenza el fanatismo descalificador, que sin ánimo de diálogo y apertura, está vacío de verdadera caridad. ¿Acaso no es la mente parte de nuestra naturaleza? ¿No debe ser prioridad descubrir sus capacidades y potenciarlas?

Deben terminar los tiempos, en que por su inteligencia, el hombre sea amenazado y acusado de falta de fe en Dios, al creer en las potencialidades que Dios mismo le ha dado. Demasiados han sido «satanizados» por confiar en las posibilidades de la naturaleza misma, o en la ciencia y sobre todo en su propia intuición, o ¿es que debemos elegir al cirujano, en cuyas manos puede estar la vida de un ser querido, por sus creencias religiosas o por su capacidad como especialista? ¿Amenaza a Dios el que el hombre aplique su inteligencia, potencial mental y visualización, para ayudar a una persona enferma?

> *«Siempre se ha esforzado el hombre con su trabajo y con su ingenio por perfeccionar su vida; pero en nuestros días,* ***gracias a la ciencia y a la técnica, ha logrado ampliar y sigue ampliando el campo de su dominio sobre casi toda la naturaleza... De lo que resulta que gran número de bienes que antes el hombre esperaba alcanzar sobre todo de las fuerzas superiores, hoy los obtiene por sí mismo»***.
>
> GS. 33.

Todo progreso, aun en las ciencias, tuvo su origen en una hipótesis, intuición, antes de poder ser corroborado. Algunas teorías sólo llegan a comprobarse siglos después de haber sido expuestas. Copérnico fue quien afirmó que la Tierra no era el centro del universo, Galileo lo comprobó 100 años después. ¿Acaso no ha sido la mente humana, su creatividad e intuición la que ha logrado los avances en la ciencia, la expresión de las artes y el medio principal para mejorar nuestra condición de vida? Creo en un Dios que nos da visión para mejorar, crecer y hacer fructificar nuestro entorno.

«Una cosa hay cierta para los creyentes: la actividad humana individual y colectiva o el conjunto ingente de esfuerzos realizados por el hombre a lo largo de los siglos para lograr mejores condiciones de vida, considerado en sí mismo, responde a la voluntad de Dios».

GS. 34

En verdad que los que se sienten atemorizados por el desarrollo de la persona, su capacidad de interiorización y su posibilidad de descubrir por sí mismos una vía de encuentro con su Creador, tienen una visión tan pequeña de Dios, pensando que una persona puede ignorarle por su sola capacidad de alcanzar el éxito y ser mejor. Firmemente sostengo que todo lo que nosotros seamos, o lleguemos a ser capaces de realizar, siempre será insignificante ante la omnipotencia, omnisciencia y omnipresencia del Dios en que sí creo. Concuerdo con mi Iglesia cuando afirma que los creyentes:

«Lejos de pensar que las conquistas logradas por el hombre se oponen al poder de Dios y que la criatura racional pretende rivalizar con el Creador, están por el contrario, persuadidos de que las victorias del hombre son signo de la grandeza de Dios y consecuencia de su inefable designio».

GS. 34

¿Por qué se pretende coaccionar a las personas, impedirles alternativas para su autodescubrimiento? ¿Por qué negar lo que constituye el descubrimiento de nuevas realidades y leyes? ¿Por qué coartar la justa autonomía que debemos ejercer sobre nuestra realidad terrena?

«Si por autonomía de la realidad terrena se quiere decir que las cosas creadas y la sociedad misma gozan de propias leyes y valores, que el hombre ha de descubrir, emplear y ordenar poco a poco, ***es absolutamente legítima esta exigencia de autonomía.*** *No es sólo que la reclamen imperiosamente los hombres de nuestro tiempo. Es que además* ***responde a la voluntad del creador...*** *Por ello, la investigación metódica en todos los campos del saber, si está realizada de una forma auténticamente científica y conforme a las normas morales, nunca será en realidad contraria a la fe, porque las realidades profanas y las de la fe tienen su origen en un mismo Dios. Más aún quien con perseverancia y humildad se esfuerza por penetrar en los secretos de la realidad, está llevado, aun sin saberlo, como por la mano de Dios, quien, sosteniendo todas las cosas, da a todas ellas el ser.* ***Son, a este respecto, de deplorar ciertas actitudes que, por no comprender bien el sentido de la legítima autonomía de la ciencia, se han dado algunas veces entre los propios cristianos; actitudes que, seguidas de agrias polémicas, indujeron a muchos a establecer una oposición entre la ciencia y la fe... Por lo demás, cuantos creen en Dios, sea cual fuere su religión, escucharon siempre la manifestación de la voz de Dios en el lenguaje de la creación».***

GS. 36

Es indudable que tenemos una gran responsabilidad de procurar mejoría en nuestra sociedad, y que cada uno de nosotros, desde su trabajo y potencial, debe siempre ingeniárselas para descubrir alternativas creativas a la solución de problemas, con una actitud abierta y dialogal con todos nuestros congéneres, sean de nuestra misma creencia o no.

«Se equivocan los cristianos que pretextando que no tenemos aquí ciudad permanente, pues buscamos la futura, consideran que pueden descuidar las tareas temporales, sin darse cuenta que la propia fe es un motivo que les obliga al más perfecto cumplimiento de todas ellas según la vocación personal de cada uno... Capacítense con insistente afán para participar en el diálogo que hay que entablar con el mundo y con los hombres de cualquier opinión».

GS. 43

A través de su participación en nuestro curso y de la práctica de las técnicas, muchas personas han redescubierto su propia espiritualidad y compromiso consigo mismos y con los demás. No se puede negar que el verdadero esfuerzo por autoconocernos, nos acerca a los valores trascendentes del espíritu humano y a la presencia del Dios que nos habita, como tanto lo afirmaban Santa Teresa de Jesús y San Agustín de Hipona:

«Esto del conocimiento propio jamás se ha de dejar... Conocimiento propio es el pan con que todos los manjares se han de comer».

SANTA TERESA DE JESÚS. LIBRO DE LA VIDA XIII, 15

«En la medida en que el hombre se conoce a sí mismo, en sí mismo va a descubrir y a conocer a Dios».

SAN AGUSTÍN DE HIPONA. DEL ORDEN, 2,18.48

Gaudium et Spes nos recuerda que podremos promover y expresar mejor el espíritu de unidad entre los seres humanos, cuanto mejor sepamos respetar las particularidades de las diversas culturas, lo que nos conmina a la tolerancia y a la amorosa apertura.

> «*Porque la cultura... tiene siempre necesidad de una justa libertad para desarrollarse y de una legítima autonomía en el obrar según sus propios principios. Tiene, por tanto, derecho al respeto y goza de una cierta inviolabilidad, quedando evidentemente a salvo los derechos de la persona y de la sociedad, particular o mundial, dentro de los límites del bien común... La Iglesia no prohíbe que las artes y las disciplinas humanas gocen de sus propios principios y de su propio método..., cada una en su propio campo; por lo cual, reconociendo esta justa libertad, la iglesia afirma la autonomía legítima de la cultura humana, y especialmente la de las ciencias*».
>
> GS. 59

Que no nos confundan aquellos que en su fanatismo «apocan» nuestra fe, haciéndonos creer que ésta puede verse amenazada por el progreso, por las nuevas ideas y por la legítima búsqueda que cada persona hace por descubrir las realidades más profundas, de acuerdo a sus propias tradiciones.

¿Acaso nada podemos aprender del pensamiento del filósofo Kierkegaard, o de la Teología de Dietrich Bonhoeffer, porque no son católicos? ¿Debemos negar, entonces, las teorías y descubrimientos de Isaac Newton o Albert Einstein porque no son cristianos?

> «*Aunque la Iglesia ha contribuido mucho al progreso de la cultura, consta sin embargo, por experiencia, que por causas contingentes no siempre se ve libre de dificultades el compaginar la*

cultura con la educación cristiana... Estas dificultades no dañan necesariamente a la vida de fe; por el contrario, pueden estimular la mente a una más cuidadosa y profunda inteligencia de aquella. Puesto que los más recientes estudios y los nuevos hallazgos de las ciencias, de la historia y de la filosofía suscitan problemas nuevos que traen consigo consecuencias prácticas e incluso reclaman nuevas investigaciones teológicas... hay que reconocer y emplear suficientemente en el trabajo pastoral no sólo los principios teológicos sino también los descubrimientos de las ciencias profanas, sobre todo en psicología y en sociología, llevando así a los fieles a una más pura y madura vida de fe».

GS. 62

Para evitar que la Teología y la ciencia vuelvan a caer en los errores que les llevan a ser excluyentes la una de la otra y puedan convivir para mejor provecho de la humanidad:

«...*debe reconocerse a los fieles, clérigos o laicos, la justa libertad de investigación, de pensamiento y de hacer conocer humilde y valerosamente su manera de ver en los campos que son de su competencia».*

GS. 62

Me siento orgullosa de pertenecer a una Iglesia que a través de S.S. Juan Pablo II ha sido capaz de pedir perdón a Galileo; de una Iglesia que reconozca en el pueblo judío a nuestros «hermanos mayores» y desdibuje de una vez y para siempre toda discriminación. De una Iglesia que «desea unir la luz de la revelación al saber humano para iluminar el camino emprendido por la humanidad».[60]

La ciencia y sus beneficios podrían avanzar mucho más rápidamente si no fuera por la incapacidad de reconocer el cambio por parte de quienes hablan más del diablo que de Dios.

Algunos fanáticos han acusado a nuestra metodología de ser «seudo-científica», lo cual demuestra, por una parte, su ignorancia respecto a la más avanzada investigación, la cual se cita en este libro y por otra, su incapacidad de reconocer que las grandes teorías de la ciencia nacen de la intuición y que pueden pasar siglos, antes de ser comprobadas.

El porqué, a pesar de una larga historia de intuición científica, nos resulta aun poco fácil aceptar la realidad del impacto que nuestro pensamiento causa en nuestra vida, es probable que se deba a la dicotomía que René Descartes provocó, por la misma cerrazón de los fanáticos de su época.

Descartes (1596-1650) formó parte de un movimiento que buscaba revolucionalizar a la humanidad usando a la ciencia para explicar la vida, un proyecto que lo llevó a un conflicto directo con la Iglesia, que consideraba su perspectiva como única e incuestionable.

En 1633, al enterarse de que Galileo había sido condenado por sostener la teoría de Copérnico, renunció a publicar su propia teoría de la luz, pues la propuesta copernicana era indispensable para las explicaciones físicas que se necesitaban para la suya. Él tenía sus propias explicaciones sobre la vida, el cuerpo, el cerebro y la mente, también tenía razones para ser cuidadoso; a Galileo se le había amenazado con la tortura de la Inquisición por atreverse a exponer sus teorías y observaciones respecto al mundo.

Por lo tanto, Descartes eligió dividir a la mente y al cuerpo como si fueran independientes el uno del otro, para evitar conflictos. Él mismo escribió: «He conformado mi filosofía de tal manera que no cause escándalo a nadie, para que pueda ser aceptada por todos». Sólo Dios sabe cuánto tiempo de retraso costó a la humanidad esa decisión, provocada por la amenaza exterior.

Debemos distanciarnos de una época tan oscura, que coaccionó a muchas mentes brillantes y que provocó tanta división, aun entre los mismos fieles.

DIOS

«Jamás nos acabamos de conocer, si no procuramos conocer a Dios».

SANTA TERESA DE JESÚS

Dios ES de quien procede la vida, ES nuestro principio y nuestro destino. Omnipotente, omnipresente, omnisciente, está más allá de todas nuestras pretensiones por explicarle, infinitamente más cerca de lo que podemos imaginar y mucho más grande de lo que con tristeza muchos lo conciben y limitan a ser.

Dios es Amor, está siempre en el horizonte de la aventura de nuestra vida y es el hilo con que zurcimos nuestras rasgaduras una y otra vez. Dios es el aliado siempre fiel. Es la luz que ilumina nuestros pensamientos y la única compañía amorosa que siempre estará presente.

En tantos años de trabajo nunca he conocido a alguien que por descubrir el potencial de su mente haya perdido su fe, pero sí, en cambio, a muchos que la perdieron por el escándalo que vergonzosamente damos los que nos decimos creyentes, y sobre todo, por los fanáticos que recubiertos con autoridad abusan de la bondad e ingenuidad de los fieles, hasta de los más pequeños.

¡Qué visión tan diminuta y empobrecida de Dios debe tenerse, para pensar que la inteligencia y creatividad del hombre puede amenazarle, que nuestros logros y habilidades nos pueden llevar a prescindir de Él!, cuando entre más respuestas alcanzamos, más preguntas parecen surgir.

Max Planck, padre de la Física Cuántica y ganador del Premio Nobel de Física, afirmó con gran acierto:

**«Para el creyente, Dios está al principio de todo.
Para el científico, Dios está al final de todo».**

Dios está. ¿Adónde encontrarlo? Si nos sentimos confundidos es porque casi siempre le buscamos afuera y aunque podemos intuir su presencia en la maravilla de sus obras, es en nuestro propio interior donde él gusta de habitar. Y es por ello que en la búsqueda y práctica de nuestra propia interioridad, y en ocasiones sin pretenderlo, llegaremos a descubrirle.

Dios es el amigo entrañable que nos ama y espera. Lo imagino como aquél que estando en la habitación de casa, en la que nunca entramos y en la que lo hemos dejado en el olvido, se estremece de entusiasmo cada vez que nuestros pasos parecen dirigirse hacia su puerta, y aunque nuestro caminar se desvíe, nos sigue amando y esperará hasta que nuestra decisión de encontrarle obedezca a nuestra propia libertad. Si tan sólo despertáramos a nuestra sensibilidad más profunda, nos daríamos cuenta, como dice el Corán que: «Allá donde os giréis, está el rostro de Dios».

Cierra tus ojos e inicia el camino hacia ti mismo, si persistes con «determinada determinación», llegarás a vislumbrar su rostro y la auténtica evidencia de que tu experiencia es verdadera, serán sus efectos: **tu capacidad de amar a otros, como Dios lo desea.**

Para mí, Dios es con quien me relaciono, el amigo con el que me encuentro, el que ha tomado la iniciativa de amarme, el que me pensó y me ha dado la vida.

VIDA

«¿Cómo pueden los hombres mejorar su vida? Que trabajen para el bien de sus semejantes».

LEVITICUS RABBAH 25

Como creyente agradezco la vida como un don que nos permite experimentar la gracia de Dios. Dios nos da la vida y nosotros respondemos asumiéndola como una tarea, con responsabilidad y comprometidos con el desarrollo de nuestras capacidades, para que nuestros dones y talentos fructifiquen a través del amor y servicio a nuestros semejantes. Dios nos ha creado inteligentes, para llegar a ser instrumentos de la vida, que Él con abundancia nos da.

El tiempo pasa demasiado rápido y nosotros ni siquiera cuestionamos qué clase de vida queremos vivir. Hemos de detenernos y SABER PENSAR. Esto nos exige silencio e interiorización. La genuina espiritualidad nos inspira, nos reta a la reflexión y a un compromiso positivo con los demás, nos involucra por completo con la vida.

En una época, que como bien lo predijo Viktor Frankl, abunda el vacío existencial, nada mejor que descubrir el profundo sentido de vida que nos da servir y amar.

Iniciar un viaje hacia nuestra propia espiritualidad significa entrar en el paisaje de los misterios, que aunque nunca pueden ser totalmente expresados, son determinantes para los cimientos de nuestro vivir.

La vida, a pesar del dolor, la confusión y las contradicciones, siempre tiene un «para qué». Si como decía Kierkegaard «**El ser no es algo que es, es algo que será, es una tarea**», es nuestro quehacer convertir a la vida misma en un camino abierto a todas las posibilidades, lo cual requiere de una profunda vida interior y de una auténtica búsqueda por la verdad y el bien.

Para quien se detiene a estudiar nuestra metodología con espíritu abierto, libre de fanatismos y soberbia, podrá percatarse que cada una de las partes del curso es una reiterada invitación a explorar la riqueza de la interioridad.

> *«Y Jesucristo mismo, ¿no ha invitado a acoger interiormente el reino de Dios? (Lc 17,21). ¿No es toda su pedagogía una exhortación, una iniciación a la interioridad?* ***La conciencia psicológica y la conciencia moral están llamadas por Cristo a una plenitud simultánea,*** *como condición para recibir, en la forma que en definitiva conviene al hombre, los dones divinos de la verdad y de la gracia».*[61]

Por más que intentemos definir la vida, ella siempre escapará a todas nuestras definiciones, puesto que no se da más que como experiencia. Por ello, hablar de ella, es hablar de nuestra razón de estar vivos.

La mente es un medio, importante instrumento a través del cual podemos hacer fructificar la vida, canalizarla de manera creativa, reflexionando sobre nuestra vocación de servicio, y desarrollando las habilidades que nos llevan, precisamente, a cumplir con la misión de **servirnos unos a otros y de construir un mundo mejor**. Es una responsabilidad de vida cultivar a la mente, y aprender de todo aquello que facilite su trabajo y la lleve a su máximo potencial.

La experiencia del curso ha sido para mí una manera de acercarme más profundamente a mis propias raíces, a mis creencias, una forma de facilitarme la oración profunda y de ir descubriendo día a día a ese Buen Dios que me ama y que como bien afirmaba Teresa de Jesús, habita en la más íntima y profunda morada del castillo que es nuestra propia alma.

La importancia del servir ha definido mi propia filosofía de vida, SABER PARA SERVIR, e impregna cada una de las fases del curso que siempre se abre a la ayuda que podemos dar a los demás. La capacidad de salir de nosotros mismos y acercarnos al otro para ir más allá del «yo y el tú», hacia el nosotros, abre alternativas de superación y de auténtica VIDA espiritual.

Es la genuina fraternidad y solidaridad la que puede ayudarnos a darle un sentido profundo a la vida y mostrarnos la verdadera experiencia de Dios en nosotros. En un mundo que nos parece cada vez más absurdo, hay algo que no es nada absurdo: lo que somos capaces de hacer por los demás.

MENTE

«No os conformeis con este mundo; transformaos y renovaos, por el contrario, en la mente, para saber discernir cuál es la voluntad de Dios».

SAN PABLO RM. 12, 2

Si el mundo está enfermo por falta de solidaridad, ¡qué mejor que ayudar a descubrir en nosotros nuevas alternativas de reencontrarnos con el otro y no sólo en el exterior, sino también desde nuestro interior, uniéndonos para servirle con amor!

Promover la paz y la fraternidad que nace del amor y el deseo de servir a nuestros semejantes es: «imagen y efecto de la paz que procede de Dios».[62]

Pero, ¿es que acaso el progreso, la superación, el servicio y el amor sólo se pueden dar desde los esfuerzos físicos? ¿Será la mente algo que no debe utilizarse? San Pablo fue bastante claro a este respecto, como la cita que de él hemos tomado, nos lo apunta.

Tradicionalmente todos conocemos el viejo proverbio que reza: **«A Dios rogando y con el mazo dando».** Pero, ¿es que acaso el mazo se refiere en exclusiva al esfuerzo exterior? o ¿será que quienes temen al poder de la mente es porque nunca la han usado?

Estoy convencida que habría que cambiar la fórmula para reconocer que nuestra fe, nuestra inteligencia y nuestros recursos físicos, son los que participan en el trabajo cotidiano que debemos realizar y que por ello la verdadera sabiduría debería ya empezar a decir: **A Dios rogando, con la mente programando y con el mazo dando.**

Un gran teólogo de nuestros tiempos, Karl Rahner, ha afirmado que:

«El cristiano del siglo XXI tendrá que ser místico, o no será cristiano».

La ruta de los grandes místicos siempre señala la importancia del autoconocimiento y del silencio interior. La oración, como camino indispensable para llegar a la experiencia de Dios, se inicia al cerrar los ojos y mirar hacia dentro. San Agustín afirma literalmente que:

«La causa principal de todos los errores, lo mismo acerca del mundo, que acerca de Dios, está en que el hombre se desconoce a sí mismo».

Como padre de la Iglesia, su enseñanza insiste en la exigencia de volvernos hacia nosotros mismos, pues es en nuestro interior donde habita la verdad, y en la necesidad de descubrir nuestra propia naturaleza, para poder autotrascendernos. Ciertamente a Dios no se le llama con la voz sino con el corazón.

Por otra parte también nos recuerda que compartir lo que sabemos debe ser fruto del amor por los demás, y que nuestra obligación es la de seguir día con día aprendiendo, como consecuencia de nuestra genuina búsqueda por la verdad.

Mucho bien haría recordar la lucidez agustiniana a los que fanatizados con su soberbia siguen poniendo en la hoguera de la difamación a tantos creyentes de buena fe, comprometidos con la construcción de un mundo más justo y más feliz, de acuerdo a la voluntad de Dios:

«Hay muchos que parecen estar fuera y están dentro; y muchos que parecen dentro y están fuera». «¡Dios os guarde, de creer que Él odia en nosotros aquello por lo que justamente nos ha elevado por encima de los otros seres! ¡Dios no quiere que el creer nos impida buscar y encontrar las causas! Con toda tu alma trabaja por comprender».

La mente es sin duda alguna un gran regalo de Dios, que nos

hace únicos; dejar de explorarla es ignorar el medio, que por excelencia tenemos, para emprender el camino de superación que nos lleve a potenciar los dones que Dios nos ha dado y a ponerlos al servicio de nuestros hermanos.

El verdadero conocimiento de nosotros mismos, lejos de provocarnos soberbia, nos conduce a la humildad, como acertadamente insistía Santa Teresa de Jesús. Puesto que el autoconocimiento nos acerca a la verdad, podemos reconocer nuestra fragilidad y la fortaleza de la gracia que nos da el amor de Dios.

El desarrollo de nuestra creatividad y nuestra intuición nos ayudan a ampliar nuestra conciencia y capacidad de amar, puesto que sin estas habilidades estaríamos ciegos ante las necesidades de nuestro entorno y autolimitados en nuestra facultad de poderlas atender.

Creo que los que procuran impedir que toda persona pueda acceder a su propia interioridad, tienen en realidad temor de, como decía San Agustín: «Volver al corazón», ya que es ahí donde reside la luz interior, y esto compromete y mueve a nuestra conciencia desde lo más profundo de nuestro «deber ser». Hay quienes prefieren vivir condicionados, que asumiendo la responsabilidad que conlleva ser libres.

¿Acaso toda persona debe pensar y sentir de igual forma que nosotros? Estoy segura que algunos instructores no comparten mis mismas creencias y podrán disentir respecto a mis razones para incluir este capítulo, en un libro que trata sobre el Método Silva. Habiendo aclarado que lo he escrito a título estrictamente personal, estoy segura que serán respetuosos. Gracias a Dios nuestra Institución no es sectaria y se manifiesta en todo momento deferente ante la variedad de creencias de sus participantes.

Dios es Uno y es de todos. El seguir pretendiendo que las personas en un mundo tan diverso tengan exactamente los mismos conceptos que un grupo u otro puedan tener, es excluir del amor a todas las personas, que para los que somos de verdad cristianos, independientemente de su fe, tradición o cultura nos deben ser queridas y a quienes debemos servir por igual. Después de todo, ser de verdad creyente significa dar testimonio de la fe, la esperanza y el amor y no apuntar de forma inquisitoria al que tiene creencias diferentes a las nuestras.

Agradezco a Dios la maravilla de su creación y el extraordinario potencial que nos ha dado. Su confianza en que lo descubriremos y pondremos al servicio del amor, como decisión de nuestra propia libertad, hace eco en mi corazón de las palabras del salmista:

«Al ver el cielo, obra de tus dedos, la luna y las estrellas que has creado, ¿qué es el hombre para que te acuerdes de él, el ser humano para que cuides de él? Lo hiciste apenas inferior a un dios coronándolo de gloria y esplendor; le diste poder sobre la obra de tus manos, todo lo pusiste bajo sus pies: rebaños y ganados, todos juntos, y aun las bestias salvajes; los pájaros del cielo, los peces del mar y todo cuanto surca las sendas de los mares. ¡Señor, Dios nuestro, qué admirable es tu nombre en toda la tierra!».

SALMO 8, 4-10. BIBLIA DE AMÉRICA

10

De impotencia a potencial

«Los seres humanos no nacen para siempre el día en que sus madres los alumbran, sino que la vida los obliga a parirse a sí mismos una y otra vez».

BUDA

Yo estuve donde tú estás. En mi caso, escuchando a quien parecía tener una especie de fórmula mágica para resolver cualquier problema. Escéptica, me preguntaba ¿será posible? Mi curiosidad, más que ningún tipo de problema, me llevó a explorar las posibilidades que podrían encontrarse, si algo había de cierto. Aquí estoy 38 años después y me sigo sorprendiendo de la inmensa capacidad que Dios nos ha dado, para maniobrar las velas de nuestro propio barco.

Ciertamente que debemos esforzarnos por descubrir día a día la gran cantidad de recursos que poseemos y que nos hacen capaces de «parirnos» de nuevo a cada instante y de enfrentar la vida con esperanza una y otra vez.

Todos anhelamos ser felices, y aunque en ocasiones parece que desgastamos todas nuestras fuerzas por obtener dicha felicidad, a lo que llegamos es a lamentarnos amargamente por no poder alcanzarla, sintiendo que caemos en una especie de vacío carente de todo sentido. Pero, ¡la felicidad sí es posible!, siempre y cuando la busquemos en el lugar correcto. Cuenta una vieja anécdota del sufismo musulmán:

> ***Alguien vio al maestro Nasrudín buscando algo en el suelo.***
> ***—¿Qué has perdido, maestro? —Le preguntó.***
> ***— Mi llave —dijo Nasrudín.***
> ***Fue así que ambos se arrodillaron para buscarla.***
> ***Después de un rato, el hombre preguntó:***
> ***—¿Dónde se te cayó, exactamente?***
> ***—En mi casa.***
> ***—Entonces, ¿por qué buscas aquí?***
> ***—Hay más luz aquí que dentro de mi casa.***

Así nosotros, nos deslumbramos por todo aquello que aparenta ser más fácil como medio para alcanzar lo que buscamos y pensamos que es en el exterior donde se encuentran «las llaves» para acceder a nuestra felicidad.

Muchas de nuestras motivaciones pueden venir de fuera, pero para llegar a la meta que deseamos la motivación siempre debe trabajarse desde dentro. No temas a los obstáculos en tu camino, si el camino es tuyo tendrás la capacidad de sobreponerte a ellos y, con una actitud positiva, gracias a ellos crecer. No debemos evadir la responsabilidad que tenemos de enfrentar y resolver los problemas que en la vida se nos presentan. Todo reto es una oportunidad para descubrir y utilizar nuestras habilidades y confiar en nuestros talentos. Creo en un Dios que nunca permite aquello que no seamos capaces de conllevar.

¿Deseas en realidad una vida feliz?, ¿anhelas un mundo más fraternal y más justo?, ¿quieres mejorar tu salud, alcanzar tus metas, abundancia en tu vida, mejorar o cambiar tus hábitos, progresar en tus estudios, incrementar tu memoria, fortalecer tu autoestima?, ¿deseas enriquecer tus relaciones contigo mismo y con los demás, descubrir más profundamente tu espiritualidad, así como mejorar tu calidad de vida?, entonces empieza a construir en tu interior, ya que sólo desde ahí podrás causar efectos que de verdad transformen el exterior.

Como dije al inicio, yo también me pregunté, ¿será posible? Los años, mi práctica y la experiencia de tantas personas que me han dado la oportunidad de compartir la metodología con ellos, me han demostrado infinidad de veces que somos lo que pensamos. Aprendamos a pensar en todo lo bueno que hay dentro de nosotros, debemos esforzarnos por dar a luz sólo pensamientos positivos. Nos sorprenderemos de lo que esto puede hacer por nuestra vida, como lo ha comprobado, clínicamente, la Psicología Positiva.

Sócrates solía decir que «**La sabiduría empieza en el asombro**», y para mí, como para tantos, siempre será de asombrarse lo que está en nosotros poder lograr. Sin embargo, sentir cierto escepticismo es normal, y también debe ser bienvenido, puesto que siempre será conveniente cuestionar. Si el mundo padece de fanatismos, es precisamente porque muchas personas no cuestionan. Te lo diga quien te lo diga, siempre detente y piensa las cosas por ti mismo.

Desde la antigüedad, en el gran oráculo de Delfos, la clave de la sabiduría se nos señalaba como el «Conócete a ti mismo». En un mundo tan exteriorizado como en el que hoy vivimos, pareciera que alejándonos de esta recomendación nos hemos convertido en extraños aun para nosotros mismos. Ya no nos detenemos a reflexionar, a descubrir en nuestra persona. San Agustín escribió:

«Los seres humanos nos admiramos de los grandes ríos, la altura de las montañas, el brillo de las estrellas, lo profundo de las cañadas y, sin embargo, pasamos frente a nosotros mismos sin ni siquiera admirar».

En un mundo tan complejo, con retos cada vez más grandes, implicaciones cada vez más severas y cuestionamientos cada vez más profundos, parece que cada día sentimos mayor impotencia. ¿Qué hacer?, ¿adónde acudir? Busca en tu interior, y ahí, para tu propio asombro, encontrarás el potencial necesario para hacer de la vida un proyecto de realización, en el que construyendo tus pensamientos, canalizando tus emociones y en la vivencia de tus valores descubras el sentido pleno de tu vida. Tengamos la valentía de «admirarnos» de nuestra inteligencia y agradezcámosla a Dios haciéndonos responsables de nuestra libertad para usarla.

Si somos capaces de ser conscientes del daño que podemos hacernos a nosotros mismos y de los problemas que podemos generar en nuestro entorno, ¿por qué nos resulta tan poco fácil darnos cuenta de que también podemos generar el bien y prodigar bienestar?

Así como consideramos realidad innegable que nuestra mente puede llegar a enfermarnos, reconozcamos también las habilidades que ella tiene para proporcionarnos salud y corregir problemas; penetremos en el mundo interior para abrirnos plenamente a nuestra más auténtica realidad y experimentar asombro ante nuestro propio misterio. Albert Einstein nos prevenía:

«Lo más hermoso que podemos experimentar es el misterio. Es la fuente de todo verdadero arte y ciencia. Aquel para quien esta emoción le es ajena y no puede ya más detenerse en asombro, es como si estuviera muerto».

Debemos maravillarnos ante la vida, agradecerla y ser conscientes de que muchas de nuestras tormentas son el resultado de las decisiones que hemos tomado y en otros momentos consecuencia natural de la fragilidad de la vida, pero que de igual forma, contamos con un caudal de fortaleza que nos hace posible tener siempre una visión llena de horizontes y una conciencia del potencial que nos permite remontar cualquier tormenta.

La propuesta que DINÁMICA MENTAL MÉTODO SILVA nos hace obedece al ejercicio de ese potencial interno y natural, a la conciencia del poder de la imaginación, que tristemente permanece adormecido para tantos, durante gran parte de su vida. Aunque parezca mágico, las imágenes, nuestras películas mentales, son el anteproyecto de nuestra conducta y ejercen una significativa influencia en nuestras respuestas físicas y psicoemocionales.

Imaginar es algo que hacemos todo el tiempo, ya sea consciente o inconscientemente. Algunos investigadores consideran que nuestras imágenes constituyen un programa detallado de acción para nuestro diario vivir. Debemos aprender a transformar las imágenes que deterioran y empobrecen nuestra calidad de vida por imágenes que favorezcan nuestro equilibrio y por lo tanto nuestra salud física, mental y espiritual, puesto que sabemos como cierto y comprobado que las imágenes tienen el poder de «esculpir y renovar» nuestro cerebro, desde el cual se rigen todas las demás funciones de nuestro cuerpo y se afecta nuestra percepción del mundo y de las cosas.

UN CEREBRO QUE CAMBIA

«El estudio del cerebro humano es verdadero humanismo: El conocimiento del cerebro nos llevará a una mayor libertad y a una mejor comprensión de nosotros mismos».

ROBERT JASTROW

El neurocientífico, doctor Michael Merzenich, de la Universidad de California en San Francisco y miembro de la Academia Nacional de Ciencias de Estados Unidos, quien ha realizado la investigación de vanguardia en el campo de la neuroplasticidad, nos afirma que el ejercicio mental puede llegar a ser tan útil como las más avanzadas drogas para tratar las enfermedades más severas; que nuestra capacidad de aprender existe desde el vientre materno hasta la tumba; y que un mejoramiento radical de nuestro funcionamiento cognitivo, SABER PENSAR, APRENDER, RECORDAR…, es posible aun en edades avanzadas.

El doctor Álvaro Pascual Leone de la Universidad de Harvard, así como la neurocientífica doctora Helen Mayberg del Centro de Ciencias para la Salud de la Universidad de Texas, también han demostrado que «los procesos cognitivos influyen sobre la corteza, el cerebro pensante, reformulando cómo se procesa la información y cambiando tus patrones de pensamiento». Esto ha comprobado que el ejercicio mental puede ayudar a corregir problemas mentales de forma tan efectiva como algunos medicamentos.[63] Para ti, que probablemente no padeces ningún trastorno, ¡imagina lo que aprender a SABER manejar tu mente puede hacer para mejorar tu calidad de vida!

La Neuroplasticidad nos muestra que practicar una nueva habilidad, en condiciones correctas, puede cambiar cientos de millones y tal vez cientos de miles de millones de interconexiones en nuestras células cerebrales, refinando así su capacidad de procesar información. No se puede decir que el cerebro simplemente aprende, sino que siempre está aprendiendo cómo aprender.

Antes de existir la idea de la Neuroplasticidad al cerebro se le concebía como una compleja máquina que tenía límites inalterables en cuanto a su capacidad de memoria, de velocidad en sus procesos y de inteligencia. La investigación ha demostrado que cada uno de estos supuestos está equivocado.

Fue el doctor Wilder Penfield en el Instituto Neurológico de Montreal, en la década de los 30's del siglo XX, quien inició la técnica del Mapeo Cerebral para identificar cómo el cuerpo y sus actividades estaban representadas en el cerebro. Al estimular ciertas áreas cerebrales descubrió que de igual forma aparecían recuerdos de la infancia, lo que implicaba que nuestra actividad mental también estaba registrada en este mapa. Por creer que el cerebro no podía cambiar, muchos pensaron y enseñaron que esos mapas eran fijos, inalterables y prácticamente iguales en todos nosotros, a pesar de que Penfield nunca dijo semejante cosa.

El doctor Merzenich descubrió que esos mapas ni son inmutables ni son universales y que varían en cada persona. En una serie de brillantes experimentos demostró que la conformación de nuestros mapas cerebrales cambia, dependiendo de lo que hacemos a lo largo de la vida. Nuestro cerebro necesita estimulación para desarrollarse, para mantenerse sano y con la capacidad de funcionar de manera óptima.

Por su neuroplasticidad las áreas cerebrales tienen una naturaleza competitiva. Si dejamos de ejercitar nuestras habilidades mentales el espacio en el mapa cerebral que les corresponde se convierte en sitio abierto para lo que, a veces sin darnos cuenta y sin querer, estamos pensando. Tú decides con qué ideas y creencias, así como con qué habilidades, mantienes a tu cerebro estimulado. Lo cierto es que la calidad de lo que elijas podrá influir poderosamente en la CALIDAD DE TU VIDA.

El porqué hoy en día se habla tanto de la necesidad de «desaprender» es porque al haber repetido algo tantas veces hemos conformado un mapa en el cerebro, que en ocasiones nos hace rígidos. Para aprender algo nuevo se requiere de apertura y de una efectiva DINÁMICA MENTAL que nos permita tener mayor CONTROL sobre el área que ya está «mapeada», y así poderla cambiar.

En la década de los 90's la investigación de la neuroplasticidad comprobó que el famoso I. Q. (cociente intelectual) podía incrementarse aun en adultos,[64] algo que José Silva había afirmado 30 años antes. La efectividad de nuestro método radica en el control del pensamiento que, a través de su práctica, alcanzamos, y con lo que podemos canalizar nuestro potencial para la resolución de problemas y el alcance de nuestras metas.

NUESTRO PENSAMIENTO TRANSFORMA NUESTRO CEREBRO

«El pensamiento crea el mundo a cada instante».

André Maurois

Los antecedentes de la idea de que nuestros pensamientos pueden cambiar la estructura de nuestro cerebro fue presentada por el filósofo Thomas Hobbes (1588-1679), quien propuso que nuestra imaginación se relacionaba a las sensaciones y que la sensación llevaba a cambios físicos en el cerebro. La importancia que le dio a la imaginación fue altamente intuitiva, la tecnología actual, 350 años después, nos muestra que las «imágenes imaginadas» se generan en los mismos centros visuales en que procesamos imágenes producidas por estímulos externos.

Doscientos años después de Hobbes, en 1873, el filósofo Alexander Bain retomó la idea y propuso que cada vez que un pensamiento, recuerdo o idea viene a nuestra mente, se da algún «crecimiento» en las uniones de las células cerebrales, en lo que hoy llamamos la sinapsis. Posteriormente Sigmund Freud, padre del Psicoanálisis, basado en su propia investigación neurocientífica, añadió que la imaginación también provocaba cambios en las conexiones neuronales.

En 1904 el gran neuroanatomista y ganador del Premio Nobel de Medicina, Santiago Ramón y Cajal, especulaba que no solamente la práctica física sino también la mental producía cambios en las interconexiones del cerebro, y afirmaba: «**El órgano del pensamiento es maleable y perfectible a través de un ejercicio mental bien dirigido**».

En 1966 José Silva, después de dos décadas de investigación, ofreció por vez primera a todo público la posibilidad de SABER manejar el extraordinario potencial de nuestras imágenes y nos dio las herramientas prácticas para poder ejercer un efectivo CONTROL MENTAL. Sin duda alguna fue el primero en sacar del laboratorio o de la práctica clínica individual o grupal las técnicas necesarias para que cualquier persona pueda acceder a su potencial interno. Ojalá que los que han pretendido desacreditar su propuesta tengan suficiente humildad para reconocer su extraordinaria visión.

Tanto una imagen mental como una acción son productos de un mismo programa motor en nuestro cerebro. Como lo hemos repetido, el cerebro no distingue entre realidad y fantasía, y sólo tú decides con qué imágenes-pensamientos lo «alimentas». SABER PENSAR significa adquirir verdadera habilidad y pericia para manejar el instrumento que influye sobre nuestro cuerpo y que probablemente crea muchas de nuestras circunstancias.

Somos seres vivos y no máquinas. La propuesta de nuestra metodología, desde sus inicios, ha sido siempre que en nosotros está el poder cambiar. En la actualidad la ciencia nos confirma cuánto, y es mucho más de lo que imaginábamos. La organización de nuestro cerebro se afecta por nuestra experiencia, por lo que nosotros mismos decidimos pensar-hacer de nuestra vida y, sobre todo, por las habilidades que decidimos practicar.

Marco Tulio Cicerón, filósofo, abogado y gran orador manifestaba que «**Pensar es vivir**», y seguramente recordaba las palabras de Sófocles: «**Para el hombre no hay tesoro mayor que una mente que sabe**».

SABER PENSAR es SABER VIVIR. Ser conscientes del significado de esta verdad nos lleva a un más genuino proceso de transformación. Somos perfectibles lo cual, a la vez que abre grandes horizontes de esperanza, nos obliga a asumir responsabilidad. Una de las mayores tentaciones en las que podemos caer, como apuntaba el gran escritor católico y monje trapense del siglo XX Thomas Merton, es anhelar y esperar muy poco de nuestra propia humanidad. Tal vez esto se deba a que, para muchos, no hay mayor peso que su propio potencial.

Una manera de asegurarnos calidad y resultados de nuestros pensamientos es fundamentarlos en nuestros valores, el eje que probablemente más influye en nuestras decisiones; vivimos una época en la que el egoísmo, la violencia y la ambición desmedida parecen corromper cada vez más nuestra calidad de vida. Ante esta realidad existen dos posturas de integridad que nuestra época reclama: **el control de nuestra mente y la compasión de nuestro corazón.**

MENTE Y VALORES

«Algún día en cualquier parte, en cualquier lugar, indefectiblemente te encontrarás a ti mismo, y ésa, sólo ésa, puede ser la más feliz o la más amarga de tus horas».

PABLO NERUDA

Transitar de la impotencia al potencial nos compromete a asumir una ética fundamentada en los grandes valores, recordando que ante todo reto y cuando sentimos la fragilidad del cuerpo y lo poco que hemos cultivado a la mente, es siempre la fortaleza de nuestro espíritu la que nos rescata.

Así como la investigación de nuestro cerebro nos hace ver que la calidad de nuestra vida depende en mucho del cuidado que demos al cuerpo, y de los pensamientos y emociones positivas que evoquemos, también nos apunta a la importancia que tiene la espiritualidad, el amar y servir a los demás.[65]

Haciendo eco de las palabras de Pablo Neruda, es indudable que todos tendremos, en algún momento, una ineludible cita con nosotros mismos; poder mirar hacia atrás cuando hayan pasado los años y sentirnos bien, dependerá mucho más de aquellos «pensamientos de nuestro corazón» que nos hayan llevado a actuar de forma íntegra y congruente con los valores que conforman nuestra humanidad, que de cualquier bien material o satisfacción pasajera.

Si educar el pensamiento y la voluntad, así como el responsabilizarnos de nuestra propia vida será lo que nos lleve a un legítimo autorrespeto, será la fortaleza de nuestra fe, esperanza y amor lo que nos lleve, sin duda alguna, a la realización más plena de nuestra misión.

Una conciencia despierta nos ayudará a rescatar una visión positiva de las fortalezas humanas ayudándonos a comprender que el éxito es para quienes, con voluntad iluminada por la inteligencia, se sostienen en los valores de su corazón. Sin duda alguna nuestro éxito dependerá más de los principios que hayan sido nuestra pasión que de cualquier otra razón. Una buena manera de mantenernos «despiertos» es adquirir el hábito de cuestionarnos, como solía hacerlo el sabio filósofo y emperador de Roma, Marco Aurelio:

«¿Cómo es que, en este momento, estoy usando mi mente?... ¿Cómo es que mis palabras y mis hechos se miden con los valores que proclamo y los principios que deseo que me rijan?... ¿A quién le pertenece mi mente, a un bebé, a un niño, a un tirano, a un animal estúpido o a una bestia salvaje?»

Buena tarea debemos hacer para cuestionarnos a nosotros mismos con esas preguntas. Se necesita de conciencia y práctica para darnos cuenta cómo nuestros pensamientos nos llevan a crear nuestras circunstancias. Se requiere de honestidad para reconocer en cuántas ocasiones nuestras palabras y hechos son contradictorios con lo que decimos que son nuestros valores. ¿Cuántas veces nuestra manera de responder a la vida es más la de una criatura dolida, o la de un niño encaprichado, o la de un déspota implacable, o la de un ser sin inteligencia, o la de una «bestia» enfurecida? Dondequiera que la vida sea posible, es posible vivirla correctamente, dependerá de nuestro SABER PENSAR y de reconocer y vivir los valores que le dan sentido.

Lo que tú hagas y practiques a través de la lectura de este libro puede marcar un nuevo inicio para tu vida o bien ayudarte a descubrir una manera de hacerla cada día más plena. Muchas personas actúan como si el futuro fuera algo que inevitablemente les va a suceder y en lo cual no se puede intervenir, pero por fortuna hay personas que creen que el futuro es algo que estamos construyendo con nuestras actitudes y actividades diarias. Los primeros ven demasiado hacia el pasado y explican su presente en función de lo que han sido y no de lo que anhelan llegar a ser. Los segundos siempre ven el presente como una oportunidad para construir un mejor futuro y no como una simple consecuencia del pasado.

No confundas los contratiempos y fracasos con la amargura y la depresión; evita ambas a cualquier costo, son la raíz de toda enfermedad y de la guerra en tu interior. ¿Crees que has cometido errores, que has desaprovechado grandes oportunidades? Todos en algún momento podemos creer y sentir lo mismo, lo importante es no quedarnos atrapados en las lamentaciones y emprender con decisión el camino, aprovechando lo que sí tenemos, lo que podemos hacer y el maravilloso potencial que poseemos. El ayer ya se fue, y nada lo podrá cambiar, no nos escondamos en él para rehuir a nuestra responsabilidad por el presente y el futuro que nos pertenecen.

Albert Einstein decía: «**La imaginación lo es todo, es un avance de los eventos que están por venir**». Tendremos que preguntarnos ¿qué clase de futuro nos estamos construyendo?, ¿en qué clase de personas nos estamos convirtiendo?, y recordar que siempre nos llegamos a transformar en lo que pensamos. **La calidad de tu vida depende de la calidad de tus pensamientos y éstos de la calidad de tus imágenes.** Podemos decir que nuestros sueños son la meta, la realidad el punto de partida y la imaginación nuestro medio de transporte.

El progreso siempre requiere de cambio. Esta es una oportunidad para que definas lo que realmente deseas de la vida e inicies la gran aventura de descubrir todo lo que eres y puedes hacer para lograrlo. Gran parte de la sabiduría radica en buscar las cosas dentro de nosotros mismos y de la ignorancia en tratar de conseguir todo de los demás.

Tu práctica diaria y personal es lo más importante. No dejes pasar un solo día sin haber cerrado tus ojos, sin haber relajado tu cuerpo y sin haber tenido un pensamiento positivo y de gratitud para ti mismo, para otras personas, para la vida misma y para Dios, como quiera que tú lo concibas. Que no pase un solo día en tu vida sin ese espacio íntimo e interior tan necesario para mejorar su calidad.

No limites más tu vida y posibilidades por aquellos que prefieren seguir limitados. Cada uno de nosotros vive en el mundo que vamos creando y somos capaces de imaginar, y la historia nos demuestra que todo lo que una persona puede imaginar, ella u otros, pueden hacerlo realidad.

El **Método Silva** fue en verdad uno de los principales pioneros detonadores, del gran movimiento de desarrollo humano que hoy vivimos; continúa siendo la metodología de vanguardia que nos proporciona el hábil manejo de nuestro pensamiento, el cual, como la Psicología nos afirma, nos da las herramientas para canalizar nuestras emociones inteligentemente y saber regir nuestra conducta, ayudándonos a integrar nuestra personalidad y haciendo posible que abramos la puerta a la felicidad, a la que sólo tenemos acceso desde nuestro interior.

Yo estuve donde tú estás, comprendo que muchas de las cosas que compartimos en este libro pueden parecernos fantásticas, aunque estén sustentadas por la ciencia y la experiencia clínica, pero lo importante es que te des cuenta de que tú eres el responsable de tu vida y que la herramienta que Dios te dio para que asumas esa responsabilidad es tu propia mente. Mi fe en Él crece cada vez más conforme contemplo las capacidades extraordinarias que le ha dado al ser humano.

Al igual que el poeta y padre de la lengua italiana Dante Alighieri,

«Creo en un Dios —único, eterno—, Él que, inmutable, mueve todos los cielos con su amor y su deseo... Él es el origen, la chispa que se extiende a una flama viva y que como una estrella en el cielo, brilla dentro de mí».

Apéndice 1

El arte de la visualización creativa: tu facultad innata de genialidad

Dra. Aretoula Fullam

Doctora en Psicología, especializada en Psicología de la Personalidad y la Salud, así como en Medicina Mente-Cuerpo. Científica investigadora de la Escuela de Medicina de la Universidad de Nueva Jersey en el área de discapacidades crónicas y esclerosis múltiple. Investigadora de la Escuela de Medicina de la Universidad de Harvard y del *Brigham and Women's Hospital* en Boston. Profesora de la Facultad de Psicología de la Universidad Rutgens en donde algunos de sus cursos han pasado a formar parte de la currícula académica y estudios en el área de Medicina Mente-Cuerpo, especializada en el efecto de la mente y la espiritualidad en la salud y la psicoterapia. También ha realizado investigaciones sobre las frecuencias cerebrales en la infancia y su influencia en la vida adulta. Entre sus investigaciones está: *Valoraciones de los efectos de* ***Dinámica Mental Método Silva****, imaginación y visualización como tratamiento efectivo para aliviar síntomas y mejorar la calidad de vida en pacientes con esclerosis múltiple.* Este estudio fue realizado en la Escuela de Medicina de la Universidad de Nueva Jersey, con la corporación Kessler para la rehabilitación médica y la investigación educativa, en colaboración con el Centro de Esclerosis Múltiple del Hospital Holyhome en Nueva Jersey. Instructora de Dinámica Mental.

La visualización en el mundo antiguo

La visualización era una práctica muy común desde las más antiguas civilizaciones. De acuerdo a la tradición griega Esculapio era el hijo de Apolo, Dios de la Luz, de la Medicina y de la Música. Sus métodos curativos se emplearon en la cuenca mediterránea desde 1300 a.C. hasta 600 d.C.[66] y ejercían una poderosa influencia sobre el arte de la Medicina y la Sanación. Las personas que buscaban aliviarse visitaban el templo que llevaba su nombre y esperaban que el dios los llamara mediante un sueño o una visión. Ellos creían que una persona sólo podía comunicarse con los dioses a través de esos medios.

En la tradición existían dos clases de sueños curativos: en el primer tipo el dios mismo llegaba hasta el paciente en un sueño o en un estado de adormilamiento y lo sanaba. En el segundo, Esculapio aparecía ante él y le prescribía un método de curación, el cual el paciente debía seguir con el fin de sanar[67]. Era como si Esculapio mirara en el interior de los enfermos con sólo verlos, y así encontrara la curación para cada uno. En términos actuales esto se conoce como *intuición* y *visualización creativa.*

De acuerdo con testimonios encontrados en textos antiguos, por medio de los sueños[68], se ayudaba a las mujeres que querían quedar embarazadas, y las personas se curaban de una gran cantidad de padecimientos y enfermedades como parálisis, ceguera, solitarias y heridas de la piel.

Sófocles, Aristófanes e incluso Sócrates, en algún momento, acudieron a Esculapio para sanar de alguna enfermedad. Su arte curativo llegó hasta Hipócrates (a quien se le conoce como el padre de la medicina occidental) a través de su padre y de su abuelo, quienes eran sacerdotes en su templo, y también a Galeno, quien seguía el arte de Hipócrates.

Según la intuición de los antiguos griegos la espiritualidad, los sueños y las imágenes visuales, así como el poder del pensamiento y la mente, tenían gran valor para los médicos, los pacientes e inclusive para los filósofos.

La meditación como objeto de estudio científico

Desde hace más de 30 años ha aumentado el interés por la meditación, y particularmente en las últimas dos décadas debido a las propiedades curativas y los efectos fisiológicos y psicológicos de la relajación y de la visualización. Este importante incremento de interés, sobre todo en Estados Unidos, fue en parte provocado por las observaciones en yoghis y maestros Zen, y por la investigación llevada a cabo por el doctor O. Carl Simonton, especialista en oncología, quien estudió los efectos de la relajación y de la imaginación/visualización de Dinámica Mental en pacientes con problemas graves de salud. También el doctor Herbert Benson, de la Universidad de Harvard, investigó los efectos de la meditación trascendental en sus practicantes.

Después de la primera investigación realizada por Simonton[69] se desencadenaron diversas investigaciones acerca de los enfoques alternativos de tratamiento. Su estudio comparaba, en pacientes de cáncer, el empleo exclusivo del tratamiento médico con los que adicionalmente practicaban el Método Silva. Los pacientes que utilizaron la visualización/imaginación sobrevivieron, en promedio, dos veces más que aquellos del grupo de control que sólo emplearon el tratamiento médico. Aun los pacientes que murieron tuvieron una supervivencia de 100 a 150% más de tiempo que los del grupo de control. La importancia de este resultado desencadenó una proliferación de estudios en medicina, prevención de enfermedades y mejoramiento de la calidad de vida en pacientes con padecimientos crónicos.

Dinámica Mental, relajación, imaginación y estrés

En la actualidad existen suficientes datos para llegar a una conclusión sólida de que la modulación inmunológica, a causa de variaciones o presiones psicosociales, puede llevar a verdaderos cambios en el estado de salud, y la prueba más evidente y directa se observa en los padecimientos infecciosos y en la curación de heridas. Las investigaciones médicas más recientes han subrayado un amplio espectro de enfermedades cuyo inicio y curso pueden verse influenciados por citocinas proinflamatorias (células inmunológicas), desde enfermedades cardiovasculares hasta fragilidad y desequilibrio funcional; la producción de citocina proinflamatoria puede verse estimulada directamente por emociones negativas y por experiencias estresantes, o indirectamente por infecciones crónicas o recurrentes. De la misma manera, las anomalías inmunológicas relacionadas con la angustia pueden ser el mecanismo central detrás de una amplia gama de riesgos de salud asociados con emociones negativas[70].

Inclusive la compleja relación entre los factores psicosociales que predisponen a la enfermedad y la medicina mente/cuerpo que comprende la meditación, la relajación, la imaginación guiada (visualización e imaginación) y la oración ha recibido cada día más atención[71] y ha provocado el deseo de efectuar más investigaciones.

Los métodos alternativos de medicina incluyen una amplia gama de terapias cuyo propósito es aliviar el dolor agudo y crónico del paciente, y disminuir las molestias y la tensión. Dinámica Mental regula intencionalmente la atención a cada momento, lo que se asocia con una conciencia del presente, y puede relacionarse con un mejor estado de ánimo, de autoestima, de satisfacción de vida y optimismo, todos estos signos de buena salud emocional[72].

La imaginación guiada es una técnica terapéutica que permite que la persona utilice su propia visualización e imaginación para conectar su cuerpo con su mente con el fin de lograr resultados deseables como menor sensibilidad al dolor y disminución de la ansiedad[73]. El valor de la visualización creativa continúa siendo estudiado por los miembros de la comunidad científica[74].

Para no extenderme demasiado mencionaré tan sólo unos cuantos estudios que demuestran claramente el poderoso efecto de la imaginación/visualización y de la meditación. Un estudio llevado a cabo por Wolsko y colaboradores en 2004, monitoreó a 2.055 adultos, y encontró que el 18,9% de ellos empleó cuando menos una terapia mente-cuerpo durante el año anterior. El 20,5% de dichas terapias incluían visitas a un profesional del tratamiento mente-cuerpo. La meditación y la imaginación fueron las técnicas más empleadas para una gran variedad de padecimientos como el dolor crónico (utilizadas por el 20% de los pacientes con este problema) y el insomnio (utilizadas por el 13% de los pacientes) que lo presentaban. El consenso de los especialistas fue que para estos padecimientos las terapias mente-cuerpo eran eficaces. También para padecimientos como enfermedades cardiacas, dolor de cabeza, de espalda o de cuello y cáncer se emplearon este tipo de terapias en aproximadamente el 20% de los casos. Para estas enfermedades existen varias investigaciones que refuerzan la utilización de dichas terapias[75].

Los pacientes bajo tratamiento agudo pueden experimentar una severa tensión emocional y física, la cual a menudo se ha descrito como *abrumadora* ya que puede evocar sentimientos de miedo, enojo, indefensión y aislamiento. Una de las terapias complementarias mejor estudiadas es la *imaginación guiada*, la cual se está empleando cada vez más para mejorar las experiencias de los pacientes y los resultados curativos. Los pacientes han aumentado su confianza en esta técnica porque les proporciona una importante fuente de fortaleza y apoyo mientras se preparan para un procedimiento quirúrgico o para enfrentar el estrés provocado por la estancia en el hospital[76].

Collins y Dunn (2005) dieron seguimiento a una paciente con dermatomiositis que practicaba sólo meditación y no tomaba ningún medicamento. Diariamente se monitorearon las medidas de la fuerza del brazo, del estado de la piel y de los acontecimientos que producían ansiedad, y se calificaron con una escala numérica.

Lo interesante del caso es que la paciente se recuperó, lo cual rara vez sucede con una terapia convencional. El análisis regresivo de la correlación entre las medidas de la fuerza del brazo, de la erupción y del dolor, y la aplicación de los tratamientos mente-cuerpo revelaron importantes relaciones estadísticas tanto para la meditación (valores *p*[77] de 0.02 a 0.001) como para la imaginación visual (valores *p* de 0.02 a 0.002). (El valor *p* es la probabilidad de que el resultado obtenido se deba al azar si la hipótesis Ho nula es cierta, con base en este valor el investigador decide si acepta —no existe diferencia entre grupos— o la rechaza y acepta la hipótesis alternativa H, al decidir que sí existe diferencia. Se rechaza la hipótesis nula si el valor *p* asociado al resultado observado, es igual o menor que el nivel de significación establecido convencionalmente 0.05 ó 0.01 —en el artículo la autora fija éste entre 0.02 a 0.001 para la imaginación visual, lo que quiere decir que su exigencia de control es más elevada que la aceptada o, en otros términos, que los resultados pueden considerarse como muy significativos—). La ansiedad tuvo un efecto significativo sobre los síntomas cutáneos pero no sobre la fuerza del brazo. Los resultados mostraron una relación estadísticamente importante entre las terapias mente-cuerpo y la recuperación de la paciente de dermatomiositis, quizá debido a la influencia del sistema inmunológico humoral. Un factor clave de la recuperación fue la rápida disminución del estrés. Los beneficios de la meditación y de la imaginación/visualización en esta paciente concuerdan con una creciente cantidad de pruebas que demuestran que estas técnicas tienen una influencia sobre la función del sistema inmunológico[77].

La Dinámica Mental, la visualización y la imaginación guiada ayudan a la persona a aplicar técnicas enfocadas a mejorar con eficacia el manejo del estrés, la salud, el cambio de creencias limitantes (reestructuración cognitiva) y a mejorar su relación con los demás. Por éxitos observados en otras enfermedades crónicas[78] la Dinámica Mental, la visualización y la imaginación son intervenciones altamente prometedoras en enfermedades, sean agudas o crónicas como la esclerosis múltiple (EM).

La EM es un padecimiento complejo, progresivo y con frecuencia discapacitante del sistema nervioso central (SNC). Sus características son lesiones extensas del cerebro y de la médula espinal y una amplia variedad de síntomas que incluyen desensibilización ocasional, fatiga, dolor, debilidad de las extremidades, espasmos musculares y síntomas de la vejiga e intestinos[79]. Además están los síntomas psicológicos como la depresión, el distrés, la ansiedad, el deterioro cognitivo y otras manifestaciones de disfunción del SNC que a menudo son discapacitantes[80]. Se desconoce la etiología de la EM y tampoco se ha desarrollado *curación alguna*[81]. Generalmente se acepta[82] que el sistema inmunológico ataca el recubrimiento de mielina de las neuronas en el SNC. Las personas con EM pueden experimentar sentimientos de vulnerabilidad, de frustración y de pérdida de control[83], elevando así los niveles de estrés, de depresión, de ansiedad e inclusive de fatiga. Una gran cantidad de evidencia sugiere que los factores psicosociales y el estrés pueden ejercer una influencia sobre la salud y la función inmunológica[84].

Por más de 100 años se ha considerado al estrés como un factor potencialmente crítico para el establecimiento y la progresión de la EM; sin embargo, sólo en los últimos diez años se han hecho investigaciones sistemáticas sobre las causas potenciales y los mecanismos[85], lo cual demuestra la relación entre la actividad exacerbada del sistema nervioso simpático, el estrés y el agravamiento de la EM. El distrés emocional es más frecuente en pacientes con EM que en muchas otras enfermedades crónicas, y es tres veces más común en pacientes con EM[86] que en el resto de la población. Factores como la incertidumbre y la impredecibilidad del avance del padecimiento, sus síntomas, la discapacidad y la curación, el nivel económico, el empleo y la autonomía[87] contribuyen en gran medida al distrés emocional de los pacientes.

En suma se ha encontrado que los síntomas de recaída y los propios de la enfermedad se incrementan significativamente en presencia del estrés emocional. Los pacientes en fase de exacerbación tuvieron, de acuerdo a mediciones realizadas, más molestias emocionales y mayor intensidad de acontecimientos estresantes[88] que los pacientes en remisión. De las investigaciones se desprende que en los pacientes con EM hay una prevalencia de depresión de un 14 a un 57%, de un 63% para la euforia, y de un 19 a 34% de trastornos de ansiedad. En los pacientes que tienen herramientas para el manejo del estrés y de los problemas sociales, éstas pueden jugar un papel decisivo en determinar hasta dónde y en qué grado la depresión se hace presente en ellos, o hasta dónde se exacerba como consecuencia de una experiencia estresante[89].

Últimamente se ha relacionado la depresión en la EM con desórdenes del sueño[90] asociados con lesiones en áreas motoras del cerebro, lo que sugiere que los desórdenes del sueño pueden servir como mediadores entre la diesmielinización y la depresión. Tres de los factores estresantes más comunes en pacientes con padecimientos crónicos son el dolor, la falta de sueño, el miedo o la ansiedad[91]. Puesto que la meditación es el tratamiento común para los síntomas de EM[92] y dada la complejidad de la enfermedad y la importancia que tienen los factores psicosociales que interactúan en la salud y la enfermedad[93] elegí un acercamiento de investigación en un modelo bio-psicosocial para conducir mi investigación.

La literatura actual no contiene ninguna prueba definitiva respecto a los efectos de la meditación sobre la EM; un estudio llevado a cabo por Maguire (1996) sugiere evidencia preliminar de que la relajación y la imaginación llevaron a una reducción clínica significativa del estado de ansiedad y de las alteraciones de percepción de su propia enfermedad en pacientes con EM. Sin embargo los resultados de este estudio no fueron concluyentes debido a varias limitantes:

1. Muestra muy pequeña.
2. No se hace referencia a la intensidad del tratamiento ni a su integración, es decir, a la frecuencia y consistencia de la práctica, excepto en seis sesiones de entrenamiento de una hora en las que se usó una grabación.
3. Un problema metodológico que pudo haber influenciado el resultado de este estudio puede ser la falta de entrenamiento o la confiabilidad en una grabación, en vez de entrenar a los individuos a utilizar la Dinámica Mental del Método Silva para evocar una relajación tanto física como mental.

Lo anterior me motivó a investigar la eficacia del Método y de la imaginación guiada en pacientes con EM: el enfoque del estudio era investigar la eficacia de la Dinámica Mental, de la visualización y de la imaginación en personas con EM en base a un estudio de control al azar. Los resultados demostraron que la Dinámica Mental, la visualización y la imaginación sobrepasaban por mucho las hipótesis.

Para ser más específica los resultados mostraron un gran número de efectos positivos respaldados por testimonios de los pacientes, algunos de ellos incluidos en este apéndice.

Cuarenta pacientes externos de una clínica de EM fueron reclutados para participar en el estudio diseñado al azar, con una lista de espera del grupo de control y un seguimiento de tres meses después de haber sido completado el estudio.

En lo que respecta a la ansiedad los pacientes del grupo experimental mostraron una reducción significativa de la misma ($p = .000$) con una significativa interacción entre el tiempo y su condición ($p = .002$), la cual se mantuvo en el seguimiento de tres meses. La depresión también se redujo en forma significativa y se mostró en la interacción entre el tiempo y su condición con probabilidad de ($p = .005$) en la interacción, y una marcada diferencia entre los dos grupos en el nivel de probabilidad de ($p = .000$). Esta significativa reducción de la ansiedad y la depresión es muy importante como resultado de la práctica de Dinámica Mental.

La hostilidad y la paranoia son dos emociones negativas expresadas por las personas que padecen enfermedades crónicas, las cuales reflejan sentimientos hacia lo que les está pasando y a la pregunta *¿por qué a mí?* La diferencia de hostilidad entre los dos grupos fue altamente significativa tres meses después del estudio ($p = .000$). Esto nos indica que los pacientes fueron capaces de relajarse, de reducir su ansiedad y de sentirse menos deprimidos y victimizados. De igual manera la paranoia disminuyó en forma importante entre los dos grupos al nivel ($p = .000$). La habilidad de permanecer relajados usando la imaginación guiada mejoró su sensibilidad interpersonal, con una diferencia entre los dos grupos al nivel de probabilidad de ($p = .000$). Los pacientes fueron más sensibles hacia otras personas y se comportaron menos hostiles y paranoicos como lo muestran los resultados.

No sólo los cambios psicológicos arriba mencionados fueron importantes, encontré marcadas diferencias tanto en los cambios fisiológicos como en la capacidad de dormir. Los desórdenes del sueño se redujeron dramáticamente ($p = .05$), considerando que la dificultad para conciliar el sueño era muy importante, al nivel de ($p = .000$).

La dificultad para caminar es uno de los síntomas que experimentan los enfermos de EM. Los resultados en la escala de mobilidad muestra que ésta mejoró de forma sustancial en la interacción tiempo-estado ($p \leq .05$) y entre los grupos ($p = .000$). Éste es en verdad un efecto altamente significativo apoyado por reportes informales dados por los participantes en el estudio, los cuales cambiaron de sillas de ruedas eléctricas a bastones, o de emplear bastones a prescindir de ellos.

Hemos recibido diversos comentarios de los pacientes, los cuales hemos querido adjuntar; se han cambiado los nombres para proteger su privacidad.

Testimonios

1. En general, aprender las técnicas de Dinámica Mental Método Silva me ha dado una sensación de paz y de calma, que es lo que yo necesitaba en mi vida. Me hizo ver las cosas en forma más positiva, y ver el gran potencial que tengo y que los demás también tienen. Me dio esperanza y entusiasmo. El curso, sin lugar a duda, cambió mi vida para mejorarla y en verdad que cada día está mejor y mejor. Gracias por esta maravillosa y transformadora experiencia.

   ECB, mayo 2005

2. Definitivamente está funcionando, ya no uso mi silla de ruedas eléctrica, sólo un bastón y en ocasiones una andadera.

   JC. NJ., mayo 2005

3. Querida doctora Fullam: El seminario de Dinámica Mental en verdad me ha ayudado a enfrentar mi EM. Ya no uso mi silla de ruedas eléctrica, dependo menos de mi andadera y cada vez empleo más mi bastón. He tenido recaídas y remisiones durante 30-40 años y mi EM ha empeorado de manera progresiva. El curso aparentemente ha inverti-

do esta tendencia y en cierta forma ha comenzado a revertir los efectos de la enfermedad. Sigo utilizando la cinta de relajación con buenos resultados. Gracias.

JD., mayo 2005

4. Recientemente tuve una revisión y me efectuaron una resonancia magnética. Las dos lesiones que se veían hace seis meses están inactivas. Aún más, una de ellas ha desaparecido por completo. Mi médico estaba tan asombrado como yo, me dijo que no esperaba resultados tan importantes. Todo es posible. Cada vez me siento mejor y mejor.

M., enero 2003

La calidad de vida es un factor importante en la vida de las personas. Este factor adquiere cada día más valor en el caso de padecimientos crónicos y de enfermedades cuya causa y tratamiento son desconocidos. La medición de la calidad de vida en ese estudio mostró tres importantes resultados: un efecto de tiempo expuso diferencias en los tres puntos de medición, es decir, antes, al final del estudio, y tres meses después con el valor (p = .000). Una interacción tiempo-estado presentó un valor de (p = .05), mientras que el efecto entre grupos fue de (p = .000). Este resultado indica que la capacidad de relajarse, de reducir emociones negativas como la ansiedad, la depresión y la hostilidad, y el adecuado manejo del estrés se traducen en una mejor calidad de vida de los enfermos de EM, generando también sentimientos de calma y de relajación aun en situaciones de enorme reto. La movilidad mostró mejoría significativa, lo cual rara vez se logra con intervenciones médicas, incluyendo la medicación.

Los resultados del estudio muestran beneficios tangibles en pacientes de EM con el uso de la Dinámica Mental, de la visualización y de la imaginación. Investigaciones futuras en esta población, así como en otras poblaciones clínicas, pueden comprobar ser efectivas para reducir los problemas psicológicos y fisiológicos, y para mejorar la calidad de vida.

En conclusión, podemos decir, sin temor a equivocarnos, que la Dinámica Mental, la visualización y la imaginación se pueden emplear con buenos resultados como tratamiento en poblaciones clínicas que padecen enfermedades crónicas, con el fin de aliviar síntomas, dolor, fatiga y síntomas psicológicos como la ansiedad y la depresión. Todo esto en su propio hogar, a través de disciplinar su mente y de la visualización creativa en un nivel de relajación consciente.

Bibliografía del apéndice de la Dra. Fullam

Ackerman, CJ. & Turkoski, B 2000, *Using guided imagery to reduce pain and anxiety,* Home Health Nurse, Sep: 18 (8), 525-530.

Ackerman, KD., Stover, A., Heyman, R., Anderson, BP., Houck, PR, Frank, E., Rabin, BS., & Baum, A., (2003). *Relationship of cardiovascular reactivity; stressful life events, and multiple sclerosis disease activity. Brain, behavior and inmunity,* 17 (3), 141-1151.

Ackerman, KD., Heyman, R., Rabin, B., Anderson, BP., Houck, PR., Frank, E., & Baum, A., (2002), *Stressful life events precede exacerbation of multiple sclerosis,* Psychosomatic Medicine, 64 (6), 916-920.

Ackerman, KD., Martino, M., Heyman, R., Moyan, NM & Rabin,

BS., (1998), *Stressor-induced alteration of cytokine production in multiple sclerosis patients and controls,* Psychosomatic Medicine, 60, 484-491.

Barrows, KA., & Jacobs, BP-. (2002), *Mind-Body-Medicine: An introduction and review of the literature,* Complementary and alternative medicine, 86 (1), 11-31.

Clark, CM., Fleming, JA:, Li, D., *et. al.*, (1992), *Sleep disturbance, depression and lesion site in patients with multiple sclerosis.* Archives of Neurology, 49, 641-643.

Collins, MP., & Dunn, LF., (2005), *The effects of meditation and visual imagery on an immune system disorder: dermatomyositis,* Journal of Alternative and Complementary Medicine, 11 (2), 275-284.

Davenport, L., (1996), *Guided imagery gets respect,* The Healthcare Forum Journal, 39 (6), 28-32.

Davidson, RJ., Kabar-Zin, J., Schumacher, J., Rosenkranz, M., Muller, D., Santorelli, S. F., Urbanowski, F., Harrington, A., Bonus, K., & Sherida, JF., (2003), *Alterations in brain and immune function produced by mindfulness meditation,* Phsychosomatic Medicine, 65, 564-570.

DeKeyser, F., (2003), *Psychoneuroimmunology in critically ill patients,* AACN Clin Issues, 14 (1), 25-32.

Edelstein, EJ., and Edelstein, L., (1945), *Asclepius,* Vol. I & Vol. II, John Hopkins University Press.

Eller, LS., (1999), *Guided imagery interventions for symptom management,* Annual Rev. Nurs. Res., 17, 57-84.

Foley, FW., Traugott, U., LaRocca, N., Smith, CR., Perlman, KR., Caruso LS., & Scheinber, LC., (1992), *A prospective study of depression and immune dysregulation in multiple sclerosis,* Archives of Neurology, 49, 238-244.

Fullam, A., (en preparación), *The efficacy of dynamic meditation in multiple sclerosis.*

Guilick, EE., (2001), *Emotional distress and activities of daily living functioning in persons with multiple sclerosis,* Nursing Research, 50 (3), 147-154.

Herndon, RM., (2003), *Developments in multiple sclerosis; research overview,* In Robert M., Herndon (Ed.), Multiple sclerosis: immunology, pathology and pathophysiology, New York: Demos.

Kielcolt-Glaser, JK., McGuire L., Robles, TF., & Glaser R., (2002), *Psychoneuroimmunology and Psychosomatic Medicine: Back to the Future,* Psychosomatic Medicine, Jan-Feb., 64 (1): 15-28.

Kroenke, DC., & Denny DR., (1999), *Stress and coping in multiple sclerosis: exacerbation, remission and chronic sub-groups,* Multiple Sclerosis, 5, 89-93.

LaRocca, NG., (1984), Psychosocial factors in multiple sclerosis and the role of stress, Annals of the New York Academy of Sciences, 435-442.

Maguire, BL., (1996) *The effects of imagery on attitudes and moods in multiple sclerosis patients,* Alternative Therapies, 2 (5), 75-79.

Manso, J., (1983), *The equitable life assurance society program,* Preventive Medicine, 12, 658-662.

Pelletier, KR., (2000), *The best alternative medicine: What Works? What does not?,* New York, Simon and Schuster.

Pert, CB., Ruff, MR., Weber, RJ & Herkenham M., (1985), *Neuropeptides and their receptors: A psychosomatic network,* Journal of Immunology, 35:2.

Pert, C., (1995), *Neuropeptites, AIDS and the science of mind-body healing,* Alternative therapies in healing and medicine, 1 (3), 70-76.

Pliskin, NH., Hammer, DP., Goldstein, DS., Towle, VL., Reder, AT., Noronha, A., & Polman, CH., (1994), *Improved delayed visual reproduction test performance in multiple sclerosis patients receiving interferon Beta.1b,* Neurology, 47 (6), 1463-8.

Rao, SM., Grafman, J., DiGuilio, D., *et. al.,* (1993), *Memory disfunction in multiple sclerosis: its relation to working memory, semantic encoding and implicit learning,* Neuropsychology, 7, 364-374.

Rodgers, D., Khoo, K., MacEachen, M., Oven, M., & Beatty, WW., (1996), *Cognitive therapy for Multiple Sclerosis: A preliminary study,* Alternative Therapies, 2 (5), 70-74.

Simonton, OC., Mathews-Simonton, S., & Sparks, TF., (1980), *Psychological intervention in the treatment of cancer,* Psychosomatics, 21, 226-233.

Smits, RC., Emmen, HH., Bertelsmann, FW., Hulig, BM, Van Loenen AC., & Polman, CH., (1994), *The effects of 4-aminopyridine on cognitive function in patients with multiple sclerosis: a pilot study,* Neurology, 44, 1701-1705.

Tick, E., (2001), *Altered states of consciousness,* New York: John Wiley and Sons Inc.

Toth, M., Wolsko, PM., Foreman, J., Davis, RB., Delbanco, T., Phillips, RS., & Huddleston, P., (2007), *A pilot study of a randomized, controlled trial on the effect of guided imagery in hospitalized medical patients.*

Troesch, LM., Rodehaver, CB., Delaney, EA., & Yones, B., (1993), *The influence of guided imagery on chemotherapy-related nausea and vomiting,* Oncology Nursing Forum, 20 (8), 1179-1185.

Tusek, DL., & Cwynar, RE., (2000), *Strategies for implementing a guided imagery program to enhance patient experience,* AACN Clinic Issues, 11 (1), 68-76.

VanderPlate, C., (1984), *Psychological aspects of multiple sclerosis and its treatment: toward a biopsychosocial perspective,* Health Psychology, 3 (3), 253-272.

Warren, S., Warren, KG., & Cockerill R., (1991), *Emotional stress and coping in multiple sclerosis exacerbations,* Journal of Psychosomatic Research, 35 (1), 37-47.

Wolsko, PM., Eisenberg, DM., Davis, RB., Phillips, RS., (2004), *Use of mind-body medical therapies,* Journal of General International Medicine, 19 (1), 43-50.

Apéndice 2

Dinámica mental y psiquiatría: una experiencia personal

Dr. Gérard Guasch

Médico psiquiatra por la Universidad de París, especialista en Medicina Psicosomática y Psicoterapia Energética. Miembro del Comité Científico Internacional para la Terapia Psicocorporal.

A pesar de lo que a veces se dice y todavía se cree, la psiquiatría no sólo es para locos. Si bien es cierto que, por mucho tiempo, esta rama de la Medicina se limitó a atender enfermos mentales («alienados» se les decía entonces y al psiquiatra se le llamaba «alienista»), su vocación es más amplia. Su propia denominación lo manifiesta: del griego *psique*: alma o mente, e *iatros*: médico, la psiquiatría, es una medicina mental. Por lo tanto el psiquiatra no es un «loquero», es un especialista de la mente.

La psiquiatría, como cualquier otra especialidad, debe desarrollar acciones preventivas para hacerse cargo de la higiene mental que se ve duramente amenazada por las condiciones de vida actuales, y que generan a diario un exceso de tensiones que, a su vez, producen un sinfín de trastornos físicos y mentales.

Para mantener un mejor equilibrio físico y mental existe una herramienta de fácil uso: *la relajación*, complementada por *las técnicas de Dinámica Mental.* En mi práctica profesional empleo esas técnicas desde hace muchos años.

Un poco de historia

Pobre entre los pobres, el enfermo mental, el «loco» se vio apartado de la sociedad, rechazado, recluido en instituciones sombrías, atado, encadenado, enjaulado durante siglos. ...Fue hasta el «siglo de las luces» que médicos alienistas como el francés Phillippe Pinel (1745-1826) —considerado como el fundador de la Psiquiatría moderna— rompieron estas cadenas y propusieron un tratamiento moral para esos enfermos. Ese mismo siglo, el XVIII, vio surgir también un marcado interés por los fenómenos psíquicos menos fáciles de comprender tales como la sugestión mental. Aquí se destaca un nombre, el del médico austriaco Franz Antón Mesmer (1734-1815) que, bajo la protección de la reina María Antonieta, poco antes de la Revolución, causó grandes revuelos en Francia y que, a su manera, fue el precursor de las psicoterapias modernas y de las diversas técnicas de sugestión positiva.

Sus técnicas de «magnetización» abrieron el camino de la «hipnosis» término acuñado por el cirujano inglés James Braid en 1840. Ésta se volvió, por muchos años, el instrumento privilegiado de investigación y de tratamiento para los médicos y los psiquiatras. El mismo Ramón y Cajal (1852-1934) —famoso por sus observaciones microscópicas sobre la célula nerviosa— se interesó en su práctica, pero, indudablemente, el maestro de la época fue Jean Martin

Charcot (1825-1893), cuya fama se extendió mucho más allá de las paredes del viejo hospital de Salpétrière en París.

Entre los asistentes a sus lecciones estaba el joven Sigmund Freud (1856-1939), quien quedó impresionado llevando a una reflexión profunda las implicaciones del trabajo de Charcot. De esa reflexión y de sus observaciones nacieron nuevas hipótesis sobre las causas de las neurosis y una forma de tratamiento que no tardaría en llamarse «Psicoanálisis». Éste, nacido de la hipnosis, se alejó de ella para tomar su propio camino.

Otros, partiendo también de la hipnosis, le dieron un desarrollo diferente, entre ellos un médico alemán, Johannes Heinrich Schultz (1884-1970), quien desarrolló, a partir de 1912, un método de «autorrelajación concentrativa» por inducción mental «el entrenamiento autógeno», que propone aflojar las tensiones musculares para inducir una relajación psíquica en los pacientes. Su método fue el precursor de otros muchos, entre los cuales destacan la «sofrología» del psiquiatra colombiano Alfonso Caicedo y la relajación del Método Silva, ambos pueden usarse con fines educativos, reeducativos o terapéuticos. Numerosos estudios científicos confirman su eficacia.

Una búsqueda milenaria

Mucho antes de la creación de esos métodos y del uso de la palabra «relajación» el concepto ya existía. Lo encontramos en las grandes tradiciones que proponían prestar atención a la postura del cuerpo y a la respiración para tranquilizar la mente con el fin de meditar u orar mejor. Así encontramos, a lo largo de la historia de la Medicina, diversas prácticas para crear o restablecer la armonía interior: sonidos, cantos, invocaciones, mantras, palabras dulces, voz monótona... Desde la Biblia el joven David tiñe el arpa para alejar la melancolía del alma del rey Saúl; para tranquilizar a un paciente, un médico árabe del siglo XIV, le prescribe escuchar el ruido de pétalos de rosa secos, frotados entre las manos. Ambroise Paré, cirujano del Renacimiento, recomienda hacer gotear agua sobre una pizarra para adormecer a un herido.

La psiquiatría hoy

Desde hace medio siglo, los recursos psicofarmacológicos se han enriquecido de manera considerable. Por eso, la psiquiatría llamada biológica, es la corriente dominante hoy en día. Las investigaciones actuales, más que en la lesión, se interesan en las conexiones sinápticas y en los intercambios de neuromediadores. Las neurociencias nos han mostrado un hecho de capital importancia: el cerebro tiene una gran plasticidad y todo aprendizaje nuevo estimula la formación de nuevas neuronas y su conexión en red. Por eso podemos lamentar que, disponiendo de medicamentos más eficaces para tratar la depresión, disminuir la ansiedad o controlar los delirios, muchos psiquiatras vayan restando importancia a la dimensión psicoterapéutica del tratamiento. Algunos parecen olvidar o desdeñan ciertas técnicas que pueden complementar útilmente cualquier prescripción química. Entre ellas, los cuidados directos del cuerpo (masajes y fisioterapia por ejemplo), la relajación y las **técnicas de Dinámica Mental,** que, lejos de oponerse a la prescripción médica, ayudan al paciente a sentirse mejor y a recuperar su equilibrio integral.

Mi experiencia personal

Es a través del manual de «entrenamiento autógeno» de Schultz que, un día, descubrí la relajación. En aquel entonces tenía unos 17 años. Siempre me ha apasionado todo lo que tiene que ver con la mente y más que nada, lo que le permite a uno mismo hacer experiencias psicofisiológicas tangibles. Por eso no tardé en practicarla conmigo mismo. Este interés, aunado a una gran curiosidad por los mecanismos del cuerpo, me llevó a estudiar medicina.

Un año más tarde, ya en la facultad, participé en la creación de un grupo de estudios sobre psicoanálisis y psiquiatría; este último me permitió acercarme a personalidades del mundo psicoanalítico parisino. Fue allí donde conocí al doctor René Held, neuropsiquiatra fundador de la Sociedad de Medicina Psicosomática, quien fue mi maestro. El doctor Held, que muestra gran aprecio por la relajación, considera que ésta representa un complemento útil para ciertos pacientes y les recomienda practicarla.

Para hacer un registro de las modificaciones de las frecuencias cerebrales se requiere de aparatos complejos y, estando los servicios de electroencefalografía saturados, inicié un modesto trabajo de investigación sobre el efecto de la relajación en ciertos parámetros fisiológicos fáciles de medir: frecuencia cardiaca y respiratoria, presión arterial, temperatura interna y externa del cuerpo.

Los cambios fisiológicos objetivados (relajación muscular global, relajación de la musculatura lisa vascular, modificación del ritmo cardiaco y respiratorio, cambios de temperatura) ponen claramente de relieve que el método queda lejos de ser una simple persuasión. En algunos casos el laboratorio me permitió también observar cambios en ciertos parámetros biológicos: perfil tiroideo, cortisol, glucemia, y catecolaminas, entre otras. Cada vez más convencido de los efectos positivos sobre la fisiología del cuerpo y de su poder como instrumento terapéutico, decidí usarla ampliamente en mi práctica personal.

Mi primer paciente

El primer paciente que atendí cuando abrí mi consultorio en París, fue un joven de catorce años. Este chico presentaba un tic de los ojos que le obligaba a bloquear sus párpados con los dedos para ver nítidamente. Sus padres ya lo habían llevado con su pediatra, con un oftalmólogo y con un neurólogo, y ninguno de los tratamientos prescritos mejoraron el síntoma. Era un muchacho alto, delgado, ansioso. Cuando lo vi pensé que una psicoterapia de inspiración psicoanalítica no podría ayudarle mucho y que no necesitaba más calmantes. Por eso, de entrada, le propuse que se acostara en el diván y le enseñé a relajarse. Salió de su primera consulta muy satisfecho, le hice notar que habíamos obtenido ese estado agradable de tranquilidad sin medicamento, y lo invité a practicar a diario los primeros ejercicios de relajación que habíamos empleado. El tic rápidamente disminuyó logrando desaparecer por completo. Prolongamos la terapia hasta que otros aspectos de su personalidad como la tensión muscular y emocional alta, el nerviosismo, la timidez y ciertos rasgos obsesivos, bajaron de intensidad y se hicieron más manejables en su vida cotidiana. Su padre, que vivía muy estresado y sufría de una úlcera gástrica, encantado por el resultado, me pidió que también lo atendiera en terapia.

Una herramienta terapéutica de gran valor

Usando la relajación en mis consultas diarias he observado en niños y adolescentes que padecen tics nerviosos, tartamudez, asma, migraña, jaquecas, dolores menstruales, dolores abdominales inespecíficos, enuresis (que mojan la cama), encopresis (que tienen evacuaciones involuntarias), trastornos del sueño y temores nocturnos, timidez excesiva y ciertos problemas escolares beneficios numerosos. De igual forma, en adultos he podido constatar la efectividad de esta práctica con pacientes que han superado limitaciones como eyaculación precoz, vaginismo, dolores de espalda y de manera general, el control del dolor crónico o agudo.

Ciertos colegas utilizan la relajación en casos de enfermedad orgánica grave (cáncer, SIDA...), otros como preparación al parto o a una intervención quirúrgica (donde se ha demostrado que permite reducir de manera significativa el uso de la premedicación anestésica), en casos de fibromialgia y fatiga crónica, algunos se han especializado en reumatología y en psicocardiología. Hacer una lista exhaustiva sería casi imposible, ya que parece no haber especialidad médica en la cual la relajación no sea susceptible de aportar algún beneficio.

Individualmente o en grupo

Cuando asumí la dirección médica de una clínica para trastornos de la conducta en adolescentes, de nuevo la relajación fue mi principal aliada.

Muchos de esos jóvenes ya habían pasado por experiencias terapéuticas diversas, estaban hartos de los psicólogos y de la psicología. «Contarte una vez más mi vida no servirá de nada», me decían; a otros se les dificulta hablar y comunicar su sentir. A todos les propuse experimentar la relajación; el sentimiento de bienestar que experimentaron de inmediato les dio confianza en que «algo puede cambiar». La relación terapéutica se ve así reforzada. Una vez ganada su confianza, pude proponerles otros abordajes: masajes, respiración consciente, fantasías guiadas, vegetoterapia, dejándoles la libertad de verbalizar lo que quisieran. Con estos pacientes pude también usar la relajación en casos de adicciones (tabaco, alcohol, drogas), a veces individualmente y a veces en grupo.

Años después, en colaboración con mi amiga y colega Anne-Marie Filliozat, creamos técnicas de visualización positiva (visualizaciones de salud) inspiradas en las experiencias de Carl y Stephanie Simonton, que desarrollaron su enfoque a partir del **Método Silva,** técnicas que seguimos utilizando y enseñando en nuestros seminarios parisinos.

Nuevos encuentros

En México, me esperaba un nuevo encuentro. Al terminar una conferencia, me presentaron a la doctora Rosa Argentina Rivas Lacayo. Rápidamente descubrimos que, entre muchos otros intereses en común, teníamos uno fuerte: la relajación. Le hablé de mi práctica, ella de la suya, y no tardó en invitarme a participar en un curso de Dinámica Mental. Fue allí donde descubrí el **Método Silva**, en aquel entonces poco conocido en Francia. Me impresionó la habilidad con la cual su creador supo sacar partido de muchas experiencias personales y de la de tantos otros para construir un método personal original. **Este Método no sólo enseña a relajarse sino a desarrollar técnicas mentales que permiten usar numerosos recursos de nuestra propia mente: control de la memoria, del dolor, de los sueños, programación positiva, etcétera.**

Al conocer más a fondo su propuesta en Dinámica Mental, porque debemos reconocer que el **Método Silva**, tal y como ella lo enseña, se ha enriquecido considerablemente con sus aportes personales, he ido cambiando mi forma de practicar y hacer practicar la relajación.

Hoy, 25 años después de conocer a Rosita, uso inducciones más variadas según el momento y la necesidad, e invito a mis pacientes a usar las técnicas de control para dormir®, control para el dolor®, recordar sus sueños o visualizarse en buena salud. Además, asocio con frecuencia la relajación por inducción verbal con técnicas que movilizan el cuerpo y con prácticas respiratorias de inspiración china. Ésas, produciendo una mejor ventilación, generan una mejor oxigenación de las células cerebrales, en conjunto, actúan profundamente sobre las funciones nerviosas vegetativas guardianes de nuestra salud.

México me ofreció también la posibilidad de trabajar con adolescentes que viven en internados o recluidos en un albergue tutelar para menores. A ellos también les enseño a relajarse. Eso les ayuda a soportar mejor las tensiones generadas por la disciplina y la vida en grupo y, a muchos, les permite mejorar la calidad del sueño. Otros encuentros, esta vez con colegas neurofisiólogos, acompañados de experiencias concretas, confirman la efectividad del método para enriquecer la producción de ondas Alfa en el cerebro.

Interés de la relajación y de la Dinámica Mental en psiquiatría

La relajación representa un instrumento original que permite no sólo lograr una disminución de las tensiones físicas y mentales sino abordar las sensaciones del cuerpo a través de la palabra, lo que le da un valor psicoterapéutico indiscutible. Además, permite el refuerzo del esquema corporal, percibido como una realidad tangible, y una integración de la sensorialidad del cuerpo entero a nivel de la conciencia, lo que es de gran utilidad en ciertas patologías. También actúa sobre la armonización de la conciencia y la dinamización de las fuerzas internas de autocuración. Por eso es una herramienta indispensable en terapia psicosomática.

En terapia cognitiva-conductual, la relajación se usa para lograr una «desensibilización sistemática», es decir, que una vez logrado un estado de relajación integral satisfactorio, se le pide al paciente evocar situaciones que le provoquen angustia. La ansiedad así reactivada disminuye el nivel de relajación. El terapeuta observa, hace notar los cambios, y enseña al paciente cómo relajarse más para combatir la angustia. Una relajación bien conducida permite al sujeto experimentar que le es posible abandonar, sin riesgo, sus tensiones y su nivel de vigilancia habitual para experimentar un estado de bienestar profundo, bienestar generalmente vivenciado como reparador.

Se han observado beneficios importantes, incluso en pacientes psiquiátricos graves, con relajaciones conducidas de manera adecuada. Además, el estado de relajación permite desarrollar **las técnicas propias de Dinámica Mental**, lo que amplía considerablemente su campo de acción.

En conclusión

La relajación y técnicas del **Método Silva** nos permiten experimentar en carne propia que el cuerpo y los procesos mentales constituyen una unidad, y que el aprendizaje mental es capaz de influir de manera favorable sobre las principales funciones del organismo. Nos invita a participar activamente de cualquier tratamiento y nos ofrece recuperar parte de nuestra capacidad de autocuración. Además se presta a una enseñanza de fácil acceso, lo que permite a muchas personas poder entrenarse en el método y usarlo como recurso de salud. Herramienta siempre disponible, la relajación juega un papel importante en la prevención de ciertos trastornos ligados al estrés y a la ansiedad.

Esperamos que pronto llegue el tiempo para una psiquiatría integradora que reconozca estos hechos y que, lejos de encerrarse en el bastión dogmático de una sola escuela, sepa asociar lo mejor de cada corriente terapéutica para el bien del paciente.

Apéndice 3

Dinámica mental: una perspectiva desde la fe

Dr. Camilo Maccise O.C.D.

Sacerdote Carmelita Descalzo. Doctorados en Teología y Biblia. Ha sido profesor del Instituto Pastoral del Consejo de Obispos de América Latina (CELAM). Vicepresidente de la Confederación de Superiores Religiosos de México (CIRM). Miembro del equipo de Teólogos de la Confederación Latinoamericana de Religiosos (CLAR). Profesor de Teología Dogmática, Espiritualidad y Sagrada Escritura, biblista reconocido internacionalmente. Fue el primer mexicano electo como General de la Orden del Carmelo en el mundo en 1991 y reelecto para el mismo cargo en 1997. Durante su estadía en Roma fue también presidente de la Unión de Superiores Generales (USG). A su regreso de Roma, en el año 2004, fue de nuevo electo como provincial de la Orden en México. Autor de varios libros y colaborador de revistas de Teología, Espiritualidad y Vida Religiosa en América Latina y Europa.

La lectura del libro de la doctora Rosa Argentina Rivas Lacayo: *Saber Pensar: Dinámica mental y calidad de vida. El Método Silva para un nuevo siglo*, nos hace tomar conciencia del progreso de la ciencia en el campo de la investigación de la persona humana, de sus mecanismos psicosomáticos, de sus posibilidades insospechadas, de sus dinamismos de autoconocimiento para el manejo de emociones, reacciones, actitudes. En esta obra encontramos el fruto de los esfuerzos de la razón humana que busca, investiga, descubre y avanza para ayudar al ser humano a vivir mejor.

Reacciones ante el progreso científico

Vivimos en un mundo de cambios rápidos y profundos, al grado de que se habla más que de una época de cambios, de un cambio de época. Hemos pasado de una concepción estática de la realidad a una dinámica y evolutiva que exige nuevos análisis y nuevas síntesis. Los progresos de las ciencias biológicas, psicológicas y sociales permiten al ser humano conocerse mejor y transformar la creación. Fenómenos como la globalización, la secularización, la liberación y la nueva ética influyen en la manera de vivir y de organizarse. Hemos pasado de una cultura agrícola y artesanal a una urbana; de una cultura sacra a una secular, que destruye la distinción entre lo sagrado —separado, diverso de lo del mundo— y lo profano, lo propio de esta tierra. Ha habido una evolución de lo pre-científico y pre-técnico a lo técnico-científico.

Esta serie de mutaciones ha traído consigo reacciones de todo tipo frente a lo nuevo: desde la acogida a-crítica de las novedades hasta su rechazo por prejuicios y por una falsa idea de las relaciones entre la fe y la razón. Ha habido ocasiones en las que personas creyentes se han opuesto a los descubrimientos de la ciencia en nombre de la fe. Por otro lado, los que se profesan no creyentes han atacado la fe como algo irracional. Estas dos reacciones han sido erróneas como lo ha demostrado la crisis de un fundamentalismo que no reconoce la autonomía de la ciencia y la crisis de la modernidad que ha sancionado la relativización y la diferenciación del saber, que lleva al fracaso de la razón cuando se erige en poseedora del conocimiento de toda la realidad y se revela incapaz de responder a los interrogantes profundos del ser humano. La fe no es contraria a la razón. Creer no significa abdicar de la razón. Tampoco la fe puede ser contraria a la ciencia pues lo verdadero no puede contradecir lo verdadero. Hay que apreciar el esfuerzo de la razón para alcanzar los objetivos que hagan más digna la existencia humana. «La fe y la razón son como dos alas con las cuales el espíritu humano se eleva hasta la contemplación de la verdad».

Lo absurdo de unas acusaciones

He querido poner esas reflexiones porque hace doce años la Dinámica Mental del Método Silva fue objeto de ataques que no tenían presente la compatibilidad entre la fe y la ciencia, cuando ésta no está condicionada por ideologías. Se le etiquetó como parte del *New Age* y fue presentada como peligrosa para la fe católica. Así apareció en una *Instrucción Pastoral* del Arzobispo de México en enero de 1996. El motivo de considerarla así fue que el creador del método, el señor José Silva, «en algunos de sus libros, hace comentarios que son ajenos a nuestra religión». Después de un diálogo aclaratorio con la doctora Rivas Lacayo, el mismo Arzobispo, hoy en día también Cardenal de la Iglesia Católica, Mons. Norberto Rivera Carrera, con fecha 28 de enero de 1997 hizo unas rectificaciones en las que declaró que el método Silva de Control Mental, tal y como se presenta y practica en México y Centroamérica, es independiente de la ideología personal del señor José Silva y se concentra en las técnicas metodológicas. Por lo mismo, el prelado afirma: «***El practicarlas no produce ningún riesgo para la fe de los creyentes. Dichas técnicas, que son también independientes a cualquier vínculo o contexto religioso, están basadas en principios naturales y sus efectos de mejoramiento en el desarrollo humano, tanto físico como mental, pueden y son comprobables por las ciencias modernas. Además, podemos afirmar que en las enseñanzas de DINÁMICA MENTAL MÉTODO SILVA, no se siguen los lineamientos filosóficos que se desprenden de las creencias personales del referido Sr. José Silva, y que han sido el motivo de prevención en nuestra carta pastoral... Por todo lo anteriormente expuesto, declaramos que LOS CURSOS DE DINÁMICA MENTAL, tal como se enseñan en México y Centroamérica BAJO LA DIRECCIÓN DE LA DRA. ROSA ARGENTINA RIVAS LACAYO, no presentan ningún aspecto contrario con la fe católica, por lo que, sin temor alguno, los católicos pueden participar en estas actividades con toda confianza y tranquilidad de conciencia***».

La carta del Cardenal termina alentando a la doctora Rivas Lacayo y a sus instructores a que sigan en su labor ya que las personas, «***en nuestros tiempos de crisis y desaliento, reciben a través de sus enseñanzas una motivación constante de superación humana y de fe en las posibilidades naturales que Dios nos dio a todos sus hijos***». Además de este reconocimiento tan claro y explícito en un momento de falsas acusaciones a los cursos de Dinámica Mental, cientos de personas que han seguido y practicado este método expresan el bien que les hizo para crecer y madurar psicológicamente como seres humanos, a superar muchas limitaciones y tensiones y a recobrar una visión más positiva de la vida y de las relaciones con los demás.

La cuestión de la relación entre ciencia y fe

Dios es el autor de la razón y de la fe y, por este motivo, no puede haber contradicción entre ellas. Una está abierta a la otra y cada una tiene su espacio de realización. La ciencia tiene su propio campo de investigación y la fe no interfiere en él. Ya el Concilio Vaticano II habló expresamente de la justa autonomía de la realidad terrena y salió al encuentro de aquellos que temen que una vinculación estrecha entre la actividad humana y la fe ponga trabas a la autonomía del ser humano, de la sociedad o de la ciencia. Como la misma autora ha mencionado con toda claridad en el capítulo nueve de este libro, en el documento sobre la Iglesia en el mundo actual dejó claro que «si por autonomía de la realidad terrena se quiere decir que las cosas creadas y la sociedad misma gozan de propias leyes y valores, que el hombre ha de descubrir, emplear y ordenar poco a poco, es absolutamente legítima esta exigencia de autonomía. No es sólo que la reclamen imperiosamente los hombres de nuestro tiempo. Es que además responde a la voluntad del Creador. Pues, por la propia naturaleza de la creación, todas las cosas están dotadas de consistencia, verdad y bondad propias y de un propio orden regulado, que el hombre debe respetar con el reconocimiento de la metodología particular de cada ciencia o arte. Por ello, la investigación metódica en todos los campos del saber, si está realizada de una forma auténticamente científica y conforme a las normas morales, nunca será en realidad contraria a la fe, porque las realidades profanas y las de la fe tienen su origen en un mismo Dios... Son, a este respecto, de deplorar ciertas actitudes que, por no comprender bien el sentido de la legítima autonomía de la ciencia, se han dado algunas veces entre los propios cristianos; actitudes que, seguidas de agrias polémicas, indujeron a muchos a establecer una oposición entre la ciencia y la fe» (*Gaudium et Spes*, 36).

Nuestra época es la época de la ciencia y de la técnica. Eso ha cambiado la forma de pensar y reaccionar frente a la realidad. En el pasado se aceptaban las opiniones de los antiguos sin contrastarlas con las experiencias que se iban sucediendo. Frente a ello, la ciencia puso como fundamento de sus conocimientos la exigencia de comprobación empírica. Eso es legítimo pero, por otra parte, no hay que olvidar que, como dice Berger, «hace falta ser un bárbaro intelectual para afirmar que la realidad es únicamente lo que podemos ver mediante métodos científicos». Hay otras cuestiones y realidades que no encuentran respuesta en la ciencia como las preguntas sobre el sentido del ser y de la vida, que necesitan del auxilio de la filosofía y de la fe.

Entre los campos del saber que han tenido un desarrollo enorme en nuestra época está el de la psicología humana. Se ha avanzado en el conocimiento de los mecanismos de la persona; de sus condicionamientos y de sus posibilidades. Por ello, un creyente puede hacer uso de esos recursos que son fruto de esfuerzos perseverantes para descubrir los secretos de la estructura del ser humano. Dios mismo guía esa búsqueda y esos descubrimientos: «Quien con perseverancia y humildad se esfuerza por penetrar en los secretos de la realidad, está llevado, aun sin saberlo, como por la mano de Dios, quien, sosteniendo todas las cosas, da a todas ellas el ser» (*Gaudium et Spes*, 36).

Por todos estos motivos, la fe no se opone en manera alguna al uso de los descubrimientos de la ciencia y, menos aún, a los que se refieren al conocimiento de la psicología humana y de sus mecanismos.

La Dinámica Mental

En el amplio campo de la psicología nos encontramos con una escuela que ha explorado las funciones del cerebro y ha dado origen a un método de control mental. Se trata del Método Silva que ofrece un conjunto de técnicas que dan el control adecuado para convertir el pensamiento en el gran promotor de la vida porque hace posible manejar el estrés y, de ese modo, a discernir mejor y a mejorar la calidad de vida.

Teniendo en cuenta las funciones del cerebro, a partir de la práctica de la relajación, la Dinámica Mental ayuda a conservar, fortalecer o mejorar la salud; a potenciar nuestro aprendizaje; a alcanzar nuestras metas; a desarrollar nuestra intuición y creatividad para resolver problemas y a autoconocernos y descubrir una forma efectiva de servirnos y servir mejor. El primer objetivo se logra sobre todo con el aprendizaje del manejo del estrés que caracteriza la vida de hoy, especialmente en las grandes ciudades. Las técnicas del Método dan mayor capacidad de concentración y eso facilita el aprendizaje, la retención y la toma de decisiones. Ofrece una serie de ejercicios que ayudan a desarrollar el control de la imaginación para usarla en la búsqueda de alternativas creativas en la solución de los problemas. Ese mismo manejo creativo de la imaginación brinda la capacidad de ayudarnos a nosotros mismos y a todo aquel que necesite de nuestro apoyo.

Por sus frutos los conoceréis (Mt 7,20)

El criterio evangélico para discernir la bondad o maldad de algo tiene vigencia perpetua. Por si no bastaran las consideraciones hechas para disipar las dudas acerca de la legitimidad de utilizar el Método Silva por parte de los creyentes, cientos de personas de todos los credos religiosos han comprobado la utilidad que él ha aportado a su vida personal y a las relaciones con los demás.

Creo que las evaluaciones hechas por muchos de los participantes en los cursos nos permiten señalar sus principales frutos. Me limito a testimonios de congregaciones religiosas católicas ya que éstos, más que otros, confirman la compatibilidad entre la fe y el método de Dinámica Mental.

Estos testimonios hablan de los principales beneficios obtenidos por quienes siguieron, en número muy elevado, los cursos del Método Silva. Indican los siguientes:

- Un extrardinario apoyo para el crecimiento integral de la persona consagrada
- La conservación de la salud y la conquista de la armonía integral de la persona
- Un avance en todos los aspectos: físico, emocional, social, intelectual y espiritual
- Desarrollo de la creatividad y mayor rendimiento en las labores que se desempeñan
- Ayuda para manejar el estrés con resultados benéficos en el desarrollo del potencial espiritual y social
- Descubrimiento de las capacidades y potencialidades con las que Dios ha dotado al ser humano

- Apoyo fundamental para la vida de oración pues ayuda a serenar la mente y el cuerpo para disponerse mejor al encuentro con el Señor evitando distracciones
- Un mejor manejo del estrés que se refleja en una vida más plena de servicio y entrega

No hay nada contrario a la fe

Después de estas consideraciones podemos concluir con las palabras del señor Cardenal Arzobispo de México en su carta aclaratoria, que citamos al principio: «***Los cursos de Dinámica Mental Método Silva, tal como se enseñan en México y Centroamérica bajo la dirección de la Dra. Rosa Argentina Rivas Lacayo, no presentan ningún aspecto contrario con la fe católica, por lo que, sin temor alguno, los católicos pueden participar en estas actividades con toda confianza y tranquilidad de conciencia***».

La Dinámica Mental Método Silva favorece una salud holística, resultado del equilibrio entre lo biológico, lo psicológico y lo social. La medicina moderna ha traído tres grandes avances que para millones han marcado la diferencia entre la vida y la muerte: la tecnología, la farmacología y la cirugía. La unidad entre la mente y la espiritualidad nos da una visión de la unidad cuerpo-mente-espíritu para canalizar nuestra emotividad y para clarificar y ejercer nuestros valores. El Método Silva ofrece orientaciones para manejar el dolor: relajación, pensamiento positivo, darle una interpretación sana y servir a los demás desviando la atención evitando caer en la conducta dolorosa. Los valores espirituales tienen un gran influjo en la salud y en la forma de enfrentar la enfermedad y el dolor.

La perspectiva de fe en el acercamiento a la Dinámica Mental nos ha mostrado la importancia que tiene la ciencia bien aplicada para la vida humana y cómo lejos de ser un obstáculo para la fe, la refuerza.

Bibliografía

He optado por presentar las referencias bibliográficas de acuerdo a cada capítulo. Esto facilitará la consulta sobre el tema que resulte de interés para cada lector. Hay algunas que se repiten en varios capítulos ya que abordan una gran amplitud de conceptos.

De antemano pido me disculpen porque varios textos aparecen con su título en inglés. Esto se debe a que algunas de mis lecturas suelo realizarlas desde el texto original y desconozco la ficha bibliográfica en español. Por otra parte muchos de los títulos mencionados son de muy reciente publicación y aún no cuentan con traducciones al español.

NOTA DE LA AUTORA

Introducción

1. Usanos Tamayo, Pilar, *Control mental y personalidad,* Ed. Offset Multicolor, México, 1981.
2. Usanos Tamayo, Pilar, *Control mental y desarrollo integral,* Los Libros del Comienzo, Madrid, 1991.

3. Moliner, María, *Diccionario del uso del español,* Ed. Gredos, Madrid, 1988.

Capítulo 1

1. Appelbaum, Stephen A., *Out in inner space: A psychoanalyst explores the new therapies,* Anchor Press/Doubleday, Nueva York, 1979.
2. Barber, T., Dicara, L., Kamiya, J., Miller, N., Shapiro, D., Stoyva, J., *Biofeedback and self-control,* Aldine Atherton, Chicago/Nueva York, 1970.
3. Brown, Barbara B., *New mind, new body,* Harper & Row Publishers, Nueva York, 1974.
4. Brown, Barbara y Klug, Jay W., *The alpha syllabus,* Charles C. Thomas Publisher, Illinois, 1974.
5. Davis, Brigham D., Davis, A., Cameron-Sampey, D., *Imagery for getting well: Clinical applications of behavioral medicine,* W.W. Norton, Nueva York, 1994.
6. Doidge, Norman, *The brain that changes itself,* Penguin Group, Nueva York, 2007.
7. Popper, K.R. y Eccles J.C., *El yo y su cerebro,* Labor Universitaria, Monografías, Barcelona, 1980.
8. Shaw, John C., *The brain's alpha rhythms and the mind,* , Elsevier Science, Amsterdam, 2003.
9. Usanos Tamayo, Pilar, *Control mental y personalidad,* Ed. Offset Multicolor, México, 1981.
10. Vacca, Lilia Alcira, *El Método Silva y los factores psicológicos del aprovechamiento académico en la universidad,* Universidad Autónoma de Tlaxcala, México, 1986.

Capítulo 2

1. Adamenko, Victor G., *Memories of Semyon Kirlian,* International Journal of Journal of Paraphysics, Vol. 13, 1979.
2. Ardilla, Alfredo, *Psicobiología del lenguaje,* Ed. Trillas, México, 1983.
3. Barber, T., Dicara, L., Kamiya, J., Millar, N., Shapiro, D., Stoyva, J., *Biofeedback and self-control,* Aldine Atherton, Chicago/Nueva York, 1970.
4. Bautista, Miguel, *Inducción no traumática utilizando la relajación del Método Silva,* Hospital de Especialidades, Instituto Mexicano del Seguro Social, Puebla, México, Manual de Investigación, SMCI, 1986.
5. Bensabat, Soly y Selye H., *Stress, grandes especialistas responden,* Ediciones Mensajero, Bilbao, 1984.
6. Benson, Herbert, *The relaxation response,* Harper Collins, Nueva York, 2000.
7. Borysenko, Joan, *Minding the body, mending the mind,* Bantam Books, Nueva York, 1988.
8. Borysenko, Joan, *Paz interior para gente ocupada,* Ediciones Urano, Barcelona, 2002.
9. Centassi, R., Grellet, G., *Mejor cada día: Emile Coué y su método de rehabilitación*, Ed. Diana, México, 1997.
10. Ducrot, Oswald, Todorov, Tzvetan, *Diccionario enciclopédico de las ciencias del lenguaje,* Siglo XXI Editores, México, 1978.
11. Dumitrescu, I., Kenyon, J.N., *Electrographic imaging in medicine & biology,* Neville Spearman, Great Britain, 1983.
12. Ellis, Albert, *Ser feliz y vencer las preocupaciones,* Ediciones Obelisco, Barcelona, 2007.

13. Hall, Edward, *La dimensión oculta,* Siglo XXI Editores, México, 1985.
14. Hayakawa, SI., *Lenguaje, pensamiento y acción,* Grupo Noriega Editores, México, 1993.
15. Kendall, J., Moss, T., *Photographing the nonmaterial world,* Hawthorn Books, Nueva York, 1975.
16. Lane, Earle, *Electrophotography,* And/Or Press, San Francisco, 1975.
17. Larousse, *Libro de la Dietética y la Nutrición,* Ed. Larousse, México, 2001.
18. Lazarus, Richard S., y Folkman, Susan, *Estrés y procesos cognitivos,* Ediciones Martínez Roca, S. A., Barcelona, 1986.
19. Libermann, Rafael, *El Método Silva de Control Mental y el Nivel de Ansiedad,* Departamento de Psicología, Universidad de Haifa, Israel, Manual de Investigación, SMC, 1986.
20. Ling, D., y Moheno de Manrique, C., *El maravilloso sonido de la palabra,* Ed. Trillas, México, 2005.
21. Love, Webb, *Neurología para especialistas del habla y del lenguaje,* Ed. Médica Panamericana, Buenos Aires, 1988.
22. Maultsby, Jr. Maxie C., *Rational behavior therapy, Rational Self-Help Aids/'ACT,* Appleton, WI, 1990.
23. Moss, Thelma, *Las probabilidades de lo imposible,* Caralt, Barcelona,
24. Nature No. 437, *Initial sequence of the chimpanzee genome and comparison with the human genome,* Septiembre, 2005.
25. Paulus, Jean, *La función simbólica y el lenguaje,* Ed. Herder, Barcelona, 1975.
26. Pinker, Steven, *The stuff of thought: language as a window into human nature,* Penguin Group, Nueva York, 2007.

27. Platanov, K. I., *The* word *as a physiological and therapeutic factor,* Foreign Languages Publishing House, Moscú, 1959.
28. Popp, F. A., L.V., *Integrative biophysics: Biophotons,* Kluwer Academic Publishers, Alemania, 2003.
29. Rodríguez, Socorro, *Control mental Método Silva en el parto psicoprofiláctico,* Ministerio de Salud, Gobierno de Costa Rica, Manual de Investigación, SMCI, 1986.
30. Selye, Hans, *La tensión en la vida,* Buenos Aires, 1964.
31. Selye, Hans, *Tensión sin angustia,* Ediciones Guadarrama, Madrid, 1975.
32. Watzlawich, Paul, *El arte de amargarse la vida,* Ed. Herder, Barcelona, 1984.

Capítulo 3

1. Beck, Aaron T., *Cognitive therapy and the* emotional *disorders,* Penguin Group, Nueva York, 1979.
2. Beck, Judith S., *Terapia cognitiva,* Ed. Gedisa, Barcelona, 2000.
3. Burns, David D., *Feeling good,* Harper Collins, Nueva York, 1999.
4. Casal, G. B. y Navarro J. F., *Avances en la investigación del sueño y sus trastornos,* Siglo XXI de España Editores, S. A., Madrid, 1990.
5. Corsi Cabrera, María, *Psicofisiología del sueño,* Ed. Trillas, México, 1983.
6. Ellis, Albert y Abrahams Eliot, *Terapia racional emotiva: mejor salud y superación personal afrontando nuestra realidad,* Ed. Pax México, México, 1980.

7. Foster, Russell G., Kreitzman, Leon, *Rhytms of life: The biological clocks that control the daily lives of every living thing*, Profile Books, Londres, 2004.
8. Goleman, Daniel, *La inteligencia emocional*, Javier Vergara Editor, México, 2004.
9. Kales, A., Kales, J.D., *Evaluación y tratamiento del insomnio*, Comunicación y Medios, Barcelona, 1984.
10. Kryger, Mh., Roth T., Dement, WC., *Principles and practice of sleep medicine*, fourth edition, Elsevier, Philadelphia, PA., 2005
11. Lazarus, Richard S., y Folkman, Susan, *Estrés y procesos cognitivos*, Ediciones Martínez Roca, S.A., Barcelona, 1986.
12. Luce, Gay Gaer y Segal, Juliuos, *El sueño*, Siglo XXI Editores, S.A., México 1975.
13. Maultsby, Jr., Maxie C., *Rational behavior therapy*, *Rational Self-Help* Aids/' *ACT*, Appleton, WI, 1990.
14. Palmer, John, D., *The living clock: The orchestrator of biological rhytms*, Oxford University Press, Nueva York, 2002.
15. Pert, Candace B., *Molecules of emotion*, Simon and Schuster, Nueva York, 1997.
16. Reed, Henry, *La ayuda de los sueños: nuevas formas para recordar y usar los sueños*, Los Libros del Comienzo, Madrid, 1992.
17. Sagan, Carl, *Los dragones del edén*, Ed. Grijalbo, Barcelona, 1984.
18. Ullman, Montague and Zimmerman, Nan, *Working with dreams*, Hutchinson, Londres, 1983.
19. Valencia M., Salin, R., Pérez R., (eds.), *Trastornos del dormir*, Ed. Interamericana Mc. Graw Hill, México, 2000.
20. Ward, Ritchie, R., *Los relojes vivientes*, Edit. Grijalbo, Barcelona, 1977.

21. Watzlawich, Paul, *El arte de amargarse la vida,* Ed. Herder, Barcelona, 1984.
22. Zimmer, Dieter, E., *Dormir y soñar,* Salvat Editores, S. A., Barcelona, 1985.

Capítulo 4

1. Buzan, Tony, *El libro de los mapas mentales,* Ediciones Urano, Barcelona, 1996.
2. Changues, Jean-Pierre, *El hombre neuronal,* Espasa Calpe, Madrid, 1985.
3. Dennison, Paul E., y Dennison, Gail E., *Brain gym aprendizaje de todo el cerebro,* Ed. Lectorum, México, 2000.
4. Doidge, Norman, *The brain that changes itself,* Penguin Group, Nueva York, 2007.
5. Furst, Bruno, *Stop forgetting,* Garden City Books, Nueva York, 1949.
6. Gordon, Dryden y Vos, Jeannette, *La revolución del aprendizaje,* Grupo Editorial Tomo, México, 2002.
7. Hamer, Dean, *The God gene,* Doubleday, Nueva York, 2004.
8. Kandel, Eric R., *In search of memory,* W.W. Norton, Nueva York, 2007.
9. Kilgard, M. P., Mersenich, M. M., (1998), *Cortical map reorganization enabled by nucleus basalis activity,* Science 279: 1714-1718.
10. Koestler, Arthur, *The roots of coincidence,* Hutchinson & Co. Ltd., Great Britain, 1972.
11. Loftus, Elizabeth, *Memoria,* Compañía Editorial Continental, S.A. de C.V., México, 1985.

12. Ornstein, Robert, *Evolution of consciousness: The origins of the way we think,* Touchstone, Nueva York, 1991.
13. Ornstein R., y Thompson R. F., *The amazing brain,* Houghton Mifflin Company, Boston, MA, 1984.
14. Peat, F., David, *Synchronicity: the bridge between matter and mind,* Bantam Books, Nueva York, 1987.
15. Penfield, Wilder, *El misterio de la mente: estudio crítico de la conciencia y del cerebro humano* Ediciones Pirámide, S. A., Madrid, 1977.
16. Restak, Richard, *The brain has a mind of its own,* Crown Publishers, Nueva York, 1991.
17. Schwarts, Jefrey M. and Begley, Sharon, *The mind and the brain: Neuroplasticity and the power of mental force,* Regan Books/Harper Collins, Nueva York, 2002.
18. Snowdon, David, *Aging with grace,* Bantam Books, Nueva York, 2002.
19. Winter, Arthur y Winter, Ruth, *El poder de la mente,* Javier Vergara Editor, Buenos Aires, 1988.

Capítulo 5

1. Beck, Aaron T., *Cognitive therapy and the emotional disorders,* Penguin Group, Nueva York, 1979.
2. Beck, Judith, S., *Terapia cognitiva,* Ed. Gedisa, Barcelona, 2000.
3. Ellis, Albert y Abrahms, Eliot, *Terapia racional emotiva: mejor salud y superación personal afrontando nuestra realidad,* Ed. Pax México, México 1980.
4. Koestler, Arthur, *The roots of coincidence,* Hutchinson & Co. Ltd., Great Britain, 1972.

5. Lipton, Bruce, *The biology of belief*, Elite Books, Santa Rosa, CA, 2005.
6. Maultsby, Jr. y Macie C., *Rational behavior therapy, Rational Self-Help AIDS/I'ACT*, Appleton, WI, 1990.
7. Maxwell, Malts, *Psicocibernética: una vida dichosa*, Ed. Herrero Hnos. Sucs., S. A., México, 1985.
8. McTaggart, Lynne, *The intention experiment*, Free Press/Simon and Schuster, Nueva York, 2007.
9. Mihaly, Csikszentmihalyi, *Fluir*, Ed. Kairós, Barcelona, 1996.
10. Ornstein, Robert E., *The psychology of consciousness*, W.H. Freeman and Company, San Francisco, CA, 1972.
11. Peat, F., David, *Synchronicity: the bridge between matter and mind*, Bantam Books, Nueva York, 1987.
12. Rovira Celma, Alex y Trías de Bes, Fernando, *La buena suerte*, Ediciones Urano, Barcelona, 2004.
13. Samuels, Mike y Samuels, Nancy, *Ver con el ojo de la mente: historia, técnicas y usos de la visualización*, Los Libros del Comienzo, Madrid, 1991.
14. Seligman, Martin E.P., *Learned optimism: how to change your mind and your life*, Simon & Schuster, Nueva York, 1992.
15. *The science of optimism & hope*, Research essays in honor of Martin E.P. Seligman, Edited by Jane E. Gilman, Templeton Foundation Press, Philadelphia, 2000.
16. Tiller, William A., Dibble, Walter, Kohaney, Michael, *Conscious acts of creation: The emergence of a new physics*, Pavior Publishing, Walnut Creek, CA, 2001.
17. Tiller, William A., *Science and human transformation: Subtle energies intentionality and consciousness*, Pavior Publishing, Walnut Creek, CA, 1997.

18. Winson, Jonathan, *Brain and Psyche,* Vintage Books, Vancouver, 1986.

Capítulo 6

1. Braud, W.G., Schlitz, M.J., *Consciousness interactions with remote biological systems: anomalous intentionality effects,* Subtle energies, 1991; 2 (1): 1-27.
2. Creath, K., Schwarts, G.E., *What biophoton images of plants can tell us about biofields and healing,* Journal of Scientific Exploration, 2005; 19 (4): 531-550.
3. Dorsch, Friedrich, *Diccionario de psicología,* E. Herder, Barcelona, 1991.
4. Droscher, Vitus, B., *Sobrevivir: la gran lección del reino animal,* Editorial Planeta, México, 1980.
5. Droscher, Vitus B., *Calor de hogar: Cómo resuelven los animales sus problemas familiares,* Ed. Planeta, México, 1983.
6. Droscher, Vitus B., *La vida amorosa de los animales,* Editorial Planeta, México, 1984.
7. Fennster, Julie M., *Mavericks, miracles and medicine,* Barnes & Noble Books, Nueva York, 2005.
8. Fezler, William, *Creative imagery: how to visualize in all five senses,* Simon & Schuster, Nueva York, 1989.
9. Frantz, Roger, *Two minds: Intuition and analysis in the history of economic thought,* Springer Science & Business Media, Nueva York, 2005.
10. Garfield, Charles A., *Rendimiento máximo,* Ediciones Martínez Roca, México, 1993.
11. Jahn, R. G., *Correlations of random binary sequences with*

prestated operator intention: a review of a 12 year program, Journal of Scientific Exploration, 1997; 11: 345-367.

12. Lilly, John C., *La mente de los delfines: una inteligencia no humana,* Ed. Posada, S. A., México, 1985.
13. Maslow, Abraham H., *Creatividad,* Ed. Kairós, S. A., Barcelona, 1988.
14. Maslow, Abraham, *El hombre autorrealizado: hacia una psicología del ser,* Ed. Kairós, S. A., Barcelona, 1989.
15. Maslow, Abraham, *La personalidad creadora,* Ed. Kairós, S. A., Barcelona, 1987.
16. Matussek, Paul, *La creatividad: desde una perspectiva psicodinámica,* Ed. Herder, S. A., Barcelona.
17. McTaggart, Lynne, *The intention experiment,* Free Press/Simon and Schuster, Nueva York, 2007.
18. Parker, William R., y St. Johns, *La oración en la psicoterapia,* Ed. Pax México, México, 1984.
19. Rivas Lacayo, Rosa A., *Saber crecer: resiliencia y espiritualidad,* Ediciones Urano, Barcelona, 2007.
20. Samuels, Mike y Samuels, Nancy, *Ver con el ojo de la mente: historia, técnicas y usos de la visualización,* Los Libros del Comienzo, Madrid, 1991.
21. Sobel, Dava, *La hija de Galileo,* Ed. Debate, Madrid, 1999.
22. Targ, Russell y Puthoff, Harold, *Mind-Reach: Scientists look at psychic ability,* Delacorte Press/Eleanor Friede, USA, 1977.
23. Tiller, William A., *Science and human transformation: Subtle energies, intentionality and consciousness,* Pavior Publishing, Walnut Creek, CA, 1997.
24. Tiller, William A., Dibble, Walter, Kohane, Michael, *Conscious acts of creation: The emergence of a new physics,* Pavior Publishing, Walnut Creek, CA, 2001.

25. Toben, Bob y Wolf, Fred Alan, *Space-Time and beyond,* E. P. Dutton, New York, 1983.
26. Tompkins, Peter y Bird, Christopher, *La vida secreta de las plantas,* Ed. Diana, México, 1994.

Capítulo 7

1. Achterberg, Jeanne, *Por los caminos del corazón,* Los Libros del Comienzo, Madrid, 1994.
2. Ader, R., Felten, David L., Cohen, Nicholas, *Psychoneuroinmmunology,* Second Edition, Academic Press, San Diego, CA, 1991.
3. Bensabat, Soly, y Selye H., *Stress, grandes especialistas responden,* Ediciones Mensajero, Bilbao, 1987.
4. Benson, Herbert, *Timeless Healing,* Simon & Schuster, Londres, 1996.
5. Boreau, Francois, *Controla tu propio dolor,* Ediciones Mensajero, España, 1990.
6. Borysenko, Joan y Borysenko, Miroslav, *Tu mente puede curarte,* EDAF, Madrid, 1995.
7. Brown, Barbara B., *Between health & illness,* Houghton Miffin Company, Boston, 1984.
8. Brown, Barbara B., *Mente nueva cuerpo nuevo,* Ed. Diana, México 1999.
9. Byrd, Randolph C., *Positive therapeutic effects of intercessory prayer in a coronary care unit population*, Southern Medical Journal 81, No. 1, 1988: 826-29.
10. Cousins, Norman, *Anatomy of an Illness,* W.W. Norton & Company, Inc., Nueva York, 1979.

11. Danner D., Snowdon D., Friesen, W., *Positive emotions in early life and longevity: Findings from the nun study,* Journal of personality and social psychology, 80 (5): 814-814, 2001.
12. Davis, Joel, *Endorphins: new waves in brain chemistry,* The Dial Press, Nueva York, 1984.
13. Diversos autores, Editores: Sandi, Carmen y Calés, José María, *Estrés: Consecuencias psicológicas, fisiológicas y clínicas,* Ed. Sanz y Torres, Madrid, 2000.
14. Dossey, Larry, *Tiempo, espacio y medicina,* Ed. Kairós, Barcelona, 1986.
15. Dossey, Larry, *Recovering the soul; a scientific and spiritual search,* Bantam Books, Nueva York, 1989.
16. Dossey, Larry, *Meaning & Medicine,* Bantam Books, Nueva York, 1991.
17. Dossey, Larry, *Healing words, the power of prayer and the practice of medicine,* Harper Collins, San Francisco, 1993.
18. Dossey, Larry, *Palabras que curan,* coedición Ed. Diana/Cía. Editorial, S. A. México, 1997.
19. Dossey, Larry, *Reinventing medicine,* Harper Collins, San Francisco, Stanford, CA, 1999.
20. Dossey, Larry, *El poder curativo de la mente,* Ed. Alamah, México, 2004.
21. DSMIV. *Manual diagnóstico y estadístico de los trastornos mentales,* Masson, S. A., Barcelona, 1996.
22. Epstein, Gerald, *Healing visualizations: creating health through imagery,* Bantam Books, Nueva York, 1989.
23. Fezler, William, *Creative imagery: how to visualize in all five senses,* Simon & Schuster, Nueva York, 1989.
24. Garfield, Charles, *Rendimiento máximo,* Ediciones Martínez Roca, S. A., México, 1993.

25. Glasser, Ronald J., *El cuerpo es el héroe,* Ed. Diana, México, 1983.
26. Goleman, Saniel and Gurin, Joel, *Mind body medicine: how to use your mind for better health,* Consumer Reports Books, Nueva York, 1993.
27. Grad, Bernard, *Scientific investigation of subtle energies,* Esalen Institute, Big Sur, CA, 1984.
28. Grad, Bernard, *Subtle energies and the uncharted realms of mind,* Esalen Institute, Big Sur, CA, 1999.
29. Guasch, G., *Quand le corps parle... Introduction a l'analyse Reichienne,* Editions Sully, Francia, 1998.
30. Guasch, Gerard y Filliozat, Ane-Marie, *Aide-toi, ton corps t'aidera,* Albin Michel, Francia, 2006.
31. Hutschnecker, Arnold A., *La voluntad de vivir,* Los Libros del Comienzo, Madrid, 1999.
32. Kilgard, M.P. and Merzenich, *Cortical map reorganization enabled by nucleus basalis activity,* Science, No. 13, March, 1988.
33. Korn, Errol R. and Johnson, Karen, *Visualization,* Dow Jones Irwin, Homewood, ILL, 1983.
34. LeShan, Lawrence, *Cancer as turning point,* A Plume Book, Nueva York, 1994.
35. LeShan, Lawrence, *Usted puede luchar por su vida,* Los Libros del Comienzo, Madrid, 1998.
36. Lipton, Bruce, *The biology of belief,* Elite Books, Santa Rosa, CA, 2005.
37. McTaggart, Lynne, *The Field,* Harper Collins, Nueva York, 2002.
38. Norris, Patricia A. and Porter, Garret, *I choose life: the dynamics of visualization and biofeedback,* Stillpoint Publisching, USA, 1987.

39. Ornestein, Robert and Sobel, David, *The healing brain,* Simon & Schuster Inc., Nueva York, 1987
40. Parker, William R. y St. Johns, Elaine, *La oración en la psicoterapia,* Ed. Pax México, México, 1984.
41. Pearsall, Paul, *Super immunity: Master your emotions & improve your health,* McGraw-Hill Book Company, Nueva York, 1987.
42. Peat, F. David, *Synchronicity: the bridge between matter and mind,* Bantam Books, Nueva York, 1987.
43. Pelletier, Kenneth, R., *Mind as healer, mind as slayer,* A Delta Book, Nueva York, 1977.
44. Prigogine, Illya, *¿Tan sólo una ilusión? Una exploración del caos al orden,* Tusquets Editores, Barcelona, 1983.
45. Rossman, Martin, *Guided imagery for self healing,* Kramer Book, Tiburon, CA, 2000.
46. Samuels, Mike y Samuels, Nancy, *Ver con el ojo de la mente. Historia, técnicas y usos de la visualización,* Los Libros del Comienzo, Madrid, 1991.
47. Sicher, Fred, *A randomized double-blind study of the effect of distant healing in a population with advanced AIDS: Reports on a small scale study,* Western Journal of Medicine 169, No. 6, 1998:356-363.
48. Siegel, Bernard, *Amor, medicina milagrosa,* Ed. Mensajero, Madrid, 1992.
49. Simonton, O. Carl y Henson, Reid, *Sanar es un viaje,* Ediciones Urano, Barcelona, 1993.
50. Simonton, M., Stephanie, Simonton, O., Carl, Creighton, James L., *Recuperar la salud,* Los Libros del Comienzo, Madrid, 1988.
51. Simonton, M., Stephanie, *Familia contra enfermedad,* Editorial Raíces, Madrid, 1988.

52. Targ, Russell, *Limitless mind,* New World Library, Novato, CA, 2004.

Capítulo 8

1. Consejo Académico Mundial, *El Método Silva de Control Mental: manual de investigación,* Silva Mind, Control Internacional, Laredo, Texas, 1989.
2. Silva, José, *El Método Silva de Control Mental,* Ed. Diana, México, 1978.
3. Silva, José, *Reflexiones,* Ed. Diana, México, 1980.
4. Snowdon, David, *Aging with grace,* Bantam Books, Nueva York, 2001.
5. Usanos Tamayo, Pilar, *Control mental y personalidad,* Ed. Offset Multicolor, México, 1981.
6. Usanos Tamayo, Pilar, *Control mental y desarrollo Integral,* Los Libros del Comienzo, Madrid, 1991.

Capítulo 9

1. Álvarez Tomás, *Santa Teresa: Obras completas,* Ed. Monte Carmelo, Burgos, 2004.
2. *Cinco Grandes Mensajes,* Segunda Edición, Biblioteca de Autores Cristianos, Madrid, 1968.
3. *Concilio Vaticano II. Documentos,* Ediciones Dabar, México, 2000.
4. Frankl, Viktor E., *La presencia ignorada de Dios,* Ed. Herder, Barcelona, 1986.

5. Goya, Benito, *Psicología y vida espiritual,* San Pablo, Madrid, 2001.
6. Gutiérrez, Martínez O.S.A., Efraín, *Catecismo agustiniano,* México (editado internamente), 2007.
7. Herráiz, Maximiliano, *San Juan de la Cruz: Obras completas,* Ediciones Sígueme, Salamanca, 1992.
8. Herráiz, Maximiliano, *A zaga de tu huella: Estudios sanjuanistas y de espiritualidad,* Ed. Monte Carmelo, Burgos, 2000.
9. Kung, Hans, *El principio de todas las cosas: ciencia y religión,* Ed. Trotta, Madrid, 2007.
10. Milano, Juan José P., *El corazón de Agustín en Viktor Frankl,* Ed. Lumen, México, 2007.
11. Pagola, José Antonio, *Es bueno creer,* San Pablo, Madrid, 1996.
12. San Agustín, *Confesiones,* Aguilar Ediciones, Madrid, 1967.
13. S.S. Pablo, VI, *Carta Encíclica Ecclesiam suma,* 1, 15. Concilio Vaticano II.
14. S.S. Pablo VI, *Encíclica Populorum progressio: Sobre la necesidad de promover el desarrollo de los pueblos,* BAC, Madrid, 1968.
15. S.S. Pablo VI, *Gaudium et Spes. Constitución pastoral sobre la Iglesia en el mundo actual,* BAC, Madrid, 1968.

Capítulo 10

1. Begley, Sharon, *Train your Mind Change your Brain,* Ballantine Books, Nueva York, 2007.
2. Cury, Augusto, *Nunca renuncies a tus sueños,* Ed. Planeta, México, 2007

3. Doidge, Norman, *The brain that changes itself,* Penguin Group, Nueva York, 2007.
4. Ellis, Albert y Harper, Robert A., *Una nueva guía para una vida racional,* Ediciones Obelisco, Barcelona, 2003.
5. Epicteto, *Manual y máximas,* Marco Aurelio, *Soliloquios,* Ed. Porrúa, Colección Sepan Cuantos, Núm. 283, México, 2004.
6. Fizzotti, Eugenio, *De Freud a Frankl: el nacimiento de la logoterapia,* Ediciones LAG, México, 2006.
7. Frankl, Viktor E., *Ante el vacío existencial: hacia una humanización de la psicoterapia,* Ed. Herder, Barcelona, 1984.
8. Frankl Viktor E., *El hombre en busca de sentido,* Ed. Herder, Barcelona, 1984.
9. Frankl, Viktor, *La voluntad de sentido,* Ed. Herder, España, 2000.
10. Machado, Luis Alberto, *La revolución de la inteligencia,* Ariel Seix Barral, S. A., Cía. Editorial, México, 1976.
11. Marcus Aurelius, *The Emperor's Handbook,* Scribner, Nueva York, 2002.
12. Marinoff, Lou, *Más Platón y menos prozac,* Ediciones B, España 2000.
13. Pribram, K.H., y Ramírez, J., Martin, *Cerebro, mente y holograma,* Ed. Alambra, S. A., Barcelona, 1980.
14. Rivas Lacayo, Rosa, *Saber crecer: resiliencia y espiritualidad,* Ediciones Urano, Barcelona, 2007.
15. Schwartz, Jefrey M., and Begley, Sharon, *The mind and the brain: Neuroplasticity and the power of mental force,* Regan Books/Harper Collins, Nueva York, 2002.
16. Seligman, Martin E.P., *La auténtica felicidad,* Javier Vergara Editor, Barcelona, 2003.

17. Seligman, Martin E.P., *Learned optimism: how to change your mind and your life*, Simon & Schuster, Nueva York, 1992.
18. Seligman, Martin E.P.; *The science of optimism & hope*, Templeton Foundation Press, Pennsylvania, 2000.
19. Snowdon, David, *Aging with grace*, Bantam Books, Nueva York, 2002.
20. Stangroom, Jeremy, Garvey, James, *The great philosophers: from Socrates to Foucault*, Barnes & Noble, Nueva York, 2006.
21. Wilber, Ken, *The Holographic Paradigm and other paradoxes*, New Science Library, London, 1982.

Bibliografía Gérard Guasch

1. Guasch, Gérard, *Quand Le Corps Parle... Introduction a L'analyse Reichienne*, Editions Sully, Francia, 1988.
2. Guasch, Gérard, y Filliozat, Ane-Marie, *Aide-toi ton corps t'aidera*, Albin Michel, Francia, 2006.

Bibliografía Camilo Maccise

1. Maccise, Camilo, *Palabra y comunidad en San Pablo en las comunidades de base de América Latina*, *Teresianum*, Roma, 1988.
2. Maccise, Camilo, *Cammini di libertá*, Edición OCD Roma, 2003.
3. Maccise, Camilo, *Rezar con la Biblia en el contexto de la vida*, Ed. Santa Teresa, México, 2006.

4. Maccise, Camilo, *Perfil orante de los libros bíblicos,* Ed. Monte Carmelo, Burgos, 2007.
5. Maccise, Camilo, *100 fichas sobre la vida consagrada,* Ed. Monte Carmelo, Burgos, 2007.

Notas

1. Usanos Tamayo, Pilar, ***Control Mental y Personalidad***, O. Multicolor, México, 1981. Usanos Tamayo, Pilar, ***Control Mental y Desarrollo Integral***, Los Libros del Comienzo, Madrid, 1991
2. Moliner, María, ***Diccionario del Uso del Español***, Editorial Gredos. Madrid, 1988
3. Moliner, María, ***Diccionario del Uso del Español***, Editorial Gredos. Madrid, 1988
4. Vacca, Lilia Alcira, ***El Método Silva y los factores psicológicos del aprovechamiento académico en la Universidad***, Universidad Autónoma de Tlaxcala, México, 1986
5. Shaw, John C,. ***The Brain´s Alpha Rhythms and the Mind***, Elsevier Science, Amsterdam, 2003
6. Usanos Tamayo, Pilar, ***Control Mental y Personalidad***, Editorial Offset Multicolor, México, 1981
7. Davis Brigham, D., Davis, A., Cameron-Sampey. D., ***Imagery for getting well: Clinical Applications of Behavioral Medicine***, W. W. Norton, Nueva York, 1994
8. Nature, No. 437, ***Initial sequence of the chimpanzee genome and comparison with the human genome***, sept., 2005
9. Popp, F. A., Beloussov. L. V., ***Integrative biophysics: Biophotons***, Kluwer Academic Publishers, Alemania, 2003
10. Adamenko, Victor G., ***Memories of Semyon Kirlian***, International Journal of Paraphysics, Vol. 13, 1979
11. Dumitresco, I, Kenyon. J. N., ***Electrographic Imaging in Medicine & Biology***, Neville Spearman, Great Britain, 1983

12. Lane, Earle, ***Electrophotography,*** And/Or Press, San Francisco, 1975
    Kendall, J., Moss, T., ***Photographing the nonmaterial World,*** Hawthorn Books, Nueva York, 1975
13. Hall, Edward, ***La dimensión oculta***, Ed. Siglo XXI, México, 1985
14. Platonov, K. I., ***The word as a physiological and therapeutic factor:*** **The theory and practice of psychotherapy according to I. P. Pavlov,** Foreign Languages Publishing House, Moscú, 1959
15. Centassi, R., y Grellet, G., ***Mejor cada día: Emile Coué y su método de rehabilitación.*** Editorial Diana, México, 1997
16. Ling, D., y Moheno de Manrique, C., ***El maravilloso sonido de la palabra***, Editorial Trillas, México, 2005
17. Benson, Herbert, ***The Relaxation Response,*** Harper Collins, Nueva York, 2000
18. Rodríguez, Socorro, ***Control Mental Método Silva en el Parto Psicoprofilactico,*** Ministerio de Salud, Gobierno de Costa Rica, 1982
    Bautista, Miguel, ***Inducción no traumática utilizando la relajación del Método Silva,*** Hospital de Especialidades, Instituto Mexicano del Seguro Social, Puebla, México, 1981
    Libermann, Rafael, ***El Método Silva de Control Mental y el Nivel de Ansiedad,*** Departamento de Psicología, Universidad de Haifa, Israel, 1986
19. LAROUSSE, ***Libro de la Dietética y la Nutrición***, Editorial Larousse, México, 2001
20. Pert, Candace, B., ***Molecules of Emotion,*** Simon and Schuster, Nueva York, 1997
21. Sagan, Carl, ***Los Dragones del Edén***, Editorial Crítica, Barcelona, 2006
22. Foster, Russell G., Kreitzman, Leon, ***Rhytms of life: The biological clocks that control the daily lives of every living thing***, Profile Books, Londres, 2004
23. Ornstein, Robert, ***Evolution of consciousness: The origins of the way we think,*** Touchstone, Nueva York, 1991
24. Kilgard, M. P., Merzenich, M. M., (1998), ***Cortical map reorganization enabled by nucleus basalis activity,*** Science No. 279, pp. 1714-1718
25. Hamer, Dean, ***The God gene,*** Doubleday, Nueva York, 2004
26. Snowdon, David, ***Aging with grace,*** Bantam Books, Nueva York, 2002
27. Kandel, Eric R., **In search of memory**, W. W., Norton, Nueva York, 2007
28. Doidge, Norman, ***The Brain that changes itself***, Penguin Group, Nueva York, 2007

29. Penfield, Wilder, ***Mystery of the mind,*** Princeton University Press, 1975
30. Furst, Bruno, ***Usted sí puede recordar***, Ed. Estudios de Memoria y Concentración, Chicago, ILL.
31. Loftus, Elizabeth, ***Memoria,*** Compañía Editorial Continental, México, 1985
32. Winson, Jonathan, ***Brain and Psyche***, Vintage Books, Vancouver, 1986
33. ***The Science of Optimism and Hope***, Research essays in honor of Martin E. P. Seligman, Edited by Jane E. Gillman, Templeton Foundation Press, Philadelphia, 2000
34. Tiller, William A., Dibble Jr. Walter, Kohane, Michael, ***Conscious acts of Creation: The Emergence of a New Physics,*** *Pavior Publishing*, Walnut Creek, CA., 2001
35. McTaggart, Lynne, ***The Intention Experiment,*** Free Press/Simon and Schuster, Nueva York, 2007
36. Fennster, Julie, M., ***Mavericks, Miracles and Medicine***, Barnes & Noble Books, Nueva York, 2005
37. Jahn, R. G., ***Correlations of random binary sequences with prestated operator intention: a review of a 12 year program,*** *Journal of Scientific Exploration*, 1997, No. 11: pp. 345-367
38. Braud, W. G., Schlitz, M. J., ***Consciousness interactions with remote biological systems: anomalous intentionality effects***, *Subtle energies*, 1991, 2(1), pp. 1-27
39. Creath, K., Schwartz, G. E., ***What biophoton images of plants can tell us about biofields and healing,*** *Journal of Scientific Exploration*, 2005, 19 (4), pp. 531-550
40. Rivas Lacayo, Rosa A., **Saber Crecer: Resiliencia y Espiritualidad**, Ediciones Urano, Barcelona, 2007.
41. DSM-IV ***Manual diagnóstico y estadístico de los trastornos mentales,*** Masson S.A., Barcelona, 1996
42. LeShan. Lawrence,. ***Cancer as a turning point***, A Plume Book, Nueva York, 1994
43. Dossey, Larry, ***Reinventing Medicine***, Harper San Francisco, 1999
44. Simonton, O. Carl, Simonton, Stephanie Matthews, Creighton, James, L., ***Recuperar la Salud***, Los Libros del Comienzo, Madrid, 1994
45. Siegel, Bernie, ***Amor, medicina milagrosa***, Editorial Mensajero, Madrid, 1992
46. Grad, Bernard, ***«Scientific Investigation of Subtle Energies»,*** Esalen Institute, 1984

47. Grad, Bernard, «***Subtle Energies and the Uncharted Realms of Mind***», Esalen Institute, 1999
48. Dossey, Larry, ***Reinventing Medicine***, Harper San Francisco, 1999.
49. Sicher, Fred, «**A Randomized Double-Blind Study of the Effect of Distant Healing in a Population with advanced AIDS: Reports on a small scale study**», *Western Journal of Medicine* 169, No. 6, pp., 356-363, 1998
50. Byrd, Randolph C, «***Positive Therapeutic Effects of Intercessory Prayer in a Coronary Care Unit Population***», *Southern Medical Journal* No. 81, pp. 826-829, 1988
51. Garfield, Charles, ***Rendimiento Máximo,*** Editorial Martínez Roca, México, 1993
52. Brown, Barbara, ***Mente Nueva – Cuerpo Nuevo***, Editorial Diana, México
53. Ader, Robert, Felten, David L., Cohen, Nicholas, ***Psychoneuroimmunology: Second Edition.***, Academia Press, San Diego, California, 1991
54. Achterberg, Jeanne, ***Por los caminos del corazón***, Los Libros del Comienzo, Madrid, 1994
55. Boreal, François, ***Controla tu propio dolor,*** Editorial Mensajero, Madrid, 1990
56. Danner D., Snowdon D, Friesen W., *Positive emotions in early and longevity: findings from the nun study Journal of Personality and Social Psychology*, No. 80 (5), p. 814, 2001
57. Consejo Académico Mundial, ***El Método Silva de Control Mental: Manual de Investigación,*** Silva Mind Control Internacional, Laredo, Texas, 1989
58. S.S. Pablo VI, ***Encíclica Populorum Progressio: Sobre la necesidad de promover el desarrollo de los pueblo,*** BAC, Madrid, 1968
59. S.S. Pablo VI, ***Gaudium et Spes. Constitución Pastoral sobre la Iglesia en el mundo actual,*** BAC, Madrid, 1968
60. Gaudium et Spes, (GS), 33
61. S.S. Pablo VI, «***Carta Encíclica Ecclesiam suam***», I,15, Concilio Vaticano II.
62. Gaudium et Spes, (GS) 78
63. Begley, Sharon, ***Train your Mind Change your Brain,*** Ballantine Books, Nueva York, 2007
64. Doidge, Norman, ***The brain that changes itself,*** Penguin Group, Nueva York, 2007

65. Snowdon, David, ***Aging with grace***, Bantam Books, Nueva York, 2001.
66. Edelstein & Edelstein, 1945
67. Tick, 2001
68. Edelstein & Edelstein, 1945
69. Simonton, Mattews-Simonton & Sparks, 1980
70. Kiecott-Glaser, McGuire, Robles & Glaser, 2002
71. Pert, Ruff, Weber & Herkenham, 1985; Barrows & Jacobs, 2002; Troesch, Rodehaver, Delaney & Yanes, 1993; Pert, 1995; Eller, 1995, Pelletier, 2002
72. Davenport, 1996
73. Ackerman & Turkoski, 2000
74. Coth, Wolsko, Foreman, *et. al.*, 2007
75. Wolsko, Eisenberg, Davis & Phillips, 2002
76. Tusek & Cwynar, 2000
77. Collins y Dunn, 2005
78. Davidson, Rabat-Sin, Schumacher, *et. al.*, 2003; Manuso 1983
79. Rodgers, Khoo, MacEachen, *et. al.*, 1996; Ackerman, Stover, Herman, *et. al.*, 2003; Ackerman, Herman, Rabin, *et. al.*, 2002; Ackerman, Martino, Herman, *et. al.*, 1998; Mohr, Goodkin, Nelson, *et. al..*, 2002; Mohr, Goodkin, Islar, *et. al.*, 2001; Mohr, Goodkin, Bacchetti, *et. al.*, 2000
80. Rao, Grafman, DiGiulio, *et. al.*, Foley, Traugott, LaRocca, *et. al.*, 1992
81. Rendon, 2003
82. Mohr, *et. al.*, 2001
83. Rendon, 2003
84. Ackerman, *et. al.*, 2003
85. Ackerman, *et. al.*, 2003; Mohr, *et. al.*, 2001
86. Guilick, 2001
87. Kroencke & Deny, 1999; LaRocca, 1984
88. Warren, Warren & Gockerill, 1991
89. Warren, *et. al.*, 1991; Mohr, 1998; Gilchrist & Creed, 1994; Aikens; Fischer, Namey, *et. al.*, 1994,
90. Clark, Fleming, Li, *et. al.*, 1992
91. DeKeyser, 2003
92. Pliskin, Hammer, Golstein, *et. al.*, 1996; Smits, Emmen, Berteismann, *et. al.*, 1994
93. VanderPlate, 1984

Datos de contacto

Para información de los cursos e instructores autorizados del Método Silva en México, Centroamérica y Panamá:

Asociación Latinoamericana de Desarrollo Humano, S.C.

Colima 422, col. Roma.
México, D.F.
C.P. 06700, México
Tel: (52 55) 52 11 03 03
Fax: (52 55) 52 56 55 24

info@aladeh.com.mx

www.aladeh.com.mx
www.dinamicamental.com.mx
www.metodosilva.com.mx

Para información en el resto del mundo:

Silva Mind Control International

P.O. Box 2249.
Laredo, Tx. 78044-2249
Estados Unidos
Tel: 1 956 722 63 91

www.silvamethod.com

Rosa Argentina Rivas Lacayo y José Silva, los 70's

Rosa Argentina Rivas Lacayo y José Silva, los 70's

Rosa Argentina Rivas Lacayo y Juan Silva, los 80's

Rosa Argentina Rivas Lacayo y José Silva, los 90's